FRIEDRICH NIETZSCHE

ASSIM FALAVA ZARATUSTRA

FRIEDRICH NIETZSCHE

ASSIM FALAVA ZARATUSTRA

Tradução
Erika Patrícia Moreira e João Pedro Nodari

Revisão
Ana Carolina Morais

Os direitos desta edição pertencem à
Editora Pé da Letra
Rua Coimbra, 255 - Jd. Colibri - Cotia, SP, Brasil
Tel.(11) 3733-0404
vendas@editorapedaletra.com.br / www.editorapedaletra.com.br

DIRETOR E COORDENAÇÃO EDITORIAL James Misse
DIREÇÃO DE ARTE Luciano F. Marcon
DIAGRAMAÇÃO Everaldo J. Pressel e Adriana Oshiro
TRADUÇÃO Erika Patrícia Moreira e João Pedro Nodari
REVISÃO Ana Carolina Morais

Impresso no Brasil, 2023

Dados Internacionais de Catalogação na Publicação (CIP)
Câmara Brasileira do Livro, SP, Brasil
Angélica Ilacqua CRB-8/7057

Nietzsche, Friedrich Wilhelm, 1844-1900
  Assim falava Zaratustra / Friedrich Wilhelm Nietzsche; tradução de Erika Patrícia Moreira, João Pedro Nodari; revisão de Ana Carolina Morais. — Brasil: Pé da Letra, 2021.
  288 p. : il.; 16 x 23 cm

  ISBN:978-65-5888-166-7
  Título original: Thus Spoke Zarathustra

  1. Filosofia alemã I. Título II. Moreira, Erika Patrícia, João Pedro Nodari III. Morais, Ana Carolina.

21-1117   CDD 193

Índices para catálogo sistemático:
1. Filosofia alemã

Todos os direitos reservados. Nenhuma parte desta publicação pode ser reproduzida, armazenada em um sistema de recuperação, ou transmitida, de qualquer forma ou por qualquer meio, eletrônico, mecânico, fotocopiador, de gravação ou outro, sem autorização prévia por escrito, de acordo com as disposições da Lei 9.610/98. Qualquer pessoa ou pessoas que pratiquem qualquer ato não autorizado em relação a esta publicação podem ser responsáveis por processos criminais e reclamações cíveis por danos. Esta editora empenhou-se em contatar os responsáveis pelos direitos autorais de todas as imagens e de outros materiais utilizados neste livro. Se, porventura, for constatada a omissão involuntária ou equívocos na identificação de algum deles, dispomo-nos a efetuar, futuramente, as correções em edições futuras.

SUMÁRIO

INTRODUÇÃO DA SRA. FORSTER NIETZSCHE 11
COMO ZARATUSTRA PASSOU A EXISTIR 11
PRÓLOGO DE ZARATUSTRA 23
I. 23
II. 24
III. 25
IV. 27
V. 29
VI. 31
VII. 32
VIII. 33
IX. 34
X. 35
PARTE I: DISCURSOS DE ZARATUSTRA 37
I. DAS TRÊS METAMORFOSES 37
II. DAS CÁTEDRAS DA VIRTUDE 39
III. SOBRE AQUELES QUE ACREDITAM NO ALÉM 41
IV. DAQUELES QUE DESPREZAM O CORPO 44
V. DAS ALEGRIAS E PAIXÕES 46
VI. DO PÁLIDO CRIMINOSO 47
VII. LER E ESCREVER 49
VIII. A ÁRVORE DA MONTANHA 51
IX. DOS PREGADORES DA MORTE 53
X. DA GUERRA E DOS GUERREIROS 55
XI. O NOVO ÍDOLO 57

XII. AS MOSCAS DA PRAÇA PÚBLICA 59
XIII. DA CASTIDADE 62
XIV. DO AMIGO 63
XV. OS MIL E UM OBJETIVOS 65
XVI. DO AMOR AO PRÓXIMO 67
XVII. DOS CAMINHOS DO CRIADOR 68
XVIII. DAS MULHERES JOVENS E VELHAS 71
XIX. A PICADA DA VÍBORA 73
XX. DO FILHO E DO CASAMENTO 74
XXI. DA LIVRE MORTE 76
XXII. DA VIRTUDE GENEROSA 79
PARTE II 85
XXIII. A CRIANÇA E O ESPELHO 85
XXIV. NAS ILHAS AFORTUNADAS 87
XXV. DOS PIEDOSOS 89
XXVI. DOS PADRES 92
XXVII. DOS VIRTUOSOS 94
XXVIII. DAS CANALHAS 97
XXIX. DAS TARÂNTULAS 100
XXX. DOS CÉLEBRES SÁBIOS 102
XXXI. O CANTO DA NOITE 105
XXXII. A MÚSICA DANÇANTE 107
XXXIII. O CANTO DO SEPULCRO 109
XXXIV. DA SUPERAÇÃO DE SI MESMO 112
XXXV. DOS SUBLIMES 115
XXXVI. DA TERRA DA CULTURA 117
XXXVII. DO IMACULADO CONHECIMENTO 119
XXXVIII. DOS ACADÊMICOS 122
XXXIX. DOS POETAS 123

XL. DOS GRANDES EVENTOS.. 126
XLI. O ADIVINHO.. 129
XLII. DA REDENÇÃO 132
XLIII. DA CIRCUNSPECÇÃO HUMANA 136
XLIV. A HORA MAIS SILENCIOSA 138
PARTE III.. 143
XLV. O ANDARILHO... 143
XLVI. A VISÃO E O ENIGMA 146
XLVII. DA BEATITUDE INVOLUNTÁRIA................................ 150
XLVIII. ANTES DO NASCER DO SOL 153
XLIX. DA VIRTUDE AMESQUINHADORA............................... 156
L. NO MONTE DAS OLIVEIRAS 161
LI. DE PASSAGEM... 164
LII. DOS RENEGADOS 166
LIII. O REGRESSO 170
LIV. DOS TRÊS MALES 173
LV. DO ESPÍRITO DE PESO 177
LVI. DAS ANTIGAS E DAS NOVAS TÁBUAS 181
LVII. O CONVALESCENTE.. 198
LVIII. A GRANDE NOSTALGIA 204
LIX. A SEGUNDA CANÇÃO PARA DANÇAR 206
LX. OS SETE SELOS (OU O CANTO DO SIM E DO AMÉM) 209
PARTE IV.. 215
LXI. O SACRIFÍCIO DO MEL... 215
LXII. DO GRITO DE AFLIÇÃO... 218
LXIII. CONVERSA COM OS REIS.. 221
LXIV. SANGUESSUGA 224
LXV. O ENCANTADOR 227
LXVI. SEM SERVIÇO 231

LXVII. O HOMEM MAIS FEIO 235
LXVIII. O MENDIGO POR ESCOLHA 239
LXIX. A ESCURIDÃO 243
LXX. MEIO-DIA 246
LXXI. DO CUMPRIMENTO 248
LXXII. A REFEIÇÃO 253
LXXIII. O HOMEM SUPERIOR 255
LXXIV. A CANÇÃO MELANCÓLICA 264
LXXV. CIÊNCIA 267
LXXVI. ENTRE AS FILHAS DO DESERTO 269
LXXVII. O DESPERTAR 272
LXXVIII. O FESTIVAL DO BURRO 275
LXXIX. O CANTO DO EMBRIAGADO 278
LXXX. O SINAL 285
VIDA E OBRA DO AUTOR 288

INTRODUÇÃO DA SRA. FORSTER NIETZSCHE

COMO ZARATUSTRA PASSOU A EXISTIR

"Zaratustra" é a obra mais pessoal do meu irmão; é a história de sua experiência individual; experiências de suas amizades, ideais, arrebatamentos, amargas decepções e tristezas.

Acima de tudo, porém, alça-se, transfigurando-o, a imagem de suas maiores esperanças e objetivos mais remotos. Meu irmão tinha a figura de Zaratustra em sua mente desde o início da juventude: uma vez me disse que desde criança tinha sonhado com ele.

Em diferentes períodos de sua vida, ele chamaria essa assombração de seus sonhos por nomes diferentes; "Mas no final", declara em nota sobre o assunto: "Tive que dar a um persa a honra de identificá-lo com esta criatura da minha fantasia.

Os persas foram os primeiros a fazer uma avaliação ampla e abrangente da história. Cada série de evoluções, segundo eles, foi presidida por um profeta; e cada profeta teve seu 'Hazar', sua dinastia de mil anos."

Todos os pontos de vista de Zaratustra, assim como sua personalidade, foram os primeiros conceitos da mente do meu irmão.

Quem lê seus escritos publicados postumamente nos anos de 1869 a 1882 com cuidado, constantemente encontrará passagens sugestivas dos pensamentos e doutrina de Zaratustra. Por exemplo, o ideal do Super-homem é apresentado de forma bastante clara em todos os seus escritos durante os anos de 1873 a 1875.

"Os gregos são interessantes e extremamente importantes porque criaram um vasto número de grandes indivíduos. Como isso foi possível? A questão é aquela que deveria ser estudada."

"Estou interessado apenas nas relações de um povo com a educação do homem individual, e entre os gregos, as condições eram excepcionalmente favoráveis para o desenvolvimento do individual; não por causa da bondade do povo, mas por causa do lutas de seus instintos malignos."

A noção de criar o Super-homem é apenas uma nova forma de um ideal que Nietzsche já tinha em sua juventude, que "o objeto da humanidade deve estar nos indivíduos superiores" (ou, como ele escreve em "Schopenhauer como Educador": "A humanidade deve estar constantemente se esforçando para produzir grandes homens, isso e nada mais é que o seu dever.") Mas os ideais que ele mais reverenciava naquela época não são mais considerados os tipos mais elevados de homens.

Quem pode dizer a que gloriosas alturas o homem ainda pode ascender? Por isso, depois de testado o valor de nosso ideal mais nobre, o do Salvador, o poeta grita com ênfase apaixonado em "Zaratustra": "Nunca existiu um Super-Homem. Nu eu vi os dois, o maior e o menor homem. Todos muito semelhantes ainda são uns com os outros. Na verdade, mesmo os maiores descobri que todos também são humanos."

A frase "a criação do Super-homem", muitas vezes têm sido mal interpretada. A palavra "criar", neste caso, significa o ato de modificar por meio de valores novos e superiores, valores que, como leis e guias de conduta e opinião, agora devem governar a humanidade. Em geral, a doutrina do Super-homem só pode ser entendida corretamente em conjunção com outras ideias do autor, tais como: a ordem de classificação, a vontade de Poder e a transvaloração de todos os Valores.

Ele assume que o Cristianismo, como um produto do ressentimento dos remendados e fracos, baniu tudo o que é bonito, forte, orgulhoso e poderoso, na verdade todas as qualidades resultantes da força, e que, em consequência, todas as forças que tendem a promover ou elevar a vida foram seriamente minadas.

Agora, no entanto, uma nova tábua de avaliações deve ser colocada sobre a humanidade, ou seja, a do homem forte, poderoso e magnífico, transbordando de vida e elevado ao seu apogeu, o Super-homem, que agora é colocado diante de nós com avassaladora paixão como o objetivo de nossa vida, esperança e vontade.

E assim como o antigo sistema de avaliação, que apenas exaltou as qualidades favoráveis aos fracos, os sofredores e os oprimidos, conseguiu produzir uma raça fraca, sofredora e "moderna", então este novo sistema de avaliação invertido deve criar um tipo saudável, forte, animado e corajoso, que seria uma glória para a própria vida.

Declarado resumidamente, o princípio condutor deste novo sistema de valorizar seria: "Tudo o que procede do poder é bom, tudo o que surge da fraqueza é ruim."

Este tipo não deve ser considerado uma figura fantasiosa: não é uma esperança nebulosa que será realizada em algum período indefinidamente remoto, daqui a milhares de anos; nem é uma nova espécie (no sentido darwiniano) das quais nada podemos saber. Mas é para ser uma possibilidade que os homens do presente poderiam realizar com todas as suas energias espirituais e físicas, desde que adotassem os novos valores.

O autor de "Zaratustra" nunca perdeu de vista aquele exemplo flagrante de uma transvaloração de todos os valores através do Cristianismo, pelo qual todo o modo de vida deificado e pensamento dos gregos, bem como do forte Romedom, foi quase aniquilado ou transvalorizado em um tempo comparativamente curto.

Não poderia um rejuvenescido sistema greco-romano de avaliação (uma vez que foi refinado e aprofundado pela escolaridade que dois mil anos de Cristianismo proporcionaram) efeito de outra revolução dentro de um calculado período de tempo, até que aquele glorioso tipo de masculinidade finalmente apareça, que será a nossa nova fé e esperança, e na criação da qual Zaratustra nos exorta a participar?

Em suas notas privadas sobre o assunto o autor usa a expressão "Super-homem", como significando "o tipo mais completamente bem constituído", como oposto ao "homem moderno"; acima de tudo, porém, designa o próprio Zaratustra como um exemplo de Super-homem.

"Para entender este tipo, devemos primeiro ser bastante claros no que diz respeito à condição fisiológica da qual depende: essa condição é o que chamo de ótima saúde."

Embora a figura de Zaratustra e um grande número de pensamentos protagonistas desta obra tenha aparecido muito antes nos sonhos e escritos do autor, "Assim falava Zaratustra" não apareceu até o mês de agosto de 1881 em Sils Maria; e foi a ideia da recorrência eterna de todas as coisas que finalmente induziu meu irmão a expor seus novos pontos de vista em linguagem poética.

Em relação à sua primeira concepção desta ideia, seu esboço autobiográfico, "Ecce Homo", escrito no outono de 1888, contém a seguinte passagem:

"A ideia fundamental do meu trabalho, a saber, a recorrência eterna de todas as coisas, a mais elevada de todas as fórmulas possíveis de uma filosofia de dizer sim, ocorreu-me pela primeira vez em agosto de 1881.

Anotei o pensamento em uma folha de papel, com o pós-escrito: 6.000 pés além dos homens e do tempo! Naquele dia estava vagando pela floresta ao lado do lago de Silvaplana, e parei ao lado de uma pedra enorme, piramidal e imponente, não muito distante de Surlei. Foi então que o pensamento me ocorreu. Olhando para trás agora, acho que exatamente dois meses antes desta inspiração, tive um presságio de sua chegada na forma de uma alteração repentina e decisiva em meus gostos, mais particularmente na música. Seria mesmo possível considerar todo 'Zaratustra' como uma composição musical. De todos os acontecimentos, uma condição muito necessária na sua produção foi um renascimento em mim da arte de ouvir. Em um pequeno resort nas montanhas (Recoaro) perto de Vicenza, onde passei a primavera de 1881, eu e meu amigo e Maestro, Peter Gast, também aquele que havia nascido de novo, descobrimos que a música da fênix que pairava sobre nós, usava plumas cada vez mais brilhantes."

Durante o mês de agosto de 1881, meu irmão resolveu revelar o ensino da recorrência eterna, na forma ditirâmbica e salmódica, pela boca de Zaratustra. Entre as notas deste período, encontramos uma página na qual está escrito o primeiro plano definido de "Assim falava Zaratustra":

"MEIO-DIA E ETERNIDADE."

Abaixo está escrito:

"Zaratustra nasceu no lago Urmi; deixou sua casa em seu trigésimo ano, foi para a província de Aria e, durante dez anos de solidão nas montanhas, compôs o Zend-Avesta."

"O sol do conhecimento surge mais uma vez ao meio-dia; e a serpente da eternidade jaz enrolada em sua luz: É a sua hora, irmãos do meio-dia."

Naquele verão de 1881, meu irmão, após muitos anos de saúde frágil, começou finalmente a se recompor, e é devido a essa recuperação que devemos não apenas "A Gaia Ciência", que em seu humor pode ser considerada como um prelúdio de "Zaratustra", mas também "Zaratustra" em si.

Assim como ele estava começando a recuperar sua saúde, no entanto, um destino cruel trouxe-lhe uma série de experiências pessoais. Seus amigos lhe causaram muitas decepções, que foram ainda mais amargas para ele, visto que considerava a amizade uma instituição sagrada; e pela primeira vez em sua vida percebeu todo o horror daquela solidão para a qual, talvez, todos estejam condenados.

Mas ser abandonado é algo muito diferente de deliberadamente escolher a abençoada solidão. Como ansiava, naqueles dias, pelo amigo ideal que iria compreendê-lo completamente, a quem seria capaz de dizer tudo, e a quem imaginou que havia encontrado em vários períodos de sua vida, desde a mais tenra juventude.

Agora, no entanto, que o caminho que escolheu ficara cada vez mais perigoso e íngreme, não encontrou ninguém que poderia segui-lo: portanto, criou um amigo perfeito para si mesmo na forma ideal de um filósofo majestoso, e fez desta criação o pregador de seu evangelho para o mundo.

Se meu irmão teria escrito "Assim falava Zaratustra" de acordo com o primeiro plano traçado no verão de 1881, se ele já não tivesse tido as decepções referidas, é agora uma questão ociosa; mas talvez no que diz respeito a "Zaratustra", nós também podemos dizer com Mestre Eckhardt:

"A besta mais veloz para carregá-lo com perfeição é o sofrimento."

Meu irmão escreve o seguinte sobre a origem da primeira parte de "Zaratustra": "No inverno de 1882-83, estava morando no charmoso Golfo de Rapallo, não muito longe de Génova e entre Chiavari e o Cabo Porto Fino. Minha saúde não estava muito boa; o inverno foi frio e excepcionalmente chuvoso; e a pequena pousada em que morava ficava tão perto da água que à noite meu sono seria perturbado se o mar estivesse alto.

Essas circunstâncias eram certamente o oposto de favoráveis; e ainda, apesar de tudo, e como se em demonstração de minha crença de que tudo o que é decisivo ganha vida, apesar de cada obstáculo, foi justamente nesse inverno e em meio a essas circunstâncias que meu 'Zaratustra' se originou.

De manhã, costumava começar em uma direção sul até a gloriosa estrada para Zoagli, que se eleva através de uma floresta de pinheiros e dá uma vista de longe para o mar. À tarde, tantas vezes quanto minha saúde permitia, caminhei em torno de toda a baía de Santa Margherita para além do Porto Fino. Este local era ainda mais interessante para mim, visto que era tão amado pelo imperador Frederico III. No outono de 1886, tive a chance de estar lá novamente quando ele estava revisitando este pequeno mundo de felicidade esquecido pela última vez. Foi nesses dois caminhos que todo 'Zaratustra' veio a mim, acima de tudo o próprio Zaratustra como um tipo. Devo dizer que foi nessas caminhadas que essas ideias me emboscaram."

A primeira parte de "Zaratustra" foi escrita em cerca de dez dias, ou seja, começando em meados de fevereiro de 1883. "As últimas linhas foram escritas precisamente na hora sagrada em que Richard Wagner entregou o fantasma em Veneza."

Com exceção dos dez dias ocupados na composição da primeira parte deste livro, meu irmão frequentemente se referia a este inverno como o mais difícil e doentio que já experimentara.

Ele não quis dizer com isso que seus distúrbios anteriores o estavam incomodando, mas que estava sofrendo de um severo ataque de gripe que pegou em Santa Margherita, e que o atormentou por várias semanas após sua chegada a Gênova.

No entanto, o que mais reclamava era de sua condição espiritual de abandono indescritível, ao qual dá uma expressão comovente em "Zaratustra". Até a recepção que a primeira parte teve nas mãos de amigos e conhecidos foi extremamente desanimadora: quase todos aqueles a quem ele apresentou cópias da obra a entenderam mal.

"Não encontrei ninguém maduro para muitos dos meus pensamentos; o caso de 'Zaratustra' prova que se pode falar com a maior clareza, e ainda não ser ouvido por qualquer um."

Meu irmão ficou muito desanimado com a fraqueza da resposta que foi dada, e como estava se esforçando para parar de tomar hidrato de cloral, uma droga que começou a tomar enquanto estava doente com gripe, a primavera seguinte em Roma foi um tanto sombria para ele.

Ele escreve sobre isso da seguinte maneira:

"Passei uma primavera melancólica em Roma, onde mal consegui viver, e esse não é um assunto fácil. Esta cidade, absolutamente inadequada para o poeta-autor de 'Zaratustra', e pela escolha da qual eu não era responsável, me deixou desordenadamente miserável. Tentei sair de lá. Queria ir para Aquila, o oposto de Roma em todos os aspectos, e na verdade fundada em um espírito de inimizade para com aquela cidade (assim como eu fundarei uma cidade algum dia), como uma lembrança de um ateu e genuíno inimigo da igreja, uma pessoa muito próxima a mim, o grande Hohenstaufen, o imperador Frederico II.

Mas o destino estava por trás disso tudo e tive que voltar novamente para Roma. No final fui obrigado a ficar satisfeito com Piazza Barberini, depois de me esforçar em vão para encontrar um bairro que não fosse cristão.

Em uma ocasião, para evitar o máximo de cheiros ruins, realmente perguntei no Palazzo del Quirinale se não poderiam fornecer um quarto silencioso para um filósofo. Em um quarto bem acima da praça que acabamos de mencionar, de onde se obtém uma vista geral de Roma e podia ouvir o barulho das fontes lá embaixo, a mais solitária de todas as canções foi composta 'The Night – Song'. Nessa época, estava obcecado por uma melodia indescritivelmente triste, o refrão que me reconheci nas palavras, 'morto pela imortalidade'."

Permanecemos tempo demais em Roma naquela primavera, e com o efeito do aumento do calor e as circunstâncias desanimadoras já descritas, meu irmão resolveu não escrever mais, ou em qualquer caso, não prosseguir com "Zaratustra", embora tenha me oferecido para livrá-lo de todos os problemas relacionados às provas e ao editor. Quando, no entanto, voltamos para a Suíça no final de junho, e ele se viu mais uma vez mais no ar familiar e estimulante das montanhas, todos os seus alegres poderes criativos reviveram, e em uma nota para mim anunciando o envio de algum manuscrito, ele escreveu o seguinte: "Aluguei um lugar aqui por três meses: na verdade, sou o maior tolo em permitir que minha coragem seja sugada de mim pelo clima da Itália. De vez em quando sou incomodado com o pensamento: Que próximo? Meu 'futuro' é a coisa mais sombria do mundo para mim, mas como ainda há muito a fazer, suponho que devo antes pensar fazendo isso do que no meu futuro, e deixar o resto para você e os deuses."

A segunda parte de "Zaratustra" foi escrita entre os dias 26 de junho e 6 de julho. "Neste verão, encontrando-me mais uma vez no lugar sagrado onde o primeiro pensamento de 'Zaratustra' passou pela minha mente, concebi a segunda parte. Dez dias bastaram. Nem para a segunda, a primeira, nem a terceira parte, precisei de mais um dia."

Costumava falar do estado de ânimo extático com que escreveu "Zaratustra"; como na caminhada dele por colinas e vales, as ideias se acumulavam em sua mente e anotava apressadamente em um caderno de onde as transcreveria em seu retorno, às vezes trabalhando até meia-noite.

Ele disse em uma carta para mim: "Você tem ideia da veemência de tal composição", e em "Ecce Homo" (outono de 1888) descreve como segue com entusiasmo apaixonado o clima incomparável com que criou Zaratustra:

"Alguém no final do século XIX tem alguma noção distinta do que os poetas de idade mais forte entendiam pela palavra inspiração? Se não, vou descrever. Se alguém tivesse o menor vestígio de superstição, dificilmente seria possível deixar de lado completamente a ideia de que esse alguém é mera encarnação, porta-voz ou médium de uma potência onipotente. A ideia de revelação no sentido de que algo se torna repentinamente visível e audível com certeza e precisão indescritíveis, que convulsiona profundamente e perturba a pessoa, descreve simplesmente a questão de fato. Existe um êxtase tal que a imensa tensão disso às vezes é relaxada por uma enxurrada de lágrimas, junto com as quais as etapas se apressam ou atrasam involuntariamente, alternadamente. Tudo acontece involuntariamente, como se em uma explosão tempestuosa de liberdade, de absolutez, de poder e divindade. O involuntário das figuras e símiles é a coisa mais notável; se perde toda percepção do que constitui a figura e do que constitui a comparação; tudo parece apresentar-se como o meio de expressão mais pronto, correto e simples. Isto realmente parece, para usar uma das próprias frases de 'Zaratustra', como se todas as coisas viessem a uma só, e seriam símiles: Aqui todas as coisas vêm carinhosamente à tua conversa e te bajulam, pois eles querem montar em suas costas. Em cada símile tu cavalgaste aqui para cada verdade. Aqui voa aberto para ti todas as palavras e gabinetes de palavras do ser; aqui todo ser quer se tornar palavras, aqui todo devir quer aprender de ti como falar. 'Esta é minha experiência de inspiração. Não tenho dúvidas, mas seria necessário voltar milhares de anos para encontrar alguém que pudesse me dizer: É minha também!"

No outono de 1883, meu irmão deixou a Engadina e foi para a Alemanha e lá ficou algumas semanas. No inverno seguinte, depois de vagar um tanto erraticamente por Stresa, Gênova, e Spezia, desembarcou em Nice, onde o clima promoveu tão alegremente sua criatividade que escreveu a terceira parte de "Zaratustra". "No inverno, sob o céu de Nice, que então olhou para mim pela primeira vez na minha vida, encontrei o terceiro 'Zaratustra' e chegou ao fim da minha tarefa; ao todo me ocupando quase um ano. Muitas paisagens ao redor de Nice são santificadas para mim pelos momentos inesquecíveis. Esse capítulo decisivo intitulado 'das velhas e novas tábuas' foi composta na ascensão muito difícil da estação para Eza, aquela maravilhosa aldeia mourisca nas rochas. Meus momentos mais criativos sempre foram acompanhados por atividade muscular incomum. O corpo é inspirado: vamos dispensar a questão da 'alma'. Podia ser visto dançando frequentemente naquela época. Sem cansaço poderia em seguida, caminhar por sete ou oito horas a fio entre as colinas. Dormia bem e ria bem. Era perfeitamente robusto e paciente". Como vimos, cada uma das três partes de "Zaratustra" foi escrita, depois de mais ou menos curto período de preparação, em cerca de dez dias. A composição da quarta parte sozinha foi interrompida por interrupções ocasionais. As primeiras notas relacionadas a esta parte foram escritas enquanto estávamos juntos em Zurique em setembro de 1884. No próximo novembro, enquanto estava em Mentone, começou a elaborar essas notas, e depois de uma longa pausa, terminou o manuscrito em Nice entre o final de janeiro e meados de fevereiro de 1885.

Meu irmão então chamou essa parte de a quarta e última; mas mesmo antes, e logo depois de ter sido impressa em particular, me escreveu dizendo que ainda pretendia escrever uma quinta e sexta partes, e notas relacionadas a essas partes estão agora em minha posse.

Esta quarta parte (o manuscrito original; da qual contém esta nota: "Apenas para meus amigos, não para o público") é escrito em um espírito particularmente pessoal, e aqueles poucos a quem apresentou uma cópia, se comprometeram a guardar o mais estrito sigilo quanto ao seu conteúdo. Frequentemente pensava em tornar esta quarta parte pública também, mas duvidava se algum dia seria capaz de fazer isso sem alterar consideravelmente certas partes dela. Em todos os eventos, decidiu distribuir esta produção manuscrita, da qual apenas quarenta cópias foram impressas, apenas entre aqueles que provaram ser dignos dela, e fala eloquentemente de sua declarada solidão e necessidade de simpatia naqueles dias, só teve a oportunidade de apresentar sete cópias de seu livro de acordo com esta resolução. Já no início desta história dei a entender os motivos que levaram meu irmão a selecionar um persa como a encarnação de seu ideal de filósofo majestoso. Suas razões, no entanto, por escolher Zaratustra de todos os outros para ser seu porta-voz, ele nos dá nas seguintes palavras: "As pessoas nunca me perguntaram, como deveriam ter feito, o que o nome Zaratustra significa precisamente na minha boca, na boca do primeiro imoralista; o que distingue esse filósofo de todos os outros no passado é o próprio fato de que ele era exatamente o contrário de um imoralista. Zaratustra foi o primeiro a ver na luta entre o bem e o mal, a roda essencial no funcionamento das coisas. A tradução de moralidade no metafísico, como força, causa, fim em si mesmo, era o seu trabalho. Mas a pergunta sugere sua própria resposta. Zaratustra criou o erro mais portentoso, moralidade, consequentemente ele também deve ser o primeiro a perceber esse erro, não só porque teve uma experiência mais longa e maior do assunto do que qualquer outro pensador, toda a história é a refutação experimental da teoria da chamada ordem moral das coisas: o ponto mais importante é que Zaratustra era mais verdadeiro do que qualquer outro pensador. Somente em seu ensino encontramos a veracidade, sustentada como a maior virtude, ou seja: o reverso da covardia do 'idealista' que foge da realidade. Zaratustra tinha mais coragem em seu corpo do que qualquer outro pensador antes ou depois dele.

Falar a verdade: essa é a primeira virtude persa.

Estou entendido?... A superação da moralidade por si mesma, por meio da veracidade, a superação do moralista pelo seu oposto, através de mim: é o que o nome Zaratustra significa na minha boca."

ELIZABETH FORSTER NIETZSCHE.
Weimar, dezembro de 1905.

PRÓLOGO DE ZARATUSTRA

I

Quando Zaratustra chegou aos trinta anos, deixou sua pátria e o lago de sua terra natal, e foi para as montanhas. Lá desfrutou de seu espírito e solidão, por dez anos, sem se cansar. Mas, finalmente, seu coração mudou, e levantando-se numa manhã com o amanhecer rosado, pôs-se frente ao sol, e assim lhe falou:

"Ó grande estrela! Qual seria de tua sorte, se te faltassem a quem iluminas? Há dez anos continua subindo até minha caverna. Se eu, minha águia e minha serpente não estivéssemos aqui, haveria te cansado de tua luz e de teu trajeto.

Mas nós te esperávamos todas as manhãs, tiramos de ti o teu transbordamento e te abençoamos por isso.

Pois bem, estou cansado da minha sabedoria, como a abelha que colhe muito mel; preciso de mãos que se estendam para mim.

Iria de bom grado doar e distribuir, até que os sábios mais uma vez se tornassem felizes em sua loucura, e os pobres felizes em sua riqueza.

Portanto, devo descer ao abismo: como tu fazes à tarde, quando vais atrás do mar, e dá luz também ao mundo inferior, estrela exuberante!

Como tu, preciso declinar, como dizem os homens, entre os quais devo descer.

Abençoe-me, então, olho afável, que pode ver até mesmo a maior felicidade sem inveja!

Abençoe a taça que está prestes a transbordar, para que a água possa escorrer dourada dele, e carregue em toda parte o reflexo de tua bem-aventurança!

Eis que esta taça se esvaziará novamente e Zaratustra voltará a ser um homem."

Assim começou a queda de Zaratustra.

II

Zaratustra desceu a montanha sozinho, sem encontrar ninguém pelo caminho. Quando entrou na floresta, no entanto, de repente apareceu diante dele um homem velho, que havia deixado seu berço sagrado para buscar raízes. E assim falou o velho a Zaratustra:

"Não é estranho para mim este andarilho: muitos anos atrás ele passou por aqui. Zaratustra ele era chamado; mas mudou. Então carregaste as tuas cinzas para as montanhas: queres agora levar o teu fogo para os vales? Não temes a desgraça que é reservada aos incendiários?

Sim, reconheço Zaratustra. Puro é seu olho, e nenhuma aversão espreita em sua boca. Não se dirige para mim como que num passo de dançarino?

Zaratustra mudou e muito, tornou-se um menino, Zaratustra despertou: que farás na terra dos adormecidos?

Como no mar, tu viveste na solidão, e ele te sustentou. Ai, tu agora irás em terra? Ai, tu mesmo arrastarás novamente o seu corpo?"

Zaratustra respondeu: "Amo a humanidade."

"Por que então", disse o santo, "fui para a floresta e para o deserto? Não foi também por sentir demasiado amor pelos homens?

Agora amo a Deus. Não amo os homens. O homem é uma coisa imperfeita demais para mim. Amor para o homem seria fatal para mim."

Zaratustra respondeu: "Porventura falei de amor! Estou levando presentes aos homens."

"Não dê nada a eles", disse o santo. "Pegue parte de sua carga e carregue-a junto com eles, isso será muito agradável para eles: desde que seja também para ti!

Se, no entanto, tu lhes deres, não lhes dê mais do que uma esmola, e deixe-os também implorar por isso!"

"Não", respondeu Zaratustra, "não dou esmolas. Não sou pobre o bastante para isso."

O santo se pôs a rir de Zaratustra e falou assim: "Nesse caso, toma cuidado para que eles aceitem seus tesouros! Eles não confiam nos solitários e não acreditam que nos acheguemos como doadores de alguma coisa.

Para eles, nossos passos pelas ruas andam ecoando por demais solitários. E assim como de noite, quando estão na cama e ouvem um homem no exterior muito antes do nascer do sol, eles se perguntam sobre nós: Para onde vai o ladrão?

Não vá para os homens, mas fique na floresta! Vá para os animais! Por que não ser como eu, um urso entre os ursos, uma ave entre as aves?"

"E o que o santo faz na floresta?", perguntou Zaratustra.

O santo respondeu: "Faço hinos e os cantos; e ao fazer hinos eu rio, choro e resmungo: assim louvo a Deus.

Cantando, chorando, rindo e murmurando, louvo a Deus que é meu Deus. Mas o que nos trazes de presente?"

Quando Zaratustra ouviu essas palavras, curvou-se ao santo e disse: "O que teria eu para vos dar? Deixe-me apressar-me para não tirar nada de ti!" E assim separaram-se, o velho e Zaratustra, rindo como colegiais.

Quando Zaratustra ficou sozinho, porém, dizia ao seu coração: "Será possível! Esse velho santo na floresta ainda não ouviu falar disso, que DEUS ESTÁ MORTO!"

III

Quando Zaratustra chegou à cidade mais próxima, contígua à floresta, encontrou muitas pessoas reunidas no mercado; pois tinha sido anunciado que um equilibrista de corda faria uma apresentação. E Zaratustra falou assim ao povo:

"Eu vos anuncio o Super-homem. O homem nasceu para ser superado. Que fizeste para o superar?

Todos os seres, até agora, criaram algo além de si mesmos: e vós, quereis ser a vazante dessa grande maré, e preferis voltar para a besta a superar o homem?

O que é o macaco para o homem? Uma zombaria ou uma dolorosa vergonha. E tal deve ser o homem para o Super-homem: uma zombaria ou uma dolorosa vergonha.

Fizeste o teu caminho do verme para o homem, e dentro de vós resta ainda muito do verme. Outrora eras macaco, e mesmo assim o homem é mais macaco do que qualquer um dos macacos.

Mesmo o mais sábio entre vós é apenas uma desarmonia e um ser híbrido de planta e espectro. Acaso, vos disse para tornardes espectros ou plantas?

Eis que vos anuncio o Super-homem!

O Super-homem é o sentido da terra. Que vossa vontade diga: O Super-homem será o sentido da terra!

Exorto-vos, meus irmãos, permanecei fiéis à terra, e não acreditem naqueles que vos falam de esperanças supraterrestres! Eles são envenenadores, quer saibam disso ou não.

Eles desprezam a vida, os decadentes e os próprios envenenados, dos quais a terra está cansada: podem muito bem desaparecer!

Outrora, a blasfêmia contra Deus era a maior blasfêmia; mas Deus morreu, e com ele também aqueles blasfemadores. Blasfemar contra a terra é agora o pecado mais terrível, e avaliar o coração do incognoscível superior ao significado da terra!

Outrora a alma olhava com desprezo para o corpo, e então esse desprezo foi a coisa suprema: a alma desejava o corpo magro, medonho e faminto. Assim pensava libertar-se furtivamente dele e da terra.

Oh, essa mesma alma era ela mesma pobre, horrível e faminta! Para essa alma a crueldade era o seu deleite!

Mas vós também, meus irmãos, dizei-me: O que o vosso corpo diz a respeito da vossa alma? Não é a vossa alma, pobreza, poluição e autocomplacência miserável?

Na verdade, o homem é um riacho poluído. É preciso ser um mar, para receber um riacho poluído sem se tornar impuro.

Pois bem, vos anuncio o Super-homem. Ele é esse mar. Nele, vosso grande desprezo se perderá.

Qual é a maior coisa que vos pode acontecer? É a hora do grande desprezo. A hora em que mesmo a sua felicidade se torna repugnante para vós, e assim também a sua razão e virtude.

A hora em que havereis de dizer: "Que importa minha felicidade! É pobreza, poluição e miserável autocomplacência. Mas minha felicidade deve justificar a própria existência!"

A hora em que havereis de dizer: "Que importa minha razão? Ela anseia pelo saber como o leão por sua presa? Minha razão é miséria, imundície e lastimável conformidade!"

A hora em que havereis de dizer: "Que importa minha virtude? Ela ainda não me levou a loucura. Como estou farto do meu bem e do meu mal! Tudo isso é miséria, imundície e lastimável conformidade!"

A hora em que havereis de dizer: "Que importa minha justiça?! Não me parece que eu seja ainda brasa e fogo! Ora, o justo é como brasa e fogo!"

A hora em que havereis de dizer: "Que importa minha piedade? Não é a piedade a cruz em que se crava aquele que ama os homens? Mas minha piedade não é crucificação."

Já falastes dessa maneira? Já gritastes desse modo? Ah! Gostaria de vos ter ouvido gritar assim!

Não são vossos pecados, é a sua parcimônia que clama ao céu; sua mesquinhez, até mesmo em vosso pecado que clama ao céu!

Onde está, o raio que vos lambe com a sua língua? Onde está o delírio com o qual seria necessário vos inocular?

Vede; anuncio-vos o Super-homem: "É ele esse raio! É ele esse delírio!"

Depois de Zaratustra ter falado assim, uma das pessoas gritou: "Já ouvimos demais do que dança na corda; é hora de vê-lo agora!" E todas as pessoas riram de Zaratustra. Mas o dançarino da corda, que pensou que as palavras se aplicavam a ele, começou sua atuação.

IV

Zaratustra, porém, olhou para as pessoas e se maravilhou. Então falou assim:

"O homem é uma corda esticada entre o animal e o Super-homem - uma corda sobre um abismo.

Uma travessia perigosa, uma caminhada perigosa, um olhar perigoso para trás, um perigoso tremer e parar.

O que é grande no homem é que ele é uma ponte e não uma meta: o que é amável no homem é ele ser uma passagem e um declínio.

Só amo aqueles que sabem viver como que se extinguindo, porque são esses os que atravessam de um lado para outro lado.

Amo os grandes desprezadores, porque eles são os grandes adoradores, são flechas do desejo disparadas para a outra margem.

Amo aqueles que não procuram somente além das estrelas uma razão para entrar em declínio e oferecer-se em sacrifício, mas se sacrificam pela terra, para que a terra se torne, um dia, do Super-homem.

Amo aquele que vive para conhecer e busca conhecer, e que quer conhecer, para que um dia viva o Super-homem, porque assim quer o seu acabamento.

Amo aquele que trabalha e inventa, a fim de exigir uma morada ao Super-homem e preparar para ele a terra, os animais e as plantas, porque assim quer o seu acabamento.

Amo aquele que ama sua virtude: pois virtude é a vontade de extinção e uma flecha do desejo.

Amo aquele que não reserva nenhuma parte do espírito para si mesmo, mas deseja ser totalmente o espírito de sua virtude: assim caminha ele como espírito sobre a ponte.

Amo aquele que faz de sua virtude sua inclinação e destino: assim, por causa de sua virtude, ele está disposto a viver, e deixar de viver.

Amo aquele que não deseja muitas virtudes. Uma virtude é mais virtude do que duas, porque é mais um nó para o destino de alguém se agarrar.

Amo o que prodigaliza a sua alma, o que não quer receber nem restitui, porque dá sempre e se não quer preservar.

Amo aquele que se envergonha quando os dados caem a seu favor, e que então pergunta: "Sou eu um jogador desonesto?", pois ele está disposto a sucumbir.

Amo aquele que espalha palavras de ouro antes de seus atos, e sempre faz mais do que promete: porque busca a sua própria queda.

Amo aquele que justifica os que hão de vir e redime os que já foram: porque quer que o combatam os presentes.

Amo o que castiga o seu Deus, porque ama o seu Deus, pois a cólera do seu Deus o confundirá.

Amo aquele cuja alma é profunda mesmo na ferida, e que pode morrer por qualquer acidente fútil, porque é de bom grado que cruzará a ponte.

Amo aquele cuja alma é tão cheia que esquece de si mesmo, e todas as coisas estão nele: assim, todas as coisas se tornam seu declínio.

Amo aquele que tem o espírito e o coração livres, assim, sua cabeça é apenas as entranhas de seu coração; seu coração, entretanto, o leva a sucumbir.

Amo todos aqueles que são como gotas pesadas que caem da sombria nuvem suspensa sobre os homens, anunciam o relâmpago próximo e desaparecem.

Vede que sou um anúncio do raio e uma gota pesada procedente da nuvem. Mas esse raio se chama Super-homem."

V

Depois que Zaratustra disse essas palavras, voltou a olhar para o povo e calou-se.

"Lá estão eles", disse ele ao coração; "Aí eles riem: eles não me entendem; não é minha a boca que esses ouvidos necessitam.

Deve-se primeiro bater os ouvidos, para que aprenda a ouvir com os olhos? Terei que atroar à maneira de timbales ou de pregadores de quaresma? Ou eles só acreditam no gago?

De qualquer coisa se sentem orgulhosos. Como se chama isso, de que estão orgulhosos? Cultura, eles chamam; isso os distingue dos pastores de cabras.

Não gostam, portanto, de ouvir falar de "desprezo" por si mesmos. Então, vou apelar para o orgulho deles.

Falar-lhes-ei, portanto, ao orgulho.

Falar-lhes-ei do mais desprezível que existe, do último homem."

E assim falava Zaratustra ao povo:

"É hora do homem fixar seu objetivo. É hora do homem plantar o germe de sua maior esperança.

Ainda assim, seu solo é rico o suficiente para isso. Mas aquele solo um dia será pobre e exausto, e nele já não poderá crescer nenhuma árvore.

Ai! Aproxima-se o tempo em que o homem não lançará mais a flecha de seu anseio além do homem e a corda de seu arco terá desaprendido a zunir!

Vos digo: é preciso ter um caos dentro de si para dar à luz uma estrela cintilante.

Vos digo: tendes ainda um caos dentro de vós outros.

Ai! Aproxima-se o tempo em que o homem não dará mais à luz a nenhuma estrela. Ai de mim! Chega a hora do homem mais desprezível, que não pode mais se desprezar.

Olhai! Vos mostro o último homem.

"O que é o amor? O que é a criação? O que é a saudade? O que é uma estrela?", assim pergunta ao último homem e pisca.

A terra então se tornou pequena, e sobre ela esperou o último homem que fez tudo pequeno. Sua espécie é indestrutível como a da pulga terrestre; o último homem vive mais.

"Descobrimos a felicidade", dizem os últimos homens, e piscam os olhos.

Eles deixaram as regiões onde é difícil viver; pois precisam de calor. Ainda ama seu vizinho e se roçam pelo outro, porque uma pessoa necessita calor.

Ficar doente e desconfiar, parece-lhes pecado; andam com cautela. É um tolo aquele que ainda tropeça em pedras ou homens!

Um pouco de veneno de vez em quando; que produz sonhos agradáveis. E muito veneno finalmente para uma morte agradável.

Ainda se trabalha, pois o trabalho é um passatempo. Mas é preciso ter cuidado para que o passatempo não o debilite.

Ninguém mais se torna pobre ou rico; ambos são pesados demais. Quem ainda quer governar?

Quem ainda quer obedecer? Ambos são muito pesados.

Nenhum pastor e só um rebanho! Todos desejam o mesmo; todos são iguais: aquele que tem outros sentimentos vão voluntariamente para o hospício.

"Antigamente, todo o mundo era insano", diz o mais perspicaz deles, e revira os olhos.

São espertos e sabem tudo o que aconteceu: então não há fim para suas zombarias.

As pessoas ainda se desentendem, mas logo se reconciliam, do contrário, isso estraga seus estômagos.

Eles têm pequenos prazeres para o dia e seus pequenos prazeres para a noite, mas respeita-se a saúde.

"Descobrimos a felicidade", dizem os últimos homens e reviram os olhos."

E aqui terminou o primeiro discurso de Zaratustra, que também é chamado de "O prólogo": porque neste ponto, a gritaria e a alegria da multidão o interromperam.

"Dê-nos este último homem, ó Zaratustra", gritaram eles, "transforma-nos neste último homem! Então perdoar-te-emos o Super-homem!" E todas as pessoas exultaram e estalaram os lábios.

Zaratustra, porém, ficou triste e disse ao seu coração:

"Não me compreendem; não. Não é da minha boca que estes ouvidos necessitam.

Vivi tempo demais nas montanhas, escutei por demais os riachos e as árvores, e agora lhes falo como um pastor.

A minha alma é calma e clara, como as montanhas pela manhã. Mas eles pensam que sou frio, e um zombador com piadas terríveis.

E agora olham para mim e riem: e enquanto riem, também me odeiam. Há gelo em suas risadas."

VI

Então, algo aconteceu que fez todas as bocas ficarem mudas e todos os olhos fixos. Nesse ínterim, é claro, o dançarino da corda havia começado sua performance: tinha saído por uma pequena porta, e foi passando ao longo da corda que estava esticada entre duas torres, de modo que ficasse acima do mercado e das pessoas. Quando estava no meio do caminho do outro lado, a portinha se abriu mais uma vez, e um sujeito vestido de maneira espalhafatosa como um bufão saltou e foi rapidamente atrás do primeiro. "Depressa, bailarino!", gritou a voz assustadora. "Depressa, mandrião, manhoso, cara deslavada! Olha que te piso os calcanhares!

O que está fazendo aqui entre as torres? Na torre é o teu lugar, deverias estar lá trancado; a alguém melhor do que tu e bloqueias o caminho!" E a cada palavra se aproximava mais. Quando, estava apenas um passo atrás, lá aconteceu a coisa terrível que fez todas as bocas mudas e todos os olhos fixos, ele soltou um grito como um demônio e pulou sobre o outro que estava em seu caminho. Quando viu o triunfo de seu rival, perdeu ao mesmo tempo sua cabeça e seu pisar na corda; jogou sua vara longe e disparou para baixo mais rápido do que ela, como um redemoinho de braços e pernas, nas profundezas. O mercado e as pessoas eram como o mar quando a tempestade vem: todos fugiram atropeladamente em desordem, especialmente onde o corpo estava prestes a cair.

Zaratustra, porém, permaneceu de pé, e bem ao lado dele caiu o corpo, gravemente ferido e desfigurado, mas ainda não morto. Depois de um tempo, a consciência voltou ao estilhaçado homem, e ele viu Zaratustra ajoelhado ao lado dele. "O que estás fazendo aí?", disse ele por último, "eu sabia há muito tempo que o diabo me faria tropeçar. Agora ele me arrastou para o inferno: Queres impedi-lo?"

"Pela minha honra, meu amigo", respondeu Zaratustra, "nada disso que tu falas existe: não há demônio e nem inferno. Tua alma estará morta ainda mais cedo do que o teu corpo; portanto, nada temas."

O homem ergueu os olhos com desconfiança. "Se falas a verdade", disse ele, "nada perco quando perco minha vida. Não sou muito mais do que um animal que foi ensinado a dançar por golpes e comida escassa."

"De maneira alguma", disse Zaratustra, "tornaste o perigo a tua vocação; aí não há nada desprezível. Agora tu pereceste pela tua vocação: portanto, vou enterrar-te com minhas próprias mãos."

Quando Zaratustra disse isso, o moribundo não respondeu mais; mas moveu sua mão como se procurasse a mão de Zaratustra em agradecimento.

VII

Enquanto isso, a noite se aproximava e o mercado se velou na escuridão. Então as pessoas se dispersaram, pois até a curiosidade e o terror se cansam. Zaratustra, no entanto, ainda se sentou ao lado do homem morto no chão, absorto em pensamentos: então esqueceu o tempo. Mas no final, tornou-se noite e um vento frio soprou sobre o solitário. Então Zaratustra levantou e disse ao seu coração:

"Em verdade, Zaratustra fez uma bela pesca hoje! Não é um homem que ele pegou, mas um cadáver. Coisa para nos preocupar é a vida humana, e sempre vazia de sentido: um trovão lhe pode ser fatal!

Estou, porém, longe deles, e o meu sentido nada diz aos seus sentidos. Para os homens sou uma coisa intermediária entre o doido e o cadáver.

Sombria é a noite, sombrios são os caminhos de Zaratustra. Venha, tu frio e duro companheiro! Levo-te ao lugar onde te enterrarei com minhas próprias mãos."

VIII

Quando Zaratustra disse isso ao seu coração, colocou o cadáver sobre os ombros e fora em seu caminho. No entanto, não tinha dado cem passos, quando um homem sussurrou em seu ouvido. E eis! aquele que falava era o palhaço da torre. Eis o que lhe dizia: "Deixe essa cidade, ó Zaratustra", disse ele, "há muitos aqui que te odeiam. Os bons e os justos te odeiam e te chamam de seu inimigo e desprezador; os crentes na crença ortodoxa odeiam a ti e te consideram um perigo para a multidão. Teve sorte de ser ridicularizado: e na verdade tu falas como um bufão. Teve sorte em se associar com o cachorro morto; humilhando-se dessa forma, salvou tua vida hoje. Parta, no entanto, desta cidade, ou amanhã vou saltar sobre ti, um homem vivo sobre um morto." E o homem desapareceu; Zaratustra, porém, continuou pelas ruas escuras.

No portão da cidade os coveiros encontraram-se com ele: iluminaram seu rosto com a tocha e, reconhecendo Zaratustra, o ridicularizaram. "Zaratustra está levando o indigno morto. Zaratustra transformou-se em coveiro! Pois nossas mãos são puras demais para tocar nessa peça! Zaratustra roubará a mordida do diabo? Então boa sorte para o repasto! Se ao menos o diabo não fosse melhor ladrão do que Zaratustra! ele roubaria ambos, ele vai comer os dois!" E riram entre si, e cochicharam. Zaratustra não respondeu e seguiu seu caminho. Passadas duas horas, seguindo por florestas e pântanos, já ouvira do uivo faminto dos lobos, e ele também estava com fome. Por esse motivo parou em uma casa onde brilhava uma luz.

"A fome me ataca", disse Zaratustra, "como um ladrão. Entre florestas e pântanos, a fome me ataca, e na escura noite me surpreende.

Estranhos humores têm minha fome. Muitas vezes, só vem a mim depois de uma refeição, e durante todo o dia falhou em vir: onde esteve?"

E então Zaratustra bateu à porta da casa. Um velho que carregava uma luz apareceu, e perguntou: "Quem se abeira de mim e ao meu sono ruim?"

"Um homem vivo e outro morto", disse Zaratustra. "Dê-me algo para comer e beber, esqueci durante o dia. Aquele que alimenta o faminto refresca sua própria alma, assim falava a sabedoria."

O velho se retirou, mas voltou imediatamente e ofereceu pão e vinho. "Um país ruim para os famintos", disse ele; "É por isso que vivo aqui. Animais e homens se aproximam de mim, o anacoreta. Mas manda teu companheiro comer e beber também, ele está mais cansado do que vós." Zaratustra respondeu: "Meu companheiro está morto; dificilmente serei capaz de persuadi-lo a comer."

"Isso não me diz respeito", disse o velho taciturno; "Aquele que bate em minha porta deve aceitar o que ofereço a ele. Comam e se alimentem bem!" Depois disso, Zaratustra continuou por duas horas, confiando no caminho e na luz das estrelas: pois estava acostumado com as caminhadas noturnas e gostava de contemplar tudo quanto dorme. Quando amanheceu, porém, Zaratustra se viu em uma densa floresta, e nenhum caminho era mais visível.

Então colocou o homem morto em uma árvore oca à altura de sua cabeça, porque queria protegê-lo dos lobos, se deitou no chão sobre o musgo e imediatamente adormeceu, com o corpo cansado, mas com a alma tranquila.

IX

Zaratustra dormiu longamente; e não apenas o alvorecer passou sobre sua cabeça, mas também toda a manhã. Por fim, no entanto, seus olhos se abriram e, pasmo, ele olhou para a floresta e a quietude, espantado, olhou para si mesmo. Então se levantou rapidamente, como um marinheiro que de súbito avista a terra; e gritou de alegria, pois viu uma nova verdade. E falou assim para o seu coração:

"Uma luz raiou sobre mim: preciso de companheiros, seres vivos, não companheiros mortos e cadáveres, que carrego comigo para onde quero. Mas preciso de companheiros vivos, que me sigam porque querem seguir a si mesmos e para o lugar onde eu quiser.

Uma luz amanheceu sobre mim. Zaratustra não deve falar ao povo, mas sim aos companheiros! Zaratustra não será pastor e cão de caça do rebanho!

Para atrair muitos do rebanho, foi para esse propósito que vim. As pessoas e o rebanho devem estar zangados comigo: Zaratustra quer ser acoimado de ladrão pelos pastores.

Pastores, eu digo, mas eles se dizem bons e justos. Pastores, eu digo, mas eles os chamam de fiéis na crença ortodoxa.

Eis o que é bom e justo! Quem eles mais odeiam? Aquele que quebra suas mesas de valores, o infrator, o destruidor. Ele, entretanto, é o criador.

O criador procura companheiros, não procura cadáveres, rebanhos nem crentes; procura colaboradores que inscrevam valores novos ou tábuas novas.

Companheiros, o criador busca, e os companheiros ceifeiros: pois tudo está maduro para a colheita com ele. Mas ele tem falta das cem foices; por isso arranca as espigas e se irrita.

Companheiros, o criador busca, os que sabem afiar suas foices. Destruidores, eles serão chamados, e desprezadores do bem e do mal. Mas eles hão de ceifar e descansar.

Colaboradores que ceifem e descansem com ele, eis o que busca Zaratustra. Que se importa ele com rebanhos, pastores e cadáveres?

E tu, meu primeiro companheiro, descanse em paz! Bem, eu te enterrei em tua árvore oca; bem, eu te escondi dos lobos.

Mas me afasto de ti; a hora chegou. Entre duas auroras me iluminou uma nova verdade.

Não devo ser pastor nem coveiro. Não vou mais discursar para o povo; pela última vez falei aos mortos.

Quero unir-me aos criadores, aos que colhem e se divertem; vou mostrar-lhes o arco-íris, e todas as escadas para o Super-homem.

Aos solitários cantarei minha canção, e aos dois moradores; e para aquele que ainda tem ouvidos para o que não é ouvido, farei pesar no coração a minha felicidade.

Busco minha meta, sigo meu curso; saltarei por cima dos negligentes e dos retardados. Desta maneira será a minha marcha o seu fim!"

X

Isso tinha Zaratustra dito ao seu coração quando o sol estava na maré do meio-dia. Então ele olhou ao alto, pois ouviu acima dele o pio agudo de um pássaro. E vejam! Uma águia varreu o ar em círculos largos, e sobre ela pendurada uma serpente, não como uma presa, mas como um amigo: pois se mantinha enrolado no pescoço da águia.

"São os meus animais!", disse Zaratustra, e regozijou-se intimamente.

"O animal mais orgulhoso e o animal mais sábio sob o sol, saíram em exploração.

Queriam descobrir se Zaratustra ainda vivia. Ainda viverei, deveras?

Encontrei mais perigos entre os homens do que entre os animais; em caminhos perigosos vai Zaratustra. Deixe meus animais me conduzirem!"

Quando Zaratustra disse isso, lembrou-se das palavras do santo na floresta. Então suspirou e falou assim ao seu coração:

"Quem dera eu fosse mais sábio! Quem dera fosse sábio de coração, como a minha serpente!

Mas estou pedindo o impossível. Portanto, peço ao meu orgulho para ir sempre com a minha sabedoria!

E se minha sabedoria algum dia me abandonasse: ai! adora voar para longe! possa sequer a minha altivez voar com a minha loucura!"

Assim começou a queda de Zaratustra.

PARTE I: DISCURSOS DE ZARATUSTRA

I. DAS TRÊS METAMORFOSES

"Três metamorfoses do espírito vos designo: como o espírito se torna um camelo, o camelo, um leão, e o leão, por fim, uma criança.

Muitas coisas pesadas existem para o espírito, para o espírito forte, sólido no qual a reverência habita. A força deste espírito está bradando por coisas pesadas, e das mais pesadas.

"O que é pesado?", pergunta o espírito transformado em besta de carga; então se ajoelha como o camelo, e quer estar bem carregado.

"Qual é a coisa mais pesada, heróis?", pergunta o espírito sólido; "Para que eu a carregue e me rejubile com minha força?"

Não será rebaixarmo-nos para o nosso orgulho padecer? Deixar brilhar a nossa loucura para zombarmos de nossa sensatez?

Ou será abandonar nossa causa quando ela celebra seu triunfo? Subir altas montanhas para tentar o tentador?

Ou será sustentarmo-nos com bolotas e erva do conhecimento e padecer fome na alma por causa da verdade?

Ou será ficar doente e dispensar consoladores, e travar amizade com surdos, que nunca ouvirão seus pedidos?

Ou será entrar em águas turvas quando é a água da verdade, e não negar rãs frias e sapos quentes?

Ou será amar aqueles que nos desprezam e dar a mão ao fantasma quando nos quer assustar?

Todas essas coisas mais pesadas o espírito portador de carga toma sobre si: e como o camelo, que, quando carregado, apressa-se no deserto, assim se apressa o espírito para o seu deserto.

Mas no deserto mais solitário acontece a segunda metamorfose. Aqui o espírito se torna um leão e pretende conquistar sua liberdade e ser o rei do seu próprio deserto.

Procura então o seu último senhor, quer ser seu inimigo e de seu último Deus. Para sair vencedor, quer lutar com o grande dragão.

Qual é o grande dragão a que o espírito já não quer chamar Deus, nem senhor?

"Tu deves", assim se chama o grande dragão. Mas o espírito do leão diz: "Eu quero".

"Tu deves", jaz em seu caminho, cintilando como ouro uma besta coberta de escamas; e em toda escama reluzente de ouro, "Tu deves!"

Valores milenários brilham nessas escamas, e o mais poderoso de todos os dragões fala assim:

"Em mim brilha o valor de todas as coisas.

Todos os valores já foram criados, e represento todos os valores criados. Na verdade, lá não haverá mais "eu quero"." Assim fala o dragão.

Meus irmãos, por que há necessidade do leão no espírito? Por que não basta a besta de carga, que renuncia e é reverente?

Para criar novos valores, isso, mesmo o leão ainda não pode realizar, mas para criar a si mesmo liberdade para uma nova criação, isso pode fazer o poder do leão.

Para criar a si mesmo a liberdade, e dar um santo NÃO, até mesmo para o dever: para isso, meus irmãos, aí é a necessidade do leão.

Para assumir o direito a novos valores, essa é a suposição mais formidável aos olhos de um espírito sólido e respeitoso. Na verdade, para tal espírito é uma verdadeira rapina e coisa própria de um animal rapace.

Como seu mais sagrado, ele amou "Tu deves" e agora é forçado a encontrar a ilusão e a arbitrariedade mesmo nas coisas mais sagradas, para que possa capturar a liberdade de seu amor. O leão é necessário para esta captura.

Dizei-me, porém, irmãos: que poderá a criança fazer que não haja podido fazer o leão? Para que será preciso que o altivo leão se mude em criança?

A criança, é a inocência e o esquecimento, um novo começo, um jogo, uma roda que gira, um primeiro movimento, um sim sagrado.

Sim, para o jogo da criação, meus irmãos, é necessária uma santa afirmação. O que perdeu o mundo quer alcançar o seu mundo. Três metamorfoses de espírito vos mencionei. Como o espírito se transforma em camelo, o camelo em leão, e o leão finalmente em criança."

Assim falava Zaratustra. E naquela época ele morava na cidade que é chamada de "Vaca Malhada".

II. DAS CÁTEDRAS DA VIRTUDE

O povo recomendou a Zaratustra um homem sábio, que poderia falar bem sobre sono e virtude; ele foi grandemente honrado e recompensado por isso, e todos os jovens acorriam à sua cátedra. E o sábio falou assim:

"Honrai o sono e respeitai-o! é isso o principal. E fugi de todos os que dormem mal e estão acordados de noite.

Modesto é até mesmo o ladrão na presença de sono: ele sempre rouba suavemente durante a noite. Imodesto, porém, é o vigia noturno; imodestamente ele carrega seu chifre.

Não é pequena a arte de dormir: para isso é preciso ficar acordado o dia todo.

Dez vezes por dia tu deves superar a ti mesmo: isso causa cansaço salutar, e é papoula para a alma.

Dez vezes tu deves reconciliar-te novamente contigo mesmo; pois superar é amargo, vencermo-nos, e o que não está reconciliado dorme mal.

Deves encontrar dez verdades durante o dia; do contrário, buscarás a verdade durante a noite, e tua alma estará faminta.

Dez vezes durante deves rir e ficar alegre; caso contrário, o seu estômago, o pai da aflição, te perturbará durante a noite.

Poucas pessoas sabem disso, mas é preciso ter todas as virtudes para dormir bem. Devo suportar testemunha falsa? Devo cometer adultério?

Devo cobiçar a serva do meu vizinho? Tudo isso não estaria de acordo com um bom sono.

E mesmo se alguém tiver todas as virtudes, ainda há uma coisa necessária: adormecer a tempo todas as virtudes.

Para que não briguem entre si, as boas mulheres! E por tua causa, infeliz!

Paz com Deus e com o próximo: assim deseja um bom sono. E paz também com o diabo do próximo! Caso contrário, ele irá te assombrar durante a noite.

Honra ao governo e obediência, e também ao governo corrupto! Então deseja um bom sono. Como posso evitar, se o poder gosta de andar com as pernas tortas?

Aquele que conduz suas ovelhas ao pasto mais verde, será sempre para mim o melhor pastor: assim está de acordo com um bom sono.

Não quero muitas honras, nem grandes tesouros: exacerba a bílis. Mas é ruim dormir sem uma boa reputação e um pequeno tesouro.

Prefiro pouca ou má companhia; mas deve ir e vir na hora certa. Assim está de acordo com um bom sono.

Também me agradam muito os pobres de espírito: apressam o sono. São bem-aventurados, mormente quando se lhes dá sempre razão.

Assim passam o dia para os virtuosos. Quando chega a noite, então tomo muito cuidado para não convocar o sono. O sono, que é o rei das virtudes, não quer ser chamado.

Mas penso no que fiz e pensei durante o dia. Assim ruminando, paciente como uma vaca, pergunto-me: Quais foram as tuas dez vitórias?

E quais foram a dez reconciliações, e as dez verdades, e os dez risos, com que se alegrou meu coração?

Assim ponderando, e embalado por quarenta pensamentos, ele me surpreende de uma vez, o sono, o não convocado, o senhor das virtudes. O sono bate em meu olho, e ele fica pesado. O sono toca meus lábios, que então ficam entreabertos.

Na verdade, com caminhar macio vem a mim, o mais querido dos ladrões, e rouba meus pensamentos: estúpido eu fico de pé, como esta cadeira acadêmica. Mas não paro por muito mais tempo. Aí já estou deitado."

Quando Zaratustra ouviu o sábio falar, riu em seu coração: pois assim uma luz raiou sobre ele. E assim falou ao seu coração:

"Este homem sábio parece um tolo com seus quarenta pensamentos: mas creio que ele sabe bem como dormir.

Feliz até quem vive perto deste homem sábio! Esse sono é contagioso, mesmo através de uma parede grossa é contagioso.

Sua própria cátedra emana um encanto. E não era em vão que os jovens estavam sentados diante do pregador da virtude.

Sua sabedoria é manter-se acordado para dormir bem. E, na verdade, se a vida não tivesse sentido, e se eu tivesse escolhido um disparate, este seria o disparate mais desejável para mim também.

Agora sei bem o que as pessoas procuravam antes, acima de tudo, quando procuravam professores de virtude. Buscavam um bom sono para si próprios e as virtudes da cabeça de papoula para promovê-lo! Para todos aqueles sábios estudados das cadeiras acadêmicas, sabedoria era dormir sem sonhos: eles não conheciam nenhum significado superior da vida.

Mesmo no momento, com certeza, existem alguns como este pregador da virtude, e nem sempre tão honrosos como ele; mas seu tempo já passou. E ainda bem que não estão em pé. Já estão deitados.

Bem-aventurados os que estão sonolentos, pois logo assentirão para dormir."

Assim falava Zaratustra.

III. SOBRE AQUELES QUE ACREDITAM NO ALÉM

Um dia, Zaratustra também lançou sua imaginação além do homem, como todos os homens aficionados pelo além. Obra de um Deus sofredor e torturado, parecia-me então o mundo.

"Sonho me parecia, e ficção de um Deus: vapor colorido ante os olhos de um divino descontente.

Bem e mal, alegria e desgraça, e eu e tu, tudo me parecia mais vapor colorido diante dos olhos criadores. O criador queria desviar de si mesmo o olhar e então criou o mundo.

Alegria inebriante é para o sofredor desviar o olhar de seu sofrimento e esquecer-se de si mesmo. Alegria inebriante e esquecimento de si mesmo, o mundo uma vez me pareceu.

Este mundo, o eternamente imperfeito, imagem de uma eterna contradição e imagem imperfeita, uma alegria inebriante para seu criador imperfeito: assim o mundo uma vez me pareceu.

Assim, uma vez, também lancei minha imaginação além do homem, como fazem os visionários do além. Para além do homem, realmente?

Ah! Meus irmãos, esse Deus que criei, era obra humana e humano delírio, como todos os deuses!

Um homem era ele, e apenas um pobre fragmento de um homem e ego. Das minhas próprias cinzas e brilho veio até mim, aquele fantasma. E, na verdade, não veio do além!

O que aconteceu, meus irmãos? Eu me superei, o sofredor; carreguei as minhas cinzas para a montanha; inventei para mim uma chama mais brilhante. E vede! Então o fantasma se retirou de mim!

Para mim, o convalescente seria agora sofrimento e tormento acreditar em tais fantasmas: sofrimento seria agora para mim, e humilhação. Assim falo eu para os que creem em além-mundos.

Sofrimento era isso, e impotência - isso criou todos os submundos; e a curta loucura da felicidade, que apenas o maior sofredor experimenta. Cansaço, que busca chegar ao máximo com um salto, com um salto mortal; um pobre cansaço ignorante, sem vontade nem mesmo de querer mais; foi isso que criou todos os deuses e todos os além-mundos.

Acreditai em mim, meus irmãos! Foi o corpo que desesperou do corpo e tateou com os dedos do espírito apaixonado nas paredes definitivas.

Acreditai em mim, meus irmãos! Foi o corpo que desesperou com a terra, que ouvia as entranhas do ser lhe falar.

Quis então passar para o além das últimas muralhas sua cabeça e não somente a cabeça, mas todo inteiro quis passar para o "outro mundo".

Mas esse "outro mundo" está bem escondido do homem, esse mundo desumanizado, inumano, que é um nada celestial; e as entranhas da existência não falam ao homem, a não ser como homem.

Na verdade, é deveras difícil demonstrar o ser, e difícil fazê-lo falar. Dizei-me meus irmãos! A mais insólita de todas as coisas não será a melhor demonstrada?

Sim, este ego, com sua contradição e perplexidade, fala com mais retidão de seu ser, este ego criador, desejoso e avaliador, que é a medida e o valor das coisas.

E esta existência mais correta, o ego, fala do corpo, e ainda implica o corpo, mesmo quando ele medita e delira e vibra com as asas quebradas.

Sempre mais retamente aprende a falar, o ego; e quanto mais aprende, mais encontra títulos e honras para o corpo e a terra.

Meu ego ensinou-me um novo orgulho, que ensino aos homens: não mais empurrar a cabeça na areia das coisas celestiais, mas para carregá-la livremente, uma cabeça terrestre, que dá significado para a terra!

Ensino aos homens uma nova vontade: querer esse caminho que o homem seguiu cegamente, aprová-lo e não se afastar dele como os enfermos e moribundos.

Foram os enfermos e moribundos que desprezaram o corpo e a terra, e inventaram um mundo celestial e as gotas de sangue redentor. Mas até esses doces e lúgubres venenosos tomaram do corpo e da terra!

De sua miséria, procuraram escapar, e as estrelas estavam muito distantes para eles. Depois eles suspiraram: "Oh, se houvesse caminhos celestiais para entrar em outra existência, outra felicidade!" Então, tramaram para si seus atalhos e rascunhos sangrentos!

Além da esfera de seu corpo e desta terra, eles agora se imaginavam transportados, esses ingratos. Mas a que devem a convulsão e o êxtase de seu transporte? Ao seu corpo e esta terra.

Zaratustra é gentil para com os enfermos. Na verdade, ele não está indignado com seus modos de consolação e ingratidão. Que eles se tornem convalescentes e vencedores, e criem corpos superiores para eles mesmos!

Tampouco Zaratustra se indigna com um convalescente que olha com ternura para seus delírios, e à meia-noite esgueirou-se ao redor da sepultura de seu Deus; mas a doença e um quadro doente permanecem mesmo em suas lágrimas.

Sempre houve muitos enfermos entre os que meditam e desfalecem por Deus; eles odeiam violentamente os perspicazes e a última das virtudes, que é a retidão.

Olham sempre para trás, para tempos obscuros. Certamente, nesse tempo, ilusão e fé eram bem outra coisa. A demência da razão era coisa que aproximava de Deus e a dúvida era pecado.

Conheço muito bem aqueles divinos, insistem em ser acreditados, e a dúvida é pecado. Também sei muito bem em que eles próprios acreditam.

Na verdade, não em submundo e gotas de sangue redentoras; acreditam sobretudo no corpo e seu próprio é para eles a coisa em si.

Mas é uma coisa doentia para eles, e de bom grado eles sairiam de sua pele. Portanto dê ouvidos aos pregadores da morte, e eles mesmos pregam contra o além-mundo.

Escutai antes, meus irmãos, a voz do corpo são; é a voz mais reta e pura. Mais reta e puramente fala o corpo são, perfeito e estruturado. Fala do significado da terra."

Assim falava Zaratustra.

IV. DAQUELES QUE DESPREZAM O CORPO

"Aos que desprezam o corpo direi a minha palavra. Não desejo que mudem de opinião, nem de doutrina, mas apenas para se desfazerem de seus próprios corpos e, portanto, se tornarão mudos.

"Eu sou corpo e alma", assim diz a criança. E por que não se deve falar como criança?

Mas o desperto, o conhecedor, diz: "Corpo sou inteiramente, e nada mais; e alma é apenas o nome de algo no corpo."

O corpo é uma grande sagacidade, uma pluralidade com um sentido, uma guerra e uma paz, um rebanho e um pastor.

Um instrumento do teu corpo é também a tua pequena sagacidade, meu irmão, que tu chamas "espírito", um pequeno instrumento e joguete de tua grande sagacidade.

"Ego", tu dizes, e tens orgulho dessa palavra. Mas a maior coisa, em que tu estás relutante em acreditar, é o teu corpo com tua grande sagacidade; não diz "ego", mas o faz.

O que o sentido percebe, o que o espírito discerne, nunca tem fim em si mesmo. Mas sentido e espírito querem persuadir-te de que são o fim de todas as coisas, tamanha é sua soberba.

Sentidos e espírito não passam de instrumentos e brinquedos. Por detrás deles se encontra o Em si. O Em si utiliza-se dos olhos dos sentidos para se informar e escuta com os ouvidos do espírito.

O Em si está sempre à escuta, confronta, submete, conquista, destrói. Comanda e é também soberano do Eu.

Por trás de seus pensamentos e sentimentos, meu irmão, existe um poderoso senhor, um sábio desconhecido e é chamado de Em si. Ele habita em teu corpo, é teu corpo.

Há mais sagacidade em teu corpo do que em tua melhor sabedoria. E quem sabe por que teu corpo requer apenas tua melhor sabedoria?

Teu Ser ri de teu ego e de seus orgulhosos palavrões. "O que são para mim esses saltos e voos de pensamento?", ele diz para si mesmo. Eles me desviam de meu objetivo. Eu sou o guia do Eu e lhe inspiro seus conceitos.

O Em si diz ao Eu: "Experimenta agora uma dor!" E então sofre e reflete sobre a maneira de não sofrer mais. E precisamente para isso deve pensar.

O Em si diz ao Eu: "Experimenta agora prazer!" Então se alegra e passa a refletir sobre a maneira de provar muitas vezes mais a alegria. E precisamente para isso deve pensar.

Aos que desprezam o corpo direi uma palavra. O que eles desprezam é o que faz com que sintam estima. O que é que criou estima, desprezo, valor e vontade? O Eu criador criou para si estima e desprezo, criou para si alegria e sofrimento. O corpo criador criou para si o espírito, como uma mão à sua vontade.

Até em vossa loucura e vosso desdém, desprezadores do corpo, servis vosso Em si. Eu vos digo: é vosso próprio ser que quer morrer e se afastar da vida.

O seu Eu não pode mais fazer o que mais deseja: criar além de si mesmo. Isto é o que ele mais deseja; com todo o seu fervor.

Mas agora é tarde demais para fazer isso, então seu Eu deseja sucumbir, ó desprezadores do corpo.

Para sucumbir, assim deseja o seu Eu; e, portanto, vos tornastes desprezadores do corpo.

Pois vós não podeis mais criar além de si mesmos.

E, portanto, estais agora com raiva da vida e da terra. E a inveja inconsciente está no olhar lateral de teu desprezo.

Não sigo o vosso caminho, desprezadores do corpo! Vós não sois para mim pontes que levem para o Super-homem!"

Assim falava Zaratustra.

V. DAS ALEGRIAS E PAIXÕES

"Meu irmão, quando tu tens uma virtude, e é tua própria virtude, não a tens em comum com ninguém. Com certeza, vós a chamarias pelo nome e a acariciarias; puxarias tuas orelhas e se divertirias com ela.

E eis! Tens em comum com o povo o nome da tua virtude, com ela te tornaste povo e rebanho!

Melhor para ti dizer: "Inefável é, e sem nome, aquilo que é dor e doçura para minha alma, e também a fome de minhas entranhas."

Se tua virtude for muito elevada para a familiaridade de nomes, e se tu deves falar sobre isso, não se envergonhe de balbuciar sobre isso.

Assim fala e balbucia: "Este é o meu bem que amo, só assim me agrada inteiramente, só assim é que quero o bem!

Não o desejo como a lei de um Deus, não o desejo como uma lei humana ou uma necessidade humana; isto não deve ser um guia para mim para regiões supraterrestres e paraísos.

É uma virtude terrena que amo; pouca prudência nisso, e também não possui muito da razão universal.

Mas aquele pássaro construiu seu ninho ao meu lado, portanto, eu o amo e estimo. Agora incuba em mim seus ovos de ouro".

Assim tu deves balbuciar e louvar tua virtude. Uma vez tu tens paixões e as chamaste de mal. Mas agora tens apenas as tuas virtudes, elas cresceram fora de tuas paixões.

Tu implantaste teu objetivo mais elevado no coração daquelas paixões, então se tornaram tuas virtudes e alegrias.

E embora tu fosses da raça dos temperamentais, ou dos voluptuosos, ou dos fanáticos ou vingativo; todas as tuas paixões no final se tornariam virtudes, e todos os teus demônios em anjos.

Uma vez teve cães selvagens em tua adega: mas eles finalmente se transformaram em pássaros cantores.

Dos teus venenos fermentou o bálsamo para ti; ordenhaste a tua vaca de tribulação e agora bebes de seu saboroso leite.

E nenhum mal nasce em de ti, a não ser aquele que brota da luta de tuas virtudes.

Meu irmão, és feliz e só tens uma virtude e não várias, pois haverá de passar mais rapidamente a ponte.

Ilustre é ter muitas virtudes, mas é uma sorte bem dura; e muitos entraram no deserto e se mataram, porque estavam cansados de serem combatente e campo de batalha de virtudes.

Meu irmão, a guerra e a batalha são males? São males necessários. A inveja, a desconfiança e a calúnia são necessárias entre tuas virtudes.

Repara como cada uma das tuas virtudes cobiça o lugar mais elevado; quer todo o teu espírito para seu arauto, ela precisa de todo o teu poder, em ira, ódio e amor.

O ciúme é toda virtude dos outros, e uma coisa terrível é o ciúme. Mesmo as virtudes podem sucumbir por ciúme.

Aquele a quem a chama do ciúme envolve, volta-se finalmente, como o escorpião, a picada envenenada contra si mesmo.

Ah! meu irmão! Nunca viste uma virtude caluniar-se e matar-se a si mesma?

O homem é alguma coisa que deve se superar. Por isso necessita amar tuas virtudes, porque por elas morrerás."

Assim falava Zaratustra.

VI. DO PÁLIDO CRIMINOSO

"Vós juízes e sacrificadores, não quereis matar enquanto a besta não tiver inclinado a cabeça? Vede: o criminoso pálido abaixou a cabeça, de seus olhos fala o grande desprezo.

"Meu ego é algo que deve ser superado: meu ego é para mim o grande desprezo do homem", assim fala este olhar.

Quando ele julgou a si mesmo, aquele foi seu momento supremo; não deixeis o exaltado recair novamente em sua baixa propriedade!

Para aquele que tanto sofre por si, não há redenção, a não ser na morte rápida.

A vossa morte, juízes, será pena e não vingança. Ao matar, procurai justificar a própria vida.

Não basta reconciliar-se com vossa vítima. Que vossa tristeza seja amor pelo Super-homem. Assim justificareis vossa sobrevivência.

"Inimigo", direis, mas não "vilão"; "inválido", direis, mas não "desgraçado"; "tolo", direis, mas não "pecador".

E tu, juiz vermelho, se dissesses audivelmente tudo o que fizeste em pensamento, então toda gente clamaria: "Fora com a maldade e o réptil virulento!"

Mas uma coisa é o pensamento, outra coisa é a ação e outra coisa é a ideia do ato. A roda da causalidade não gira entre eles.

Uma imagem empalideceu este pobre homem. Ele estava à altura do seu ato quando o perpetuou, mas não aguentou quando terminou.

Para sempre, ele agora se via como o autor de uma ação. Loucura, eu chamo isso: a exceção reverteu-se para a regra nele. A faixa de giz enfeitiça a galinha; o golpe que deu enfeitiçou sua razão fraca. A isso que chamo loucura depois da ação.

Ouvi, juízes! Além disso, há outra loucura, e é antes da ação. Ah! Vós não penetrastes fundo o suficiente nesta alma!

Assim fala o juiz vermelho: "Por que este criminoso cometeu assassinato? Ele pretendia roubar." Digo-lhe, no entanto, que sua alma queria sangue, não despojo; tinha sede do prazer da faca!

Mas sua fraca razão não entendeu essa loucura e o persuadiu. "O que importa o sangue!", disse; "Não queres, pelo menos, ganhar dinheiro com isso? Ou vingança?"

E atendeu a sua pobre razão, cuja linguagem pesava sobre ele como chumbo; então roubou ao assassinar. Não queria se envergonhar de sua loucura.

E agora mais uma vez repousa a liderança de sua culpa sobre ele, e mais uma vez sua fraca razão está tão entorpecida, tão paralisada, e tão embotada!

Se ele apenas sacudisse a cabeça, seu fardo cairia; mas quem abana essa cabeça? Quem é esse homem? Uma massa de doenças que chega ao mundo por meio do espírito para obter sua presa.

Quem é esse homem? Uma espiral de serpentes selvagens que raramente estão em paz entre si e então saem separados e procuram presas no mundo.

Olhe aquele pobre corpo! Nos sofrimentos e nos desejos deste corpo, sua pobre alma encontrou um sentido. Interpretou-o como sede e desejo sanguinário do prazer da faca. Aquele que agora fica doente, vê-se dominado pelo mal, que é mal agora; quer fazer sofrer com o que o faz sofrer; mas houve outras eras e outros males e bens.

Outrora a dúvida era um mal e também a vontade do Em si. Então o enfermo era herege ou feiticeiro. Como herege ou feiticeiro sofreu e procurou causar sofrimento.

Mas isso não vai entrar em seus ouvidos; isso prejudica o seu bom povo, tu me dizes. Mas o que me importa sobre seu bom povo?

Muitas coisas em seu bom povo me causam repulsa e, na verdade, não é por aquilo que tem de mal. Gostaria que tivessem uma loucura pela qual sucumbir, como este pálido criminoso!

Na verdade, gostaria que sua loucura fosse chamada de verdade, ou fidelidade, ou justiça: mas eles têm sua virtude para viver por muito tempo e em miserável autocomplacência.

Eu sou um corrimão ao lado da torrente; quem é capaz de me agarrar pode me agarrar! Mas não sou vossa muleta."

Assim falava Zaratustra.

VII. LER E ESCREVER

"De tudo o que está escrito, amo apenas o que uma pessoa escreveu com seu sangue. Escreve com sangue, descobrirás que o sangue é espírito. Não é uma tarefa fácil entender o sangue desconhecido. Odeio os ociosos que leem.

Aquele que conhece o leitor, nada mais faz pelo leitor. Outro século de leitores e o próprio espírito vai feder.

Cada um sendo autorizado a aprender a ler, arruína a longo prazo não apenas a escrita, mas também o pensamento.

Uma vez que o espírito era Deus, então ele se tornou homem, e agora até mesmo se torna uma população.

Aquele que escreve com sangue e provérbios não quer ser lido, mas aprendido de cor.

Nas montanhas, o caminho mais curto é de pico a pico, mas para essa rota deves ter pernas longas. Provérbios devem ser picos, e aqueles com quem se fala devem ser grandes e altos.

A atmosfera rara e pura, o perigo próximo e o espírito cheio de uma maldade alegre, tudo isso se harmoniza muito bem.

Gosto de ver duendes ao meu redor, pois sou corajoso. A coragem que assusta os fantasmas, cria para si seus próprios duendes. A coragem gosta de rir.

Já não sinto as coisas como vós. Essa nuvem que vejo abaixo de mim, a escuridão e peso dos quais rio, é precisamente a sua nuvem de trovão.

Vós olhais para cima quando aspirais em vos elevar. Eu, como estou no alto, olho para baixo.

Qual de vós pode se conservar no alto e rir ao mesmo tempo? Aquele que escala as montanhas mais altas, ri de todas as peças e realidades trágicas.

Corajoso, despreocupado, desdenhoso, coercivo, assim nos deseja a sabedoria; ela é uma mulher, e sempre ama apenas um guerreiro.

Dizeis: "A vida é difícil de suportar". Mas com que propósito deverias ter seu orgulho na manhã e sua renúncia à tarde?

A vida é difícil de suportar, mas não se preocupe em ser tão delicado! Somos todos nós excelentes jumentos e jumentas de carga.

O que temos em comum com o botão de rosa, que estremece por causa de uma gota de orvalho formado sobre ele?

É verdade que amamos a vida; não porque estamos acostumados a viver, mas porque estamos acostumados a amar.

Há sempre alguma loucura no amor. Mas também há sempre algo de razão na loucura.

E eu que estou de bem com a vida, creio que aqueles que mais entendem de felicidade são as borboletas e as bolhas de sabão e tudo o que entre os homens se lhes assemelhe.

Ver girar essas pequenas almas leves, loucas, graciosas e que se movem é o que arranca de Zaratustra lágrimas e canções.

Eu deveria apenas acreditar em um Deus que saberia dançar.

E quando vi meu demônio, achei-o sério, meticuloso, profundo, solene: ele era o espírito da gravidade, por meio dele todas as coisas caem.

Não pela ira, mas pelo riso, nós matamos. Coragem, vamos matar o espírito da gravidade!

Aprendi a andar; desde então, tenho me permitido correr. Aprendi a voar; desde então, não quero que me empurrem para mudar de lugar.

Agora sou leve, agora eu voo; agora me vejo sob mim mesmo. Agora dança um Deus em mim."

Assim falava Zaratustra.

VIII. A ÁRVORE DA MONTANHA

Os olhos de Zaratustra perceberam que certo jovem o evitava. E uma tarde, enquanto atravessava sozinho as colinas que cercam a cidade chamada "A Vaca Malhada", eis que lá encontrou o jovem sentado encostado a uma árvore e olhando com olhar cansado para o vale. Zaratustra enlaçou a árvore a que o jovem se encostava e disse:

"Se eu quisesse sacudir esta árvore com as mãos, não seria capaz.

Mas o vento, que não vemos, perturba-a e dobra-a como quer. Estamos dolorosamente curvados e perturbado por mãos invisíveis."

Em seguida, o jovem levantou-se desconcertado e disse: "Ouço Zaratustra, e agora mesmo estava pensando nele!"

Zaratustra respondeu: "Por que te assustas por isso? O que acontece à árvore, acontece ao homem.

Quanto mais ele busca se elevar à altura e à luz, mais vigorosamente suas raízes lutam em direção à terra, para baixo, no escuro e nas profundezas, para o mal."

"Sim, para o mal!", exclamou o jovem. "Como é possível teres descoberto minha alma?"

Zaratustra sorriu e disse: "Há muitas almas que nunca se descobrirão, a menos que as inventemos."

"Sim, para o mal!", gritou o jovem mais uma vez.

"Disseste a verdade, Zaratustra. Já não tenho confiança em mim desde que aspiro elevar-me às alturas e ninguém tem confiança em mim. A que se deve isto?

Mudo muito rapidamente, meu hoje refuta meu ontem. Costumo passar por cima das etapas quando escalo; por fazer isso, nenhuma das etapas me perdoa.

Quando chego em cima, sempre me encontro só. Ninguém fala comigo. O frio da solidão me faz tiritar. O que é que quero, então, nas alturas?

Meu desprezo e meu desejo aumentam juntos; quanto mais alto subo, mais desprezo aquele que escala. O que ele busca nas alturas?

Como tenho vergonha de minha escalada e tropeço! Como zombo da minha respiração ofegante e violenta!

Como odeio aquele que voa! Como me sinto cansado nas alturas!"

O jovem calou-se. Zaratustra olhou atento a árvore a cujo pé se encontravam e falou:

"Esta árvore está solitária aqui nas colinas; cresceu muito acima do homem e dos animais.

E se quisesse falar, não haveria ninguém que pudesse entendê-la. De tanto que cresceu.

Agora espera, e continua esperando. Que esperará, então? Habita perto demais das nuvens: acaso esperará o primeiro raio?"

Quando Zaratustra disse isso, o jovem gritou com gestos violentos:

"Sim, Zaratustra, tu falas a verdade. Minha destruição pela qual ansiava, quando desejava estar à altura, e tu és o relâmpago pelo qual eu esperava! Olha: o que tenho sido desde que tu apareceste entre nós? A inveja aniquilou-me!" Assim falou o jovem, e chorou amargamente. Zaratustra, porém, envolveu-o com o braço e levou-o consigo.

E depois de terem caminhado um pouco juntos, Zaratustra começou a falar assim:

"Isso rasga meu coração. Melhor do que tuas palavras expressam, teus olhos me contam todo o perigo que corres.

Ainda não és livre, ainda procuras a liberdade. Tua busca te impôs noites em claro e longas vigílias.

Queres escalar a altura livre; a tua alma está sedenta de estrelas; mas também os teus maus instintos têm sede de liberdade.

Teus cães selvagens querem liberdade; eles latem de alegria em seu porão quando teu espírito se empenha para abrir todas as portas da prisão.

Ainda és um prisioneiro, parece-me, que concebe a liberdade para si mesmo: ah! Afiada se torna a alma de tais prisioneiros, mas também enganosa e perversa.

Até o que se libertou em espírito necessita ainda purificar-se. Ainda lhe restam muitos vestígios de prisão e de mofo. E preciso ainda que sua vista se purifique.

Sim, conheço o perigo que corres. Mas, por amor de mim te conjuro a não afastares para longe de ti o teu amor e a tua esperança!

Ainda te sentes nobre, e os outros também ainda te reconhecem, embora mostrem um rancor e lancem olhares malignos. Saiba disso, que para todos, um nobre se interpõe no caminho. Fica sabendo que todos tropeçam com um nobre em seu caminho.

Também para os bons, o nobre se interpõe; e até mesmo quando o chamam de bom homem, eles querem assim colocá-lo de lado.

O nobre quer criar alguma coisa nobre e uma nova virtude. O bom deseja o velho e que o velho se conserve.

O perigo do nobre, porém, não é tornar-se bom, mas insolente, zombeteiro e destruidor.

Ah! Conheci nobres que perderam suas maiores esperanças. E então depreciaram todas as elevadas esperanças.

Desde então têm vivido de maneira insolente e com breves alegrias, sem ver mais além que o fim de um dia para o outro.

"O espírito é também voluptuosidade", diziam. Então quebraram as asas de seu espírito; e agora rastejam de trás para diante, maculando tudo quanto consomem.

Em outros tempos pensavam em tornar-se heróis; mas agora são sensualistas. O herói é para eles aversão e desgosto.

Mas, por amor de mim e da minha esperança te digo: Não expulses para longe o herói que há na tua alma! Venera como sagrada a tua mais elevada esperança!"

Assim falava Zaratustra.

IX. DOS PREGADORES DA MORTE

"Existem pregadores da morte, e a terra está cheia daqueles a quem a desistência da vida deve ser pregada.

Cheia é a terra do supérfluo; e o que estão aí em demasia estragam a vida. Que sejam atraídos para fora desta vida pela "vida eterna"!

"Os amarelos", assim são chamados os pregadores da morte, ou "os pretos". Mas vou apresentá-los em outras cores além disso.

Existem os terríveis que carregam em si a fera predadora, e não têm escolha exceto luxúria ou mortificação. E mesmo suas luxúrias são dilacerantes.

Esses terríveis ainda não se tornaram homens. Que eles preguem a desistência da vida, e também desapareçam!

Existem os espiritualmente tísicos. Mal nasceram e já começam a morrer e sonham com doutrinas de cansaço e de renúncia.

Eles estariam mortos de bom grado, e devemos aprovar seu desejo! Vamos ter cuidado com despertar os mortos e danificar os caixões vivos!

Encontram um inválido, um velho, ou um cadáver e imediatamente dizem: "A vida está reprovada!"

Mas são apenas refutados, e seus olhos, que veem apenas um aspecto da existência.

Confinados em densa melancolia e ávidos dos leves acidentes que matam, ficam esperando, com dentes cerrados.

Ou então, agarram-se a doces e zombam de sua infantilidade: eles se apegam a sua palha de vida, e zombam de que ainda se apegam a ela.

"A vida é apenas sofrimento", assim dizem os outros, e não minta. Fazei cessar a vida que é apenas sofrimento!

E que este seja o ensinamento de sua virtude: "Tu matar-te-ás a ti mesmo! Tu deves roubar de ti mesmo!"

"Luxúria é pecado", dizem alguns que pregam a morte, "vamos nos separar e não gerar filhos!"

"Dar à luz é problemático", dizem outros, "por que ainda dar à luz?"

E também são pregadores da morte.

"A piedade é necessária", assim diz um terceiro. "Pegue o que tenho! Pegue o que sou! Assim muito menos a vida me prende!"

Se fossem consistentemente compassivos, deixariam seus próximos cansados da vida. Serem perversos, essa seria sua verdadeira bondade.

Mas eles querem se livrar da vida. Que lhes importa prender outros a ela mais estreitamente com suas correntes e suas dádivas?

E vós também, para quem a vida é um trabalho duro e inquietação, não estais muito cansados da vida? Não estais bastante preparados para a pregação da morte?

Vós que amais o trabalho duro e tudo que é rápido, novo, singular, suportai-vos mal a vós mesmos: vossa atividade é fuga e desejo de vos esquecerdes de vós mesmos.

Se acreditastes mais na vida, devotastes menos ao momentâneo. Mas por esperar, não tem capacidade suficiente em vós, nem mesmo para ficastes ocioso!

Em toda parte, ressoam as vozes daqueles que pregam a morte; e a terra está cheia desses a quem a morte deve ser pregada.

Ou "vida eterna"; é tudo a mesma coisa para mim, se eles morressem depressa!"

Assim falava Zaratustra.

X. DA GUERRA E DOS GUERREIROS

"Não queremos ser poupados por nossos melhores inimigos, nem por aqueles a quem amamos de coração. Então, deixai-nos dizer a verdade!

Meus irmãos na guerra! Amo-vos de coração. Sou, e sempre fui, sua contraparte. E também sou seu melhor inimigo. Então, deixe-me dizer a verdade!

Conheço o ódio e a inveja de vossos corações. Não sois grande o suficiente para não conhecer o ódio e a inveja. Então sejais grande o suficiente para não tenhais vergonha deles!

E se não podeis ser santos do conhecimento, então, rogo-vos, sejam pelo menos os seus guerreiros. Eles são os companheiros e precursores de tal santidade.

Vejo muitos soldados; poderia apenas ver muitos guerreiros! "Uniforme" chama-se o que eles vestem; que não seja uniforme o que esse traje esconde!

Sereis aqueles cujos olhos sempre procuram por um inimigo, por vosso inimigo. E com alguns de vós haveis ódio à primeira vista.

O seu inimigo deve procurar; vossa guerra travareis, e por causa de vossos pensamentos! E se vossos pensamentos sucumbirem, sua retidão, contudo, deveis gritar em triunfo com isso!

Deveis amar a paz como um meio de novas guerras, e mais a curta paz do que a prolongada.

Não vos aconselho o trabalho, mas o combate. Não vos aconselho a paz, mas a vitória. Seja o vosso trabalho uma luta! Seja a vossa paz uma vitória!

Só se pode ficar em silêncio e sentar-se em paz quando se tem flechas no arco; caso contrário, passa-se o tempo em questionamentos. Que a sua paz seja uma vitória!

Dizeis que é a boa causa que santifica também a guerra? Eu vos digo: é a boa guerra que santifica todas as causas.

A guerra e a coragem têm feito mais grandes coisas do que a caridade. Não foi vossa simpatia, mas vossa bravura que até agora salvou as vítimas.

"O que é bom?", perguntais. Ser corajoso é bom. Deixe as meninas dizerem: "Ser bom é o bonito e o comovente".

Eles o chamam de sem coração: mas o seu coração é verdadeiro, e eu amo a timidez da sua boa vontade.

Envergonhai-vos do vosso fluxo e outros têm vergonha de sua vazante.

Sois feio? Pois bem, meus irmãos, tomeis o sublime sobre vós, o manto da fealdade!

Quando a vossa alma cresce, torna-se arrogante, e há maldade na vossa elevação. Conheço-vos.

Na maldade, o arrogante encontra-se com o fraco, mas não se compreendem. Conheço-vos.

Só deveis ter inimigos para os odiar, e não para os desprezar. Deveis sentir-vos orgulhosos do vosso inimigo; então os triunfos dele serão triunfos vossos.

Resistência, essa é a distinção do escravo. Deixe sua distinção ser a obediência. Que vosso próprio comando seja também obediência.

Para o bom guerreiro soa mais agradável "tu deves" do que "eu vou". E tudo isso é querido a vós, primeiro é vos ordenado.

Que seu amor à vida seja o amor pela mais elevada esperança e que sua mais elevada esperança seja o mais alto pensamento do dia.

Seu pensamento mais elevado, no entanto, deveis ouvi-lo de mim, e é este: o homem deve ser superado.

Vivei assim a vossa vida de obediência e de guerra. Que importa o andamento da vida! Que guerreiro quererá poupar-se?

Eu não os poupo, os amo de coração, meus irmãos na guerra!"

Assim falava Zaratustra.

XI. O NOVO ÍDOLO

"Em certos lugares ainda há povos e manadas, mas não conosco, meus irmãos: aqui há Estados.

Um Estado? O que é isso? Vamos lá! Abram agora vossos ouvidos, pois direi a vós sobre a morte dos povos.

Um Estado é chamado de o mais frio de todos os monstros frios. Friamente também jaz; e esta mentira rasteja de sua boca: "Eu, o Estado, sou o povo".

É uma mentira! Criadores foram aqueles que criaram os povos e mantiveram a fé e o amor sobre eles: assim, eles serviam à vida.

Destruidores, são aqueles que armam armadilhas para muitos, e chamam isso de Estado. Suspendem sobre si uma espada e cem apetites.

Onde ainda há um povo, aí o Estado não é compreendido, mas odiado como o mau-olhado, e como pecado contra as leis e costumes.

Este sinal vos dou: cada povo fala a sua linguagem do bem e do mal, língua que o vizinho não entende. Cada povo inventou sua própria linguagem para seus costumes e seus direitos.

Mas o estado mente em todas as línguas do bem e do mal, e em tudo quanto diz mente, tudo quanto tem roubou-o.

Tudo nele é falso; com dentes roubados ele morde. Até mesmo suas entranhas são falsas.

Confusão das línguas do bem e do mal; este sinal dou a vós como o sinal do Estado.

Em verdade, a vontade de morte indica este sinal! Na verdade, acena para os pregadores da morte!

Nascem homens demais. Foi para esses supérfluos que o Estado foi implantado.

Vede como ele os atrai e os seduz! Como os engole, os mastiga e volta a mastigá-los!

"Na terra não há nada maior do que eu: sou eu o dedo regulador de Deus", assim ruge o monstro. E não apenas os de orelhas compridas e míopes caem sobre seus joelhos!

Ah! mesmo em seus ouvidos, ó grandes almas, ele sussurra suas mentiras sombrias! Ah! descobre os corações ricos que voluntariamente se esbanjam!

Sim, ele vos adivinha a vós também, conquistadores do velho Deus! Saístes cansados do velho combate, e agora seu cansaço serve ao novo ídolo!

Ele queria rodear-se de heróis e homens respeitáveis. Este frio monstro gosta de se aquecer ao sol da boa consciência.

Tudo vos dará, se O adorarem, o novo ídolo: assim adquire o brilho de sua virtude, e o olhar de seus olhos orgulhosos.

Procura seduzir por meio de vós, os demais, muitos! Sim, inventou com isso um artifício infernal, um cavalo da morte tilintando com as armadilhas das honras divinas!

Sim, inventou para a multidão uma morte que se preza de ser vida. Na verdade, o melhor serviço que se podia oferecer a todos os pregadores da morte.

O Estado é o lugar onde todos bebem veneno, os bons e os maus, onde todos se perdem, bons e maus, onde o lento suicídio de todos se chama "vida".

Basta ver esses supérfluos! Roubam as obras dos inventores e os tesouros do sábio. Cultura, eles chamam de roubo, e tudo se torna doença e problemas!

Basta ver esses supérfluos! Adquirem riqueza e ficam mais pobres com isso. Procuram poder, e acima de tudo, a alavanca do poder, muito dinheiro, esses impotentes!

Veja-os escalar, esses macacos ágeis! Trepam uns sobre os outros e, assim, lutam na lama e no abismo.

Todos se esforçam em direção ao trono; é a sua loucura, como se a felicidade estivesse no trono! Frequentemente colocam a sujeira no trono. Muitas vezes o trono é que está afundado na lama.

Todos eles me parecem loucos, macacos trepadores e ávidos demais. Seus ídolos para mim cheiram mal, o monstro frio; todos eles cheiram mal para mim, esses idólatras.

Meus irmãos, quereis por agora sufocar-vos com a fumaça de suas mandíbulas e apetites! Melhor quebrar as janelas e pular para o ar livre!

Saia do caminho do mau cheiro! Afaste-se da idolatria do supérfluo!

Saia do caminho do mau cheiro! Retire-se do vapor desses sacrifícios humanos!

A terra permanece aberta para grandes almas. Para os que vivem solitários ou aos pares ainda há muitos lugares vagos onde sopra a fragrância dos mares silenciosos.

Ainda existe uma vida livre para as almas grandes. Na verdade, quem pouco possui tanto menos é possuído. Bendita seja a modesta pobreza!

Lá, onde cessa o Estado, só começa o homem que não é supérfluo; aí começa a canção dos necessários, a melodia única e insubstituível.

Lá, onde o Estado cessa, por favor, olhem para lá, meus irmãos! Não conseguem ver o arco-íris e as pontes que levam ao Super-homem?"

Assim falava Zaratustra.

XII. AS MOSCAS DA PRAÇA PÚBLICA

"Fuja, meu amigo, para a tua solidão! Te vejo ensurdecido com o barulho dos grandes homens, e todo picado pelos pequeninos.

Admiravelmente a floresta e a rocha sabem ficar em silêncio contigo. Assemelha-te de novo a árvore que amas, a árvore de grande ramagem que escuta silenciosa, suspensa sobre o mar.

Onde termina a solidão, começa a praça pública; e onde começa a praça pública, começa também o barulho dos grandes atores e o zumbido das moscas venenosas.

No mundo, mesmo as melhores coisas não têm valor sem aqueles que as representam; aqueles representantes, as pessoas chamam de grandes homens.

Mal sabem as pessoas o que é grande, isto é, a agência criadora. Mas dá sentido a todos os apresentadores e a todos os comediantes de grandes causas.

O mundo gira em torno dos criadores de novos valores. Gira invisivelmente. Mas em torno dos atores giram as pessoas e a glória, tal é o curso das coisas.

O ator tem espírito, mas pouca consciência do espírito. Ele sempre acredita naquilo pelo qual faz acreditar mais fortemente, crer em si mesmo!

Amanhã ele tem uma nova crença e, no dia seguinte, outra ainda mais recente. Possui, como o povo, percepções rápidas e intuições que mudam rápido.

Aborrecer, isso significa que ele tem que provar. Enlouquecer, isso significa para ele convencer. E o sangue é contado por ele como o melhor de todos os argumentos.

Chama mentira e nada a uma verdade que só penetra em ouvidos apurados. Verdadeiramente só crê em deuses que provocam muito barulho no mundo.

A praça pública está cheia de palhaços solenes e o povo se vangloria de seus grandes homens. São para eles os senhores do momento.

Mas a hora os pressiona; então eles te pressionam. E também de ti querem "sim ou não". Ai de mim! Queres colocar tua cadeira entre um pró e um contra?

Por causa daqueles absolutos e impacientes, não tenha ciúmes, ó amante da verdade! Nunca, no entanto, a verdade se apegou ao braço de alguém absoluto.

Diante desses impulsivos, recua para teu abrigo! Não é só na praça pública que assediam para arrancar a alguém "um sim ou um não"?

Lenta é a experiência de todas as fontes profundas; devem esperar muito até saberem o que caiu em suas profundezas.

Longe da praça e da fama, toma lugar tudo o que é bom; longe da praça e da fama sempre residiram os criadores de novos valores.

Fuja para a sua solidão! Tu tens vivido muito perto dos pequenos e miseráveis. Fuja de sua vingança invisível! Contra ti eles não têm nada além de vingança.

Não levante mais um braço contra eles! Inumeráveis eles são, e não é o seu destino ser um espanta moscas.

São inumeráveis esses pequeninos e mesquinhos; e altivos edifícios se têm visto destruídos por gotas de chuva e ervas ruins.

Tu não és pedra; mas já te tornaste oco pelas numerosas gotas. Vós murcharás e ainda se quebrarás e explodirás pelas inúmeras gotas.

Exausto, vejo-te, por moscas venenosas; te vejo sangrando, e dilacerado em muitos lugares; e teu orgulho nem mesmo irá censurá-lo.

ASSIM FALAVA ZARATUSTRA

Sangue eles querem de ti em toda a inocência; sangue que suas almas sem sangue anseiam e picam, portanto, com toda a inocência.

Mas tu, profundo, tu sofreste muito profundamente, mesmo com pequenas feridas; e antes da cura já passeava outra vez pela tua mão o mesmo inseto venenoso.

És muito orgulhoso para matar esses gulosos. Mas tome cuidado para que não seja o seu destino sofrer toda sua injustiça venenosa.

Zumbem ao seu redor também com seus louvores. Querem estar perto de sua pele e de seu sangue.

Te lisonjeiam, como quem lisonjeia a Deus ou ao diabo; choramingam diante de ti, como ante um Deus ou demônio. O que isso significa? Eles são bajuladores, chorões e nada mais.

Frequentemente, também, se mostram a ti como amáveis. Mas isso sempre foi a prudência dos covardes. Sim! Os covardes são sábios!

Pensam muito sobre tu com suas almas mesquinhas. Tu sempre és suspeito para eles! Tudo o que é muito pensado é finalmente considerado suspeito.

Eles te punem por todas as tuas virtudes e só te perdoam, no mais íntimo de seus corações, teus erros.

Por ser gentil e de caráter correto, dizes: "Eles são irrepreensíveis por sua pequena existência". Mas suas almas circunscritas pensam: "Culpar é toda grande existência".

Mesmo quando tu és gentil com eles, ainda se sentem desprezados por ti; e retribuem tua beneficência com maleficência secreta.

Teu orgulho silencioso é sempre desagradável e se alegram quando te mostras bastante modesto para ser vaidoso.

O que reconhecemos em um homem, também o irritamos. Portanto, esteja em guarda contra os pequenos!

Na tua presença eles se sentem pequenos, e sua baixeza cintila e resplandece contra ti em vingança invisível.

Não notaste quantas vezes eles ficaram mudos quando tu se aproximaste deles, e como tua energia os deixou como a fumaça que se extingue?

Sim, meu amigo; és a consciência roedora dos teus próximos, porque não são dignos de ti. Por isso te odeiam e querem sugar-te o sangue.

Teus próximos sempre serão moscas venenosas; o que é grande em ti, isso por si só deve torná-los mais venenosos e sempre mais semelhantes às moscas.

Fuja, meu amigo, para a tua solidão, e para lá, onde sopra uma brisa forte e áspera. Isto é não é teu destino ser uma mosca".

Assim falava Zaratustra.

XIII. DA CASTIDADE

"Amo a floresta. É ruim morar em cidades; lá, há muitos lascivos.

Não é melhor cair nas mãos de um assassino, do que nos sonhos de uma mulher luxuriosa?

E apenas olhe para estes homens: seus olhos dizem, eles não sabem nada melhor na terra do que deitar com uma mulher.

A sujeira está no fundo de suas almas. Infelizes deles se a lama ainda tiver espírito!

Se ao menos fôsseis animais completos! Mas o animal é de todo inocente.

Aconselho-vos a matar seus instintos? Aconselho-vos a inocência em seus instintos.

Aconselho-vos à castidade? A castidade é uma virtude para alguns, mas para muitos é quase um vício.

Eles se contêm, com certeza, mas a luxúria canina parece invejosa com tudo o que eles fazem.

Mesmo nas alturas de sua virtude e em seu espírito frio esta criatura os persegue, com sua discórdia.

E quando um pedaço de carne é negado, com que sutileza essa vil sensualidade sabe mendigar um pedaço de espírito!

Tu amas tragédias e tudo que quebra o coração? Mas desconfia de tua luxúria canina.

Tendes olhos muito cruéis e olhais com desprezo para os sofredores. Não será porque a vossa sensualidade se disfarçou e tomou o nome de compaixão?

Também vos apresento esta parábola:

Não poucos, que queriam expulsar os demônios, mas acabaram eles mesmo se metendo com os porcos.

Para quem a castidade é difícil, deve ser dissuadido, para que ela não se torne o caminho para o inferno, para sujar de luxúria a alma.

Falo de coisas sujas? Isso não é a pior coisa que posso fazer.

Não quando a verdade é suja, mas quando é superficial, aquele que tem discernimento vai contra sua vontade em suas águas.

Na verdade, existem os castos por sua própria natureza; eles são mais gentis de coração e riem melhor e mais frequentemente do que vós.

Eles também riem da castidade e perguntam: "O que é castidade?"

A castidade não é loucura? Mas a loucura veio a nós, e não nós a ela.

Oferecemos a esse hóspede pousada e simpatia: agora ele habita conosco. Deixe-o ficar enquanto quiser!"

Assim falava Zaratustra.

XIV. DO AMIGO

"Junto de mim sempre há alguém em demasia", assim pensa o solitário. "Algumas vezes um sempre acaba por fazer dois, com o correr do tempo!

"Eu e Mim sempre conversamos muito seriamente. Como isso poderia ser suportado, se não houvesse um amigo?

O amigo do solitário é sempre o terceiro: o terceiro é a cortiça que impede que a conversa dos dois afunde nas profundezas.

Ah! Existem profundidades demais para todos os anacoretas. Por isso, desejam tanto por um amigo e à sua altura.

A nossa fé nos outros revela aquilo que desejaríamos crer em nós mesmos. Nosso desejo por um amigo é nosso delator.

E muitas vezes, com nosso amor, queremos apenas superar a inveja. E muitas vezes nós atacamos e fazemos inimigos, para esconder que somos vulneráveis.

"Sê pelo menos meu inimigo!", assim fala a verdadeira reverência, que não se atreve a solicitar amizade.

Se alguém deseja ter um amigo, então também deve estar disposto a travar uma guerra por ele. E para fazer a guerra, é preciso ser capaz de ser inimigo.

É preciso honrar no amigo o próprio inimigo. Podes aproximar-te de teu amigo sem passar para o seu lado?

Em um amigo deve-se ter seu melhor inimigo. Tu estarás mais próximo a ele com o teu coração quando tu o resistes.

Tu não usarias vestes ante seu amigo? É em honra ao teu amigo que tu te mostras a ele como tu és? Mas ele te deseja para o diabo por causa disso!

Aquele que não faz nenhum mistério de si mesmo irrita. Tantas razões tendes para temer a nudez! Sim, se fosseis deuses, então poderíeis envergonhar-vos de vossas roupas!

Não podes adornar-te suficientemente bem para o teu amigo; porque deves ser para ele uma flecha e também uma aspiração em direção ao Super-homem.

Já viste teu amigo dormindo para saber como ele é? Qual é o semblante de teu amigo? É o teu próprio semblante, em um espelho grosseiro e imperfeito.

O amigo será um mestre na arte de adivinhar e guardar silêncio. Nem tudo deve tu desejar ver. O teu sonho te revelará o que o teu amigo faz quando acordado.

Que a tua piedade seja uma adivinhação para saber, primeiro se o teu amigo quer piedade. Talvez ele ame em ti o olho imóvel, e o olhar da eternidade.

Que a tua pena pelo teu amigo seja escondida sob uma casca dura. Que se partam teus dentes ao morder essa compaixão. Assim terá delicadeza e doçura.

És tu ar puro e solidão, pão e remédio para teu amigo? Muitos não podem afrouxar seus próprios grilhões, mas mesmo assim é o emancipador de seu amigo.

És um escravo? Então não podes ser amigo. És um tirano? Então tu não podes ter amigos.

Por muito tempo existiu um escravo e um tirano escondido na mulher. Por isso a mulher ainda não é capaz de amizade; ela conhece apenas o amor.

No amor da mulher há injustiça e cegueira para tudo que ela não ama. E mesmo no amor iluminado da mulher, se oculta sempre, ao lado da luz, o relâmpago e a noite.

Por enquanto, a mulher não é capaz de amizade; as mulheres ainda são gatos e pássaros. Ou, na melhor das hipóteses, vacas.

A mulher ainda não é capaz de fazer amizades. Mas digam-me, homens, quem de vós és capaz de amizade?

Ah! Pobres homens! Quanta pobreza e avareza da vossa alma! Por mais rico presente que dais a vossos amigos, estou pronto a oferecê-lo aos meus inimigos sem me tornar mais pobre por isso.

Existe camaradagem. Que haja amizade!"
Assim falava Zaratustra.

XV. OS MIL E UM OBJETIVOS

"Muitas terras e muito povos viram Zaratustra, assim ele descobriu o bem e o mal de muitos povos. Nenhum poder maior encontrou Zaratustra na terra do que o bom e o mau.

Ninguém poderia viver sem estabelecer valores. Mas para se conservar, não deve adotar os valores do vizinho.

Muitas coisas que um povo considera boas, para outros são vergonha e desprezo. Foi o que observei. Muitas coisas aqui qualificadas de más, em outros lugares as enfeitavam com o manto de púrpura das honrarias.

Nunca um vizinho entendeu o outro. Sempre a sua alma se assombrou da loucura e da maldade do vizinho.

Um quadro de excelências paira sobre cada povo. É o quadro de seus triunfos. É a voz de sua vontade de poder.

É louvável o que lhe parece difícil; o que é indispensável e difícil, chamam de bom; e o que alivia na mais terrível angústia, a única e mais difícil de todas, exaltam como sagrado.

O que quer que os faça governar, conquistar e brilhar, para espanto e inveja de seus vizinhos, consideram a coisa mais importante, o teste e o sentido de todas as coisas.

Na verdade, meu irmão, desde que conheças a necessidade de um povo, sua terra, seu céu e seu vizinho, então poderás adivinhar também que lei rege suas superações, e por que razão ela sobe os degraus dessa escada em direção a suas esperanças.

"Sempre serás o primeiro e mais proeminente acima dos outros; a tua alma zelosa não deve amar ninguém senão o amigo". — Aí está o que outrora fez palpitar a alma grega e a levou a seguir o caminho da grandeza.

"Falar a verdade e ser hábil com arco e flecha". Parecia tão agradável e difícil para o povo a quem devo o meu nome, nome que me é agradável e igualmente difícil de carregar.

"Para honrar pai e mãe, e desde a raiz da alma fazer a vontade deles". Essa tábua de vitórias sobre si próprio escolheu outro povo e com ela foi poderoso e eterno.

"Ter fidelidade, por amor a essa fidelidade, dar seu sangue e sua honra mesmo em causas más e perigosas". Por esse ensinamento vence-se a si mesmo outro povo e, vencendo-se desse modo, chegou a encher-se de grandes e promissoras esperanças.

Na verdade, os homens deram a si mesmos todo o bem e todo o mal. Na verdade, não pegaram, não o acharam, não lhes veio como uma voz do céu.

O homem só atribuiu valores às coisas a fim de se manter, criou apenas o significado das coisas, um significado humano! Portanto, ele mesmo se autodenomina "homem", isto é, o avaliador.

Avaliar é criar. Ouçam, criadores! Avaliar é o tesouro e a joia de todas as coisas avaliadas.

Somente por meio da avaliação existe valor; e sem avaliação a noz da existência seria oca. Ouça, vós que estais criando!

Mudança de valores é mudança de criadores. Sempre destrói apenas aquele que é criador.

Os criadores foram, antes de mais nada, os povos, e somente nos últimos tempos indivíduos; na verdade, o próprio indivíduo ainda é a mais recente das criações.

Os povos uma vez penduraram sobre si uma tábua do bem. Amor que governaria e que obedeceriam, criaram para si tais tábuas.

O prazer do rebanho é mais antigo do que o prazer do Eu, e enquanto a boa consciência é para o rebanho, a má consciência apenas diz: Eu.

Na verdade, o Eu astuto, o Eu egoísta, que procura o seu bem no bem de muitos, este não é a origem do rebanho, mas a sua destruição.

Sempre foram ardentes os que criaram o bem e o mal. O fogo do amor e o fogo da ira ardem sob o nome de todas as virtudes.

Muitas terras e muito povos viram Zaratustra. Nenhum poder maior Zaratustra encontrou na terra do que as criações dos que amam, "bem e mal" é o seu nome.

Em verdade, um prodígio é esse poder de elogiar e culpar. Digam-me, irmãos, quem vai dominá-lo para mim? Quem vai colocar um grilhão nos mil pescoços deste animal?

Até ao presente têm havido mil objetivos, porque tem havido mil povos. Só falta a cadeia das mil cabeças: falta o único objetivo. A humanidade não tem objetivo.

Mas, por favor, digam-me, meus irmãos, se o objetivo da humanidade ainda está faltando, não será porque a própria humanidade ainda não existe?"

Assim falava Zaratustra.

XVI. DO AMOR AO PRÓXIMO

"Vós andais muito solícitos em torno do próximo e têm belas palavras para isso. Mas eu vos digo: seu amor ao próximo é o vosso mau amor por vós mesmos.

Fugis de vós mesmos em busca do próximo, e quereis fazer disso uma virtude; mas eu firo à luz do dia vosso "desinteresse".

O Tu é mais antigo do que o Eu. O Tu foi santificado, mas o Eu ainda não. Por isso o homem anda diligente atrás do próximo.

Aconselho-vos o amor ao próximo? Em vez disso, vos aconselho a fuga do "próximo" e o amor ao remoto!

Mais elevado do que o amor ao próximo é o amor aos mais distantes e futuros; mais alto ainda do que amor aos homens, é o amor às coisas e fantasmas.

O fantasma que corre diante de ti, meu irmão, é mais formoso do que tu; por que lhe não dás a tua carne e os teus ossos? Mas tens medo e corres para o teu próximo.

Não vos suportais a vós mesmos e não vos amais de modo suficiente. E então procurais desencaminhar o seu próximo ao amor, e desejais dourar-vos com seu erro.

Quisera que todos esses próximos e seus vizinhos se tornassem insuportáveis para vós. Assim teria que criar para vós mesmos seu amigo e seu coração transbordante.

Invocais uma testemunha quando quereis falar bem de si mesmos; e que haveis induzido a pensar bem de vossa pessoa, também vós pensais bem de si mesmos.

Não só mente, aquele que fala contra o seu conhecimento, mas sobretudo, aquele que fala contrário à sua ignorância. E assim falais de vós no trato social, enganando o próximo e a vós mesmos.

Assim diz o louco: "A associação com os homens estraga o caráter, especialmente quando alguém não tem nenhum".

Um procura o próximo porque procura a si mesmo; outro porque gostaria de se perder. Vossa malquerença por vós mesmos converte vossa solidão num cativeiro.

Os mais distantes são aqueles que pagam por seu amor ao próximo; e desde que vos reunis em cinco, um sexto deve sempre morrer.

Também não gosto de vossas festas. Nelas encontrei demasiados comediantes e os próprios espectadores se comportam muitas vezes como comediantes.

Não falo do próximo; falo somente do amigo. Que o amigo seja para vós a festa da terra e o pressentimento do Super-homem.

Falo-vos do amigo e seu coração transbordante. Mas é preciso saber ser uma esponja, quando se quer ser amado por corações transbordantes.

Falo-vos do amigo em quem o mundo está completo, uma cápsula do bem, o amigo criador, que sempre tem um mundo completo para doar.

E como para ele o mundo desenrolou seus anéis, assim para ele os enrola novamente, como se o bem fosse produzido pelo mal, os fins pelo acaso.

Que o futuro e o mais distante sejam o motivo de seu hoje; em teu amigo tu amarás o Super-homem como origem.

Meus irmãos, não vos aconselho o amor ao próximo; aconselho-vos o amor ao mais afastado."

Assim falava Zaratustra.

XVII. DOS CAMINHOS DO CRIADOR

"Queres meu irmão, voltar a solidão? Queres procurar o caminho que te guia a ti mesmo? Espera ainda um momento e ouve.

"Aquele que procura, facilmente se perde a si mesmo. Toda solidão é um erro". Assim fala o rebanho.

A voz do rebanho ainda ecoará em vós. E quando disseres: "Não tenho mais uma consciência em comum convosco", então será uma queixa e uma dor.

Veja, aquela dor em si mesma produziu a mesma consciência; e o último vislumbre dessa consciência ainda brilha em tua aflição.

Mas tu seguirias o caminho da tua aflição, que é o caminho para ti? Então mostre-me tua autoridade e tua força para fazer isso! Acaso és uma nova força e uma nova autoridade? Um primeiro movimento? Uma roda que gira sobre si mesma? Podes obrigar as estrelas a girar em torno de ti?

Ai! Existem tantas ambições pelas alturas! Há tantas convulsões dos ambiciosos! Mostra-me que não pertences ao número desses cobiçosos nem desses ambiciosos!

Ai! Existem tantos grandes pensamentos que não fazem nada mais do que o fole: eles inflam, e se tornam mais vazios do que nunca.

Tu te consideras livre? Quero que me digas do teu pensamento fundamental, e não que te livraste de um jugo.

Serás tu alguém que tenha o direito de se livrar de um jugo? Há quem perca seu último valor ao libertar-se da sua sujeição.

Livre de quê? Que importância tem isso para Zaratustra! Teu olhar, porém, deve anunciá-lo claramente: livre, para quê?

Podes dar a ti mesmo o teu mal e o teu bem, e estabelecer a tua vontade como uma lei sobre ti? Podes ser o teu próprio juiz e vingador de sua lei?

Terrível é a solidão com o juiz e vingador de sua própria lei. Assim é uma estrela projetada para o espaço do deserto e para o sopro gelado da solidão.

Hoje ainda tu sofres com a multidão, solitário; hoje ainda tens a tua coragem inabalável e tuas esperanças.

Mas um dia a solidão te cansará; um dia seu orgulho cederá e tua coragem vai cerrar os dentes. Tu um dia gritarás: "Estou sozinho!"

Um dia não verás mais tua altivez, e verás muito de perto a tua humildade; tua própria sublimidade vai te assustar como um fantasma. Um dia gritarás: "Tudo é falso!"

Existem sentimentos que procuram matar o solitário; se não tiverem sucesso, então devem eles próprios morrem! Mas serás tu capaz disso? De ser um assassino?

Meu irmão, já conheces a palavra "desdém"? E a angústia da tua justiça sendo justo com aqueles que te desprezam?

Obrigas muitos a mudarem de opinião a teu respeito; por isso te odeiam com todas as forças. Tu aproximaste deles, mas passaste adiante; é coisa que jamais perdoarão.

Elevaste-te acima deles. Mas quanto mais alto sobes, menor o olho da inveja te vê. E ninguém é tão odiado como aquele que voa diante de todos.

"Como quereríeis ser justo para comigo!" — dirias. — "Eu escolhi sua injustiça, como parte que me está destinada."

Injustiça e baixeza é o que eles atiram sobre o solitário. Mas, meu irmão, se quiseres ser uma estrela, nem por isso haverá de iluminá-los menos.

E esteja alerta contra os bons e os justos! Crucificariam de bom grado aqueles que planejam sua própria virtude, odeiam os solitários. Esteja em guarda, também, contra a santa simplicidade! Tudo o que não é simples é profano. Ela também gosta de brincar com o fogo... das fogueiras.

E livra-te também dos impulsos de teu amor! O solitário estende depressa demais a mão ao primeiro que encontra.

Há homens a quem não deves dar a mão, mas somente a pata. Além disso quero que tua pata tenha garras.

O pior inimigo, todavia, que poderá encontrar, és tu mesmo. Nas cavernas e nos bosques és tu que te espreitas a ti mesmo.

Ó solitário, tu segues o caminho que te conduz a ti mesmo! E por teu caminho desfilam além de ti mesmo e dos teus sete demônios.

Serás herege para ti mesmo, serás feiticeiro, adivinho, doido, incrédulo, ímpio e malvado.

Deves estar pronto para consumir-te em tua própria chama. Como quererias renascer se não te tornaste cinzas primeiro!

Solitário, tu segues o caminho do criador. Queres criar um deus de teus sete demônios!

Solitário, tu segues o caminho daqueles que amam. Tu te amas a ti mesmo e por isso te desprezas, como só sabem desprezar os amantes.

Criar, deseja aquele que ama, porque ele despreza! O que sabe aquele do amor que não foi obrigado a desprezar exatamente o que amava!

Vai para tua solidão, meu irmão, com teu amor e com teu ato criador. Somente mais tarde será que a justiça chegará claudicando.

Vai-te para o isolamento com as minhas lágrimas, meu irmão. Amo aquele que quer criar algo acima e para além de si mesmo e dessa arte sucumbe."

Assim falava Zaratustra.

XVIII. DAS MULHERES JOVENS E VELHAS

"Por que deslizas tão furtivamente no crepúsculo, Zaratustra? E o que escondes tão cuidadosamente sob o teu manto?

É um tesouro que te foi dado? Ou uma criança que nasceu? Ou segues tu mesmo a serviço de um ladrão, amigo do mal?"

"Na verdade, meu irmão", disse Zaratustra, "levo um tesouro que me foi dado. Levo uma pequena verdade.

Mas é travessa, como uma criança; e se eu não segurar sua boca, ela grita alto demais.

Enquanto seguia meu caminho sozinho hoje, na hora em que o sol se põe, lá me encontrou uma velha, e ela falou assim à minha alma:

"Zaratustra tem falado muito até mesmo conosco, mulheres, mas nunca nos falou da mulher."

Eu respondi: É só aos homens que se deve falar da mulher.

"Fala-me também da mulher", disse ela; "Tenho idade suficiente para esquecer isso agora."

E agradeci à velha e disse-lhe assim:

Na mulher tudo é um enigma e tudo tem uma solução. Chama-se gravidez.

O homem é para a mulher um meio: a finalidade é sempre a criança. Mas o que é a mulher para o homem?

O homem verdadeiro quer duas coisas diferentes: perigo e diversão. Portanto, ele quer a mulher, como o brinquedo mais perigoso.

O homem deve ser educado para a guerra e a mulher para o prazer do guerreiro. Todo o resto é loucura.

O guerreiro não gosta de frutos doces demais. Por isso a mulher lhe agrada: a mulher mais doce tem sempre o seu quê de amargo.

A mulher, melhor que o homem, compreende as crianças, mas o homem é mais criança que a mulher.

Em todo o verdadeiro homem, se esconde uma criança, uma criança que quer brincar. Vamos lá mulheres! Procurai descobrir a criança no homem!

Que a mulher seja um brinquedo, puro e fino como a pedra preciosa, iluminado pelas virtudes de um mundo que ainda não existe.

Deixe o raio de uma estrela brilhar em seu amor! Deixe sua esperança dizer: "Nasça de mim, do Super-homem!"

Em vosso amor haja valor! Com o vosso amor, deveis atacar aquele que vos inspire temor!

Que vossa honra subsista em vosso amor! e realmente a mulher pouco entende de honra. Que vossa honra seja amar mais do que fordes amadas e nunca ficar em segundo lugar.

Que o homem tenha medo da mulher quando ela ama porque ela não recuará diante de nenhum sacrifício e tudo o mais para ela não tem valor.

Que o homem tenha medo da mulher quando ela odeia porque o homem, no fundo de sua alma, é malvado. Mas a mulher, no fundo da sua, é perversa.

A quem a mulher odeia mais? O ferro assim dizia ao imã: Odeio-te mais do que qualquer outra coisa porque atrais, mas não tens força suficiente para me sujeitar."

A felicidade do homem é: "Eu quero". A felicidade da mulher é: "Ele quer".

"Agora o mundo se tornou perfeito!", assim pensa toda mulher quando ela obedece com todo o seu amor.

A mulher deve obedecer, e encontrar uma profundidade para sua superfície. Superficial, é a alma da mulher, uma película de tempestade sobre águas rasas.

A alma do homem, no entanto, é profunda, sua corrente jorra em cavernas subterrâneas: a mulher supera sua força, mas não a compreende.

Então a velha me respondeu: "Muitas coisas belas disse Zaratustra, sobretudo com relação às que são mais novas para isso.

Estranho! Zaratustra sabe pouco sobre as mulheres e, no entanto, tem razão sobre elas! Será porque para as mulheres nada é impossível?

E agora, como recompensa, aceita uma pequena verdade. Sou suficientemente velha para te dizer.

Embrulha-a, tapa-lhe a boca, do contrário, ria alto demais, essa pequena verdade."

"Dá-me tua pequena verdade, mulher!", eu disse. E a pequena velha mulher falou assim:

"Acompanhas com as mulheres? Não te esqueças do seu chicote!"

Assim falava Zaratustra.

XIX. A PICADA DA VÍBORA

Um dia Zaratustra adormeceu debaixo de uma figueira, devido ao calor, com os braços sobre seu rosto. E veio uma víbora e mordeu-o no pescoço, de modo que Zaratustra gritou de dor. Depois de tirar o braço do rosto, ele olhou para a serpente; e então ela reconheceu os olhos de Zaratustra, se contorceu desajeitadamente e tentou se retirar. "De maneira alguma", disse Zaratustra, "ainda não recebeste o meu agradecimento! Tu tens me despertado a tempo; minha jornada ainda é longa."

"Tua jornada é curta", disse a víbora tristemente; "Meu veneno é fatal." Zaratustra sorriu. "Quando é que um dragão morreu por causa do veneno de uma serpente?", disse ele. "Mas leve o seu veneno de volta! Tu não és rica o suficiente para apresentá-lo a mim." Em seguida, caiu a víbora novamente em seu pescoço e lambeu sua ferida.

Quando Zaratustra disse uma vez isso a seus discípulos, eles lhe perguntaram: "E qual é, ó Zaratustra, a moral da tua história?" E Zaratustra respondeu-lhes assim:

"Os homens de bem e os justos me chamam de destruidor da moral. Meu conto é imoral.

Se tendes, porém, um inimigo, não lhe devolvais bem por mal porque se sentiria humilhado; demonstra-lhe, pelo contrário, que vos fez um bem.

E a ter que humilhar preferi encolerizar-vos. E quando se vos amaldiçoe, não me agrada que vós abençoeis. Amaldiçoai também.

E se vos fizeram uma grande injustiça, fazei vós imediatamente cinco injustiças pequenas. É horrível ver alguém que só sofre o peso da injustiça.

Já sabeis isto? Injustiça repartida é a metade de um direito. E aquele que pode trazer a injustiça deve levá-la.

Uma pequena vingança é mais humana do que nenhuma. E se a punição não for também um direito e uma honra para o transgressor, não quero de modo alguns vossos castigos.

É mais nobre ser injusto para consigo mesmo do que reivindicar seu direito, sobretudo quando temos razão. Mas para agir assim é preciso ser bastante rico.

Não gosto da sua justiça fria; fora dos olhos de seus juízes sempre há vislumbres do carrasco e seu aço frio.

Dizei-me, onde anda a justiça que é amor com olhos perspicazes?

Concebe-me, então, o amor que não apenas suporta todo o castigo, mas também toda a culpa! Projeta-me, então, a justiça que absolve a todos, exceto o juiz!

Quereis ouvir mais? Para aquele que busca ser justo de coração, até mesmo a mentira se torna filantropia.

Mas, como eu poderia ser verdadeiramente justo? Como poderia dar a cada um o que é seu? Que me baste isso: dou a cada uma minha própria parte.

Enfim, meus irmãos, evitai ser injustos com os solitários. Como poderia um solitário esquecer? Como poderia devolver?

Um solitário é como um poço profundo. É fácil atirar uma pedra: se ela afundar, no entanto, diga-me, quem a trará de novo?

Evite ferir o solitário! Mas se o feristes então, muito bem, matai-o também!"

Assim falava Zaratustra.

XX. DO FILHO E DO CASAMENTO

"Tenho uma pergunta apenas para ti, meu irmão: como uma sonda, lancei esta pergunta em tua alma, para que eu conheça sua profundidade.

Tu és jovem e desejas filho e casamento. Mas te pergunto: Serás tu um homem que tem o direito de desejar um filho?

És tu o vitorioso, o conquistador de si mesmo, o governante de tuas paixões, o mestre de tuas virtudes? É isso que eu te pergunto.

Ou o que fala em teu desejo é o animal ou a necessidade? Ou a solidão? Ou a insatisfação consigo mesmo?

Desejaria sua vitória e liberdade por um filho. Deves construir monumentos vivos para tua vitória e emancipação.

Deves construir algo superior a ti, para mais além do que tu. Mas é preciso, assim o desejo, que antes tenhas te construído a ti mesmo, bem moldado de corpo e alma.

Não deves somente te reproduzir, mas te ultrapassar a ti mesmo! Que o jardim do matrimônio te ajude a tanto!

Deverás criar um corpo superior, um primeiro movimento, uma roda que gira por si própria. É um criador que deves criar.

Casamento. Chamo assim a vontade de dois seres de criar um só ser que seja mais do que aqueles que o criaram. O casamento é respeito para com aqueles que são movidos por semelhante vontade.

Que este seja o significado e a verdade de seu casamento. Mas aquilo que muitos também chamam de casamento, aqueles supérfluos, ah! Como devo chamá-lo?

Ah, a pobreza de alma a dois! Ah, a imundície da alma a dois! Ah, a lamentável autocomplacência a dois!

A tudo isso chamam matrimônio e dizem que essas uniões se concluem no céu!

Bem, não gosto disso, aquele paraíso dos supérfluos! Não, não gosto deles, esses bichos enredados nas labutas celestiais!

Longe de mim também está o Deus que manca até lá para abençoar o que ele não combinou!

Não ria de tais casamentos! Que criança não teria motivo para chorar por seus pais?

Digno e maduro me parecia esse homem para o sentido da terra, mas quando vi a mulher dele, a terra me pareceu uma casa de loucos.

Sim, gostaria que a terra tremesse com convulsões quando se acasalam um santo e uma pata.

Este partiu como herói em busca de verdades e finalmente não conseguiu trazer outra coisa senão uma pequena mentira engalanada. A isso ele chama seu casamento.

Aquele era frio em suas relações e exigente em suas escolhas. Mas de um só golpe e para sempre estragou a sua companhia. A isso chama seu casamento.

Outro procurava uma criada com as virtudes de um anjo. Mas de repente se tornou servo de uma mulher e, ainda por cima, precisava agora tornar-se um anjo.

Cuidado, encontrei todos os compradores, e todos eles têm olhos astutos. Mas mesmo o mais astuto deles compra sua esposa às cegas. Muitas breves loucuras, isso é que chamas de amor. E o vosso matrimônio termina muitas loucuras pequenas para as tornar uma loucura grande.

Seu amor pela mulher e o amor da mulher pelo homem, ah, se fosse simpatia por divindades sofredoras e veladas! Mas geralmente dois animais pousam um no outro.

Mas mesmo o seu melhor amor é apenas uma comparação extasiada e um ardor doloroso. É uma tocha para iluminá-lo para caminhos mais elevados.

Algum dia deverá o vosso amor elevar-se acima de vós mesmos! Então aprendei antes de tudo a amar. Por isso vos foi preciso beber o amargo cálice de vosso amor.

A amargura está na taça até mesmo do melhor amor: assim, causa saudade do Super-homem; assim, causa sede em ti, o criador!

Sede do criador, flecha lançada para o Super-homem: diga-me, meu irmão, é essa tua vontade quando anseias por te casar?

Sagrados são para mim semelhante vontade, semelhante casamento."

Assim falava Zaratustra.

XXI. DA LIVRE MORTE

"Muitos morrem tarde demais e alguns cedo demais. Ainda nos soa estranho esse preceito: "Morre a tempo!"

Morrer a tempo é o que te ensina Zaratustra

Com certeza, quem nunca vive na hora certa, como pode morrer na hora certa? O melhor é não nascer! Assim aconselho os supérfluos.

Mas até mesmo os supérfluos dão grande importância a sua morte e até as mais vazias das nozes ainda quer ser partida.

Todos encaram a morte com seriedade, mas morrer ainda não é uma festa. Os homens ainda não aprenderam como celebrar as mais belas festas.

A morte consumada eu vos mostro, que se torna um estímulo e promessa para o vivo.

Morre sua morte, aquele que cumpre seu destino, vitorioso, rodeado daqueles que esperam e prometem.

Assim seria preciso aprender a morrer. E não deveria haver festa alguma sem que tal moribundo abençoasse a promessa dos vivos.

Morrer assim é o melhor. E, em segundo lugar, é morrer no combate e prodigalizar uma grande alma.

Mas para o lutador igualmente odioso quanto ao vencedor, é a sua morte sorridente que rouba quase como uma ladra, e ainda assim chega como mestre.

Da minha morte vos faço o elogio, da morte livre que vem a mim porque eu quero.

Mas quando haveria de querer? Aquele que tem um fim e aquele que tem um herdeiro, quer a morte a tempo para esse fim e para esse herdeiro.

E por respeito ao fim e ao herdeiro, já não suspenderá coroas murchas no santuário da vida.

Na verdade, não quero assemelhar aos cordoeiros que esticam seus fios e, segurando-os, vão caminhando sempre atrás.

Há também quem se faça velho demais para suas verdades e suas vitórias. Uma boca desdentada já não tem direito a toda verdade.

E quem quer que queira ter fama, deve despedir-se imediatamente e praticar a difícil arte de ir na hora certa.

É preciso fugir a deixar-se comer no próprio momento em que vos começam a tomar gosto. Isso é conhecido por aqueles que querem ser amados por muito tempo.

Lá estão as maçãs azedas, sem dúvida, cuja sorte é esperar até o último dia do outono: e de repente, elas se tornam maduras, amarelas e enrugadas. Em algumas idades o coração primeiro, e em outras o espírito.

E alguns são velhos desde a sua juventude, mas quem tardiamente se torna jovem por mais tempo permanece jovem.

Muitos falham em sua vida. Um verme venenoso lhes devora o coração. Que tratem ao menos de ter melhor êxito em sua morte.

Muitos nunca se tornam doces. Em pleno verão já apodrecem. Só a preguiça os sustenta no ramo.

Há em demasia aqueles que ficam e permanecem por excessivo tempo dependurados em seus ramos. Que venha uma tempestade que faça cair da árvore todos esses podres e bichados.

Ah! Que venham pregadores da morte rápida! Esses seriam as verdadeiras tempestades e agitadores das árvores da vida! Mas ouço apenas a pregação da morte lenta, e paciência com tudo o que é "terreno".

Ah! Pregais paciência com o que é terreno? Este terreno é aquele que tem muita paciência convosco, blasfemadores!

Na verdade, muito cedo morreu aquele hebreu a quem os pregadores da morte lenta honram: e para muitos provou ser uma calamidade que ele morreu muito cedo.

Esse Jesus hebreu, até então só conhecera lágrimas e melancolia dos hebreus, juntamente com o ódio dos bons e dos justos; por isso o acometeu o desejo da morte.

Por que não ficou no deserto, longe dos homens de bem e dos justos?

Talvez tivesse aprendido a viver e a amar a terra e, mais ainda, a rir!

Acreditai em mim, meus irmãos! Morreu cedo demais! Ele mesmo se retrataria de sua doutrina, se tivesse vivido até a minha idade. Era bastante nobre para se retratar.

Mas ele ainda era imaturo. O jovem ama imaturamente, e imaturamente também odeia o homem e a terra. Confinado e desajeitado ainda estão sua alma e as asas de seu espírito.

A alma e as asas do espírito lhe são ainda atadas e pesadas.

Mas no homem feito há mais de criança do que no jovem e menos melancolia. Ele compreende melhor a morte e a vida.

Livre para a morte e livre na morte, um santo deve dizer não quando já passou o tempo de dizer sim, assim compreende a vida e a morte.

Que a sua morte não seja uma censura ao homem e à terra, meus amigos; isso peço do mel da sua alma.

Em sua morte, seu espírito e sua virtude ainda brilharão semelhante ao sol que sobre a terra se põe. Caso contrário, sua morte foi insatisfatória.

Assim, eu mesmo quero morrer, a fim de que, meus amigos, por amor de mim, ameis com mais amor a terra. E terra quero voltar a ser, a fim de encontrar repouso naquele que me gerou.

Na verdade, Zaratustra tinha um objetivo; ele jogou sua bola. Agora, sejais amigos, herdeiros de meu objetivo; para lançardes a bola de ouro.

O que prefiro antes de tudo, meus amigos, é vos ver lançar a bola de ouro. E assim me demoro mais um pouco sobre a terra. Perdoai-me por isso!"

Assim falava Zaratustra.

XXII. DA VIRTUDE GENEROSA

I

Quando Zaratustra deixou a cidade que seu coração amava e cujo nome é "Vaca Malhada", muitos dos que se diziam seus discípulos o seguiram, formando escolta. Assim chegaram a uma encruzilhada. Então Zaratustra lhes disse que agora queria prosseguir sozinho porque era amigo das caminhadas solitárias. Ao se despedirem dele, os discípulos lhe ofereceram um bastão, cujo castão representava uma serpente enroscada em torno do sol. Zaratustra gostou do bastão e se apoiou nele. Então falou assim aos seus discípulos:

"Diga-me, por favor: como o ouro atingiu o valor mais alto? Por ser raro e inútil, de brilho cintilante e brando.

Somente por ser imagem da mais alta virtude, o ouro atingiu o valor mais alto. Como o ouro brilha o olhar daquele que dá. O brilho do ouro firma a paz entre lua e sol.

A mais alta virtude é rara e inútil. Brilhante e suave em seu fulgor. A virtude suprema é uma virtude generosa.

Em verdade vos adivinho em tudo, meus discípulos: vós aspirais como eu à virtude generosa. O que podereis ter em comum com gatos e lobos?

É a vossa sede de vos tornardes sacrifícios e dons; e por isso tendes sede para acumular todas as riquezas em sua alma.

Vossa alma aspira insaciavelmente por tesouros e joias, porque é insaciável a vontade de dar de vossa virtude.

Obrigais todas as coisas a se aproximarem de vós e a penetrar em vós, para tornarem a emanar de vossa fonte como os dons de vosso amor.

Na verdade, um apropriador de todos os valores deve se tornar esse amor doador; mas eu chamo saudável e santo esse egoísmo.

Outro egoísmo está lá, um tipo muito pobre e faminto, que sempre roubaria o egoísmo dos enfermos, o egoísmo doentio.

Com olhos de ladrão olha tudo que reluz, com a avidez da fome mede aquele que tem abundantemente do que comer e sempre gira em torno da mesa dos que dão.

A doença fala em tal desejo e degeneração invisível; de um corpo doente, fala o desejo ladrão desse egoísmo.

Diga-me, meu irmão, qual coisa achamos ruim e a pior de todas? Não é a degeneração?

E sempre suspeitamos de degeneração quando falta a alma doadora.

Caminhamos para as alturas, ultrapassando a espécie para atingir a espécie superior, temos horror ao sentido degenerado, o sentido que diz: "tudo para mim".

Para cima eleva nosso sentido, assim, é uma comparação de nosso corpo, uma comparação de uma elevação. Tais símbolos de elevações são os nomes das virtudes.

Assim caminha o corpo, ao longo da história, evoluindo e lutando. E o espírito? Que é ele para o corpo? É arauto, companheiro e eco de suas lutas e vitórias.

Todos os nomes do bem e do mal são imagens. Não falam, limitam-se a acenar. Louco é aquele que delas quer receber o conhecimento.

Prestem atenção, meus irmãos, a cada hora em que seu espírito fale em símiles: há a origem de sua virtude. Elevado está então o seu corpo, e elevado; com seu deleite, extasia-o o espírito; de modo a torna-se criador, avaliador, amante e benfeitor de tudo.

Quando seu coração transborda, amplo e cheio como o rio, uma bênção e um perigo para as planícies: aí está a origem da sua virtude.

Quando sois exaltados acima do louvor e da culpa, e vossa vontade comandar todas as coisas, como a vontade de um amoroso: aí está a origem da sua virtude.

Quando desprezar o que é agradável, a cama fofa, e quando nunca vos credes bastante longe da moleza para repousar, lá está a fonte da vossa virtude.

Quando sois desejosos de uma só vontade, e quando essa mudança de todas as necessidades é necessária para vós: aí está a fonte da sua virtude

Na verdade, um novo bem e um novo mal são isso! Na verdade, um novo murmúrio profundo e a voz de uma nova fonte!

Essa virtude é poder, um pensamento soberano e, em torno dele, uma alma prudente. Um sol de ouro e, em torno dele, a serpente do conhecimento."

II

Aqui Zaratustra calou-se por um momento e olhava seus discípulos com ternura. Em seguida prosseguiu e a sua voz havia mudado.

"Permaneçam fiéis à terra, meus irmãos, com o poder de sua virtude! Que vosso amor generoso seja devotado para ser o significado da terra! Eu vos imploro e a isso vos conjuro.

Que sua virtude não fuja das coisas terrestres e bata com as suas asas nas paredes eternas. Ai! Tem havido sempre tanta virtude que em se voo se extraviou.

Restitui, como eu, à terra a virtude extraviada. Sim; restituía-a ao corpo e à vida, para que dê à terra o seu sentido, um sentido humano.

De dez mil maneiras, até agora, o espírito, assim como a virtude, voou para longe e errou. Ai! No nosso corpo ainda habita toda essa ilusão e engano: Tornaram-se corpo e vontade.

De dez mil maneiras até agora, tanto o espírito quanto a virtude tentaram e erraram. Sim, uma tentativa, disso não passa o homem. Quanta ignorância e quanto erro se incorporam a nós.

Não só a razão dos milênios, mas também sua loucura se revela em nós. E quanto erro se incorporou a nós.

Não só a razão dos milênios, mas também sua loucura se revela em nós. É muito perigoso ser herdeiro.

Ainda lutamos passo a passo com o gigante. Acaso e sobre toda a humanidade até agora governou o absurdo, a falta de sentido.

Que seu espírito e sua virtude sejam devotados ao sentido da terra, meus irmãos; que o valor de tudo seja determinado de novo por vós! Portanto, sereis lutadores! Portanto sereis criadores!

O corpo se purifica pelo saber, eleva-se com as tentativas conscientes. Para aquele que conhece, todos os instintos se santificam. A alma daquele que se eleva se enche de alegria.

Médico, cura-te a ti mesmo; então, curarás também o teu paciente. Que seja sua melhor cura para ver com seus olhos aquele que se cura.

Há ainda mil sendas que nunca foram trilhadas, mil fontes de saúde e mil ilhotas de vida. Inesgotáveis e inexplorados, assim permanecem ainda e sempre o homem e a terra dos homens.

Vigiai e escutai solitários! Do futuro chegam ventos que batem as asas em segredo. Aos que possuem ouvidos apurados chega à boa nova.

Vós, os solitários de hoje, vós os separatistas, um dia sereis um povo: fora de vós que escolheram a si mesmos, um povo escolhido surgirá: e dele o Super-homem.

Verdadeiramente, a terra se tornará um lugar de cura! E já é um novo odor difundido ao seu redor, um odor que traz a salvação e uma nova esperança!"

III

Depois de ter assim falado, Zaratustra emudeceu como quem não disse ainda a última palavra. E por muito tempo equilibrou o cajado duvidosamente em sua mão. Por fim, assim falou, e sua voz havia mudado de tom:

"Agora meus discípulos, vou embora sozinho! Parti vós sozinhos também! Assim o quero.

Na verdade, vos aconselho: Afastai-vos de mim e precavei-vos contra Zaratustra. Melhor ainda, tenham vergonha dele! Talvez ele os tenha enganado.

O homem que busca o conhecimento deve ser capaz não apenas de amar seus inimigos, mas também de odiar seus amigos.

Mal se recompensa um professor, se dele ficarmos sempre discípulos. E por que não quereis arrancar nada de minha coroa?

Vós me venerais; mas e se a sua veneração algum dia desmoronar? Tome cuidado para que uma estátua não o esmague!

Dizes que acreditas em Zaratustra? Mas de que conta é Zaratustra! Vós sois meus crentes: mas que importam todos os crentes!

Vós ainda não vos haveis procurado quando me encontrastes. Assim como todos os crentes; portanto é que toda crença é de tão pouca importância.

Agora vos ordeno que me percais e vos encontreis a vós mesmos. E somente quando todos me houverdes renegado quero voltar para vós.

Na verdade, com outros olhos, meus irmãos, irei então procurar meus perdidos; então vos amarei com outro amor.

E mais uma vez vos tornareis meus amigos e filhos de uma só esperança; então pela terceira vez estarei convosco, para celebrar o grande meio-dia.

E o grande meio-dia será quando o homem estiver na metade de seu trajeto, entre animal e Super-homem, se mantiver firme, com sua esperança suprema, e festeja seu caminho para o a caso, porquanto será o caminho para uma nova manhã.

Nesse momento, o abatido abençoará a si mesmo, para que ele seja um vencedor; e o sol de seu conhecimento estará ao meio-dia.

"Todos os deuses morreram. Agora queremos que viva o Super-homem!"

Que seja esta, chegado o grande meio-dia, nossa última vontade!"

Assim falava Zaratustra.

PARTE II

"E somente quando todos me houverdes renegado quero voltar para vós. Na verdade, com outros olhos, meus irmãos, irei procurar meus perdidos; então vos amarei com outro amor." - ZARATUSTRA - "Da virtude generosa."

XXIII. A CRIANÇA E O ESPELHO

Depois disso, Zaratustra retornou às montanhas para a solidão de sua caverna, e retirou-se dos homens, esperando como um semeador que espalhou sua semente. A alma dele, no entanto, tornou-se impaciente e cheia de saudades daqueles que amava, porque tinha ainda muito para lhes oferecer. Isso é o mais difícil de tudo: fechar a mão por amor, e manter-se modesto como um doador.

Assim se passaram para o solitário meses e anos; sua sabedoria, entretanto aumentou, e lhe causou dor por sua abundância.

Uma manhã, no entanto, acordou antes do alvorecer, e tendo meditado muito sobre sua cama, finalmente falou assim ao coração:

"Por que me assustei em meu sonho, de modo que acordei? Não veio uma criança a mim, carregando um espelho?

"Ó Zaratustra" - disse-me a criança - "olha-te no espelho!"

Mas quando me olhei no espelho, gritei e meu coração palpitou: não via a mim mesmo, mas via uma careta de escárnio de um demônio.

Na verdade, entendo muito bem o presságio e o significado do sonho: minha DOUTRINA está em perigo; o joio quer ser chamado de trigo!

Meus inimigos se tornaram poderosos e desfiguraram a imagem de minha doutrina, a ponto de meus queridos se envergonharem dos presentes que dei a eles.

Perdidos estão meus amigos; chegou a hora de buscar os meus perdidos!"

Com estas palavras, Zaratustra se exaltou, mas não como uma pessoa angustiada que busca alívio, mas antes como um vidente e um cantor que o espírito inspira. Com espanto a águia e a serpente olharam-no: pois uma bem-aventurança iminente cobriu seu semblante como o alvorecer.

"O que aconteceu comigo, meus animais?" - disse Zaratustra. "Eu não estou transformado? A bem-aventurança não veio a mim como um redemoinho?

Tola é minha felicidade, e coisas tolas ela falará; ainda é muito jovem - então terei paciência!

Ferido estou pela minha felicidade; todos os sofredores serão meus médicos!

Aos meus amigos posso descer novamente, e também aos meus inimigos! Zaratustra pode falar novamente e doar e mostrar seu melhor amor aos seus entes queridos!

Meu impaciente amor transborda em riachos - descendo em direção ao oriente. Abandonando as montanhas silenciosas e tempestades de aflição, minha alma se agita nos vales.

Por muito tempo desejei e olhei para longe. Por muito tempo a solidão me possuiu; assim, desaprendi a guardar silêncio.

O enunciado me tornei totalmente, e o estouro de um riacho nas rochas altas: para baixo nos vales lançarei meu discurso.

E deixe o fluxo do meu amor se espalhar por canais não frequentados! Como um riacho finalmente encontrando o seu caminho para o mar!

Certamente, há um lago em mim, isolado e autossuficiente; mas o fluxo do meu amor carrega isso junto com ele até o mar!

Novos caminhos devo trilhar, uma nova palavra virá a mim; cansado me tornei, como todos os criadores, das velhas línguas. Meu espírito não andará mais com as solas gastas.

Muito devagar corre tudo falando por mim; em tua carruagem, ó tempestade, eu salto! E até mesmo a ti vou chicotear com meu rancor!

Como um grito, cruzarei os mares largos, até encontrar as Ilhas Afortunadas, onde ficarei junto de amigos; e meus inimigos entre eles! Como agora amo cada um a quem posso falar! Até mesmo meus inimigos pertencem à minha bem-aventurança.

E quando eu quiser montar meu cavalo mais selvagem, então minha lança me ajudará; sempre estará pronta para me servir, a lança que atiro em meus inimigos!

Muito grande tem sido a tensão de minha nuvem, vinte clarões de relâmpagos e chuvas de granizo lançarei nas profundezas.

Violentamente meu peito vai se levantar; violentamente soprará sua tempestade sobre as montanhas, assim virá seu alívio.

Na verdade, como uma tempestade vem minha felicidade e minha liberdade! Mas meus inimigos pensarão que O MAL paira sobre suas cabeças.

Sim, vós também, meus amigos, ficareis alarmados com minha selvagem sabedoria; e talvez fujais junto com meus inimigos.

Ah, que eu saiba como atrair-vos de volta com flautas de pastor! Ah, que minha sabedoria de leão aprenda a rugir baixinho! E muito já aprendemos um com o outro!

Minha sabedoria selvagem emprenhou nas montanhas solitárias; nas pedras ásperas ela deu à luz o mais novo de seus filhos.

Agora corre ela tolamente no deserto árido, e busca sem cessar o relvado macio; minha sabedoria antiga e selvagem!

No suave gramado de vossos corações, meus amigos! Em vosso amor, ela iria de bom grado!"

Assim falava Zaratustra.

XXIV. NAS ILHAS AFORTUNADAS

"Os figos caem das árvores, são bons e doces; e no outono caem suas peles vermelhas. Um vento norte sou para figos maduros.

Assim, como figos, essas doutrinas caem para vós, meus amigos: bebei agora seu suco e sua doce substância! É outono em toda parte, e céu claro, e tarde.

Veja, que plenitude está ao nosso redor! E no meio da superabundância, é delicioso olhar para os mares distantes.

Uma vez as pessoas diziam: Deus, quando olhavam para mares distantes; agora, no entanto, vos ensinei a dizer: Super-homem.

Deus é uma conjectura; mas não desejo que sua conjectura vá além de sua vontade criadora.

Poderíeis CRIAR um Deus? Então, lhe peço, cale-se sobre todos os deuses! Mas poderíeis muito bem criar um Super-homem.

Talvez vós o não sejais, meus irmãos! Mas podeis transformar-vos em pais e antepassados do Super-homem: que essa seja a sua melhor criação!

Deus é uma conjectura; mas gostaria que sua conjectura se restringisse ao concebível.

Poderíeis CONCEBER um Deus? Mas que isso signifique Vontade da Verdade para vós, que tudo seja transformado no humanamente concebível, no humanamente visível, no humanamente sensível!

Seu próprio discernimento deve seguir até o fim!

E o que chamáveis de mundo será criado por vós; vossa razão, vossa semelhança, vossa vontade, vosso amor devem torna-se o vosso próprio mundo! E, em verdade, para sua bem-aventurança, ó perspicazes!

E como suportariam a vida sem essa esperança, perspicazes? Nem no inconcebível vós poderíeis ter nascido, nem no irracional.

Mas para que possa revelar meu coração inteiramente a vós, meus amigos; se existissem deuses, como eu poderia suportar isso de não ser Deus! PORTANTO não existem deuses.

Sim, tirei a conclusão; agora, no entanto, isso me atrai.

Deus é uma conjectura; mas quem poderia beber toda a amargura desta conjectura sem morrer? Deve sua fé ser tirada do criador, e da águia seus voos?

Deus é um pensamento; ele torna todos os retos tortos e todos os que estão em pé cambaleantes. O que? O tempo acabaria e todos os perecíveis seriam apenas uma mentira?

Pensar nisso causa tontura e vertigem para os membros humanos e até vômito para o estômago; em verdade, chamo de doença, conjeturar tal coisa.

Chamo mal e misantrópico: todo aquele ensino sobre o um, e o pleno, e o impassível, e o suficiente, e o imperecível!

Todo o imperecível, é apenas um símbolo, e os poetas mentem demais.

Mas do tempo e do acontecer falarão as melhores parábolas; um louvor serão, e uma justificação de tudo que é perecível!

Criar; essa é a grande salvação do sofrimento e o alívio da vida. Mas para que o criador apareça, o próprio sofrimento é necessário e muita transformação.

Sim, deve haver muita morte amarga em sua vida, criadores! Assim, vós sois advogados e justificadores de tudo que é perecível.

Para que o próprio criador seja a criança recém-nascida, também deve estar disposto a ser mãe, e suportar as dores da maternidade.

Na verdade, por meio de cem almas segui meu caminho, e por meio de cem berços e dores de parto. Muitas despedidas; conheço as últimas horas antes de partir o coração.

Mas assim será minha vontade criadora, meu destino. Ou, para dizer com mais franqueza: esse destino quer ser minha vontade.

Todo SENTIMENTO sofre em mim e está na prisão, mas a minha VONTADE sempre vem a mim como minha emancipadora e consoladora.

A vontade emancipada: essa é a verdadeira doutrina da vontade e da emancipação, assim te ensina Zaratustra.

Não desejando mais, não valorizando e não criando mais! Ah, que a grande debilidade esteja sempre longe de mim!

E também no discernimento, sinto apenas o prazer procriador e evolutivo da minha vontade; e se há inocência em meu conhecimento, é porque há nele vontade de criação.

Longe de Deus e dos deuses, isso me seduzirá; o que haveria para criar se houvessem deuses?

Mas para o homem isso sempre me impele de novo, minha ardente vontade criadora; isso impele o martelo à pedra.

Ah, vós homens, dentro da pedra dorme uma imagem para mim, a imagem de minhas visões! Ah, que deveria dormir na pedra mais dura e feia!

Agora meu martelo esbraveja impiedosamente contra sua prisão. Da pedra voam os fragmentos: o que é isso?

Quero destruir essa imagem: pois uma sombra veio até mim; a mais silenciosa e leve de todas as coisas uma vez veio até mim!

A beleza do Super-homem veio a mim como uma sombra. Ah, meus irmãos! De nada importam os Deuses para mim!"

Assim falava Zaratustra.

XXV. DOS PIEDOSOS

"Meus amigos, surgiu uma sátira a seu amigo: "Eis Zaratustra! Ele não anda entre nós como entre animais?"

Mas é melhor dito deste modo: "Aquele que tem discernimento anda entre os homens COMO entre os animais."

O próprio homem é para quem tem discernimento: o animal de bochechas vermelhas.

Como isso aconteceu com ele? Não é porque teve que se envergonhar muitas vezes?

Ó meus amigos! Assim fala aquele que tem discernimento: vergonha, vergonha, vergonha! Essa é a história do homem!

E por isso o nobre ordena a si mesmo que não se envergonhe; a timidez prescreve a si mesmo na presença de todos os sofredores.

Na verdade, não gosto deles, os misericordiosos, cuja felicidade está em sua piedade; são muito destituídos de timidez.

Se devo ter pena, não gosto de ser chamado assim; e se assim for, é de preferência à distância.

De preferência, também cubro minha cabeça e fujo, antes de ser reconhecido; e assim peço que façam, meus amigos!

Que o meu destino sempre conduza pessoas não aflitas como vós em meu caminho, e aqueles com quem POSSO ter esperança e repasto e mel em comum!

Na verdade, tenho feito isso e aquilo pelos aflitos; mas algo melhor, sempre pareço fazer quando aprendi a me divertir melhor.

Desde que a humanidade surgiu, o homem se divertiu muito pouco: esse, meus irmãos, é nosso pecado original!

E quando aprendemos melhor a nos divertir, então desaprendemos melhor a causar dor aos outros, e a criar dor.

Por isso lavo a mão que socorreu o sofredor; portanto, também limpo minha alma.

Pois ao ver o sofrimento do sofredor fiquei envergonhado por causa de sua vergonha; e ao ajudá-lo, feri gravemente seu orgulho.

Grandes favores não geram gratidão, mas vingança; e quando uma pequena gentileza não é esquecida, ele se torna um verme roedor.

"Seja tímido em aceitar!", assim aconselho aqueles que nada têm para doar.

Eu, no entanto, sou um doador: de boa vontade, eu doo como amigo para amigos. Estranhos, também, e os pobres podem colher para si o fruto da minha árvore; assim causa menos vergonha.

Mendigos, no entanto, não deveriam existir! Na verdade, incomoda dar a eles e incomoda não dar a eles.

E também pecadores e más consciências! Acredite em mim, meus amigos: o aguilhão da consciência ensina a picar.

As piores coisas, porém, são os pensamentos mesquinhos. Na verdade, melhor fazer o mal do que ter pensamentos mesquinhos!

Para ter certeza, vós dizeis: "O deleite nos males mesquinhos poupa muitos de grandes atos malignos". Mas aqui não se deve desejar ser poupador.

Como um furúnculo é a má ação: coça, irrita e estala – fala honrosamente.

"Eis que eu sou doença", diz a má ação: essa é a sua honradez.

Mas como a infecção é o pensamento mesquinho: se arrasta e se esconde, e não quer estar em lugar nenhum; até que todo o corpo esteja em decomposição e murcho pela infecção mesquinha.

Para aquele que está possuído por um demônio, sussurro estas palavras no ouvido: "Melhor para ti criar o teu demônio! Mesmo para ti ainda há um caminho para a grandeza!"

Ah, meus irmãos! Alguém pode saber muito sobre todos! E todos podem saber muito sobre alguém, mas ainda não poderíamos de forma alguma penetrá-lo.

É difícil viver entre os homens porque o silêncio é muito difícil.

E não somos muito injustos para com aquele que nos ofende, mas para com aquele com quem não nos importamos.

Se, no entanto, tens um amigo sofredor, então seja um lugar de descanso para o seu sofrimento; como uma cama dura, porém, uma cama de acampamento: assim o servirás melhor.

E se um amigo te fizer algo errado, diga: "Eu te perdoo o que me fizeste; o que tu fizeste isso a ti mesmo, no entanto, como eu poderia perdoar?"

Assim fala todo grande amor: ultrapassa até o perdão e a piedade.

Deve-se segurar o coração; pois quando alguém o deixa ir, rapidamente perde a cabeça!

Ah, onde no mundo houve maiores loucuras do que entre os piedosos? E o que no mundo causou mais sofrimento do que as loucuras dos miseráveis?

Ai de todos os amados que não têm uma elevação que está acima de sua piedade!

Assim falou o diabo a mim, uma vez: "Até Deus tem o seu inferno: é o seu amor pelos homens".

E ultimamente, o ouvi dizer estas palavras: "Deus está morto: foi seu amor pelos homens que o matou."

Portanto, estejais avisados contra a piedade: Dali ainda vem aos homens uma nuvem pesada!

Na verdade, entendo os sinais do tempo!

Mas preste atenção também a esta palavra: Todo grande amor é superior a piedade, pois ele busca criar o que é amado!

"Ofereço a mim mesmo meu amor, E AO MEU PRÓXIMO COMO A MIM MESMO", tal é a linguagem de todos os criadores.

Todos os criadores, no entanto, são complicados."

Assim falava Zaratustra.

XXVI. DOS PADRES

Um dia Zaratustra fez um sinal aos seus discípulos, e disse-lhes estas palavras:

"Aqui estão os padres, mas embora sejam meus inimigos, passe por eles em silêncio e com a espada embainhada!

Mesmo entre eles, existem heróis; muitos deles sofreram muito: então querem fazer os outros sofrerem.

Eles são maus inimigos: nada é mais vingativo do que sua mansidão. E prontamente sujam a quem os tocam.

Mas meu sangue está relacionado ao deles; e quero, além disso, ver meu sangue homenageado no deles."

E quando passaram, uma dor atacou Zaratustra; mas não por muito tempo ele lutou com a dor, quando começou a falar assim:

"Isso comove meu coração por aqueles padres. Eles também vão contra o meu gosto; mas esse é o que menos importa para mim, visto que estou entre os homens.

Mas sofro e tenho sofrido com eles: prisioneiros eles são para mim, e estigmatizados. Aquele que eles chamam de Salvador os colocou em grilhões.

Em grilhões de falsos valores e palavras tolas! Oh, que alguém os salvasse de seu Salvador!

Em uma ilha, pensaram que haviam pousado, quando o mar os sacudiu; mas eis que era um monstro adormecido!

Valores falsos e palavras tolas: estes são os piores monstros para os mortais: dormem e esperam o destino por muito tempo.

Mas, por fim, vem e desperta e devora e engolfa tudo o que construiu tabernáculos sobre ele.

Oh, olhe apenas para aqueles tabernáculos que aqueles padres construíram! Igrejas, eles chamam suas cavernas de cheiro doce!

Oh, aquela luz falsificada, aquele ar mistificado! Onde a alma não pode voar alto!

Mas assim ordena sua crença: "De joelhos, subam as escadas, pecadores!"

Na verdade, preferia ver um sem-vergonha do que os olhos distorcidos de sua vergonha e devoção!

Quem criou para si tais cavernas e escadas de penitência? Não foram aqueles que procuraram se esconder e ficaram com vergonha sob o céu claro?

E somente quando o céu claro olhar novamente através dos telhados em ruínas, e para baixo sobre a grama e papoulas vermelhas em paredes arruinadas, voltarei novamente meu coração aos assentos deste Deus.

Chamaram a Deus aquilo que se opôs e os afligiu: e, na verdade, havia muito espírito em sua adoração!

E não sabiam como amar a seu Deus senão pregando homens na cruz!

Como cadáveres, pensaram que viveriam; de preto cobriram seus cadáveres; mesmo em suas conversas ainda sinto o mau sabor dos cemitérios.

E aquele que vive perto deles, vive perto de lagos negros, onde o sapo canta sua canção em tom grave.

Melhores canções teriam que cantar, para que eu acreditasse em seu Salvador: como salvos seus discípulos teriam que aparecer a mim!

Gostaria de vê-los nus: só a beleza deve pregar a penitência. Mas quem aquela aflição disfarçada convenceria?

Na verdade, seus próprios salvadores não vieram da liberdade e do sétimo céu da liberdade!

Na verdade, eles próprios nunca pisaram nos tapetes do conhecimento!

De defeitos consistia o espírito daqueles salvadores; mas em cada defeito colocaram sua ilusão, seu paliativo, que chamavam de Deus.

Em sua pena, seu espírito foi afogado; e quando incharam e transbordaram de pena, flutuou à superfície uma grande loucura.

Avidamente e com gritos, conduziram seu rebanho pela ponte para pedestres: como se houvesse uma ponte para o futuro! Na verdade, aqueles pastores também ainda eram do rebanho!

Pequenos espíritos e almas espaçosas tinham esses pastores; mas, meus irmãos, que pequenos espíritos têm tido até as almas mais espaçosas até agora!

Sinais de sangue eles escreveram no caminho que trilharam, e sua loucura ensinou que a verdade é provada por sangue.

Mas o sangue é a pior testemunha da verdade; o sangue contamina o ensino mais puro e transforma em ilusão e ódio de coração.

E quando uma pessoa passa pelo fogo por seu ensino, o que isso prova? É mais verídico, quando da própria combustão vem o ensino!

Coração opressor e frieza; onde estes se encontram, surge o fanfarrão, o "Salvador".

Grandes, em verdade, existiram, e os nascidos mais elevados, do que aqueles a quem o povo chama salvadores, aqueles fanfarrões arrebatadores!

E por seres ainda maiores do que qualquer um dos Salvadores, devem ser libertos, meus irmãos, se vós encontrais o caminho para a liberdade!

Nunca existiu um Super-homem. Nu eu vi os dois, o maior homem e o menor homem.

Todos muito semelhantes ainda são. Na verdade, mesmo os maiores, descobri que são todos também humanos!"

Assim falava Zaratustra.

XXVII. DOS VIRTUOSOS

Com trovões e fogos de artifício celestiais, deve-se falar aos sentidos indolentes e sonolentos.

Mas a voz da beleza fala suavemente: apela apenas às almas mais despertas.

Suavemente vibrou e riu para mim hoje, meu broquel; foi a risada sagrada e emocionante da beleza.

De vós, virtuosos, ria da minha beleza hoje. E assim veio sua voz até mim:

"Eles querem, além disso, ser pagos!"

Quereis ser pagos além disso, virtuosos! Quereis recompensa pela virtude, e o céu por terra e eternidade para o seu hoje?

E agora me repreendeis por ensinar que não há doador de recompensa, nem pagador? E na verdade, nem mesmo ensino que a virtude é sua própria recompensa.

Ah! esta é a minha tristeza: na base das coisas a recompensa e o castigo ensinados e agora até mesmo na base de suas almas, ó virtuosos!

Mas, como o focinho do javali, a minha palavra arrancará a base das vossas almas.

Todos os segredos do seu coração serão trazidos à luz; e quando os virdes exposto ao sol, rasgados e despedaçados, então também a sua falsidade será separada de sua verdade.

Pois esta é a sua verdade: sois DEMASIADOS PUROS para imundície das palavras: vingança, punição, recompensa, retribuição.

Amais sua virtude como uma mãe ama seu filho; mas quando alguém ouviu falar de uma mãe querendo ser paga por seu amor?

É o seu eu mais querido, a sua virtude. A sede do anel está em ti: luta e se retorce para o recuperar.

E como a estrela que se apaga, assim é toda obra de sua virtude: sua luz caminha ainda e continua a viajar e quando deixará de caminhar?

Assim, a luz de sua virtude ainda está caminhando, mesmo quando seu trabalho está concluído. Será esquecido e morto, ainda seu raio de luz viverá e viajará.

Que a sua virtude é o seu Eu, e não uma coisa exterior, uma pele ou um manto: essa é a verdade da base de suas almas, ó virtuosos!

Mas com certeza há aqueles para quem virtude significa se contorcer sob o açoite e vós destes ouvidos demais ao seu choro!

E outros estão lá que chamam a virtude de indolência de seus vícios; e quando uma vez seu ódio e ciúme relaxam os membros, sua "justiça" torna-se viva e esfrega seus olhos sonolentos.

E outros estão lá que são atraídos para baixo: seus demônios os atraem. Mas quanto mais afundam, mais ardentemente brilham seus olhos, e mais anseiam por seu Deus.

Ah! o choro deles também alcançou seus ouvidos, ó virtuosos: "O que eu NÃO sou, isso, isso é Deus para mim e virtude!"

E outros estão lá que caminham pesadamente e rangendo, como carroças carregando pedras ladeira abaixo: falam muito sobre dignidade e virtude, seu arrasto eles chamam de virtude!

E outros estão lá, como relógios de oito dias quando estão com corda bamba; eles marcam e querem pessoas a quem chamar esse tique-taque de virtude.

Na verdade, neles me divirto: onde quer que encontre esses relógios, vou dar corda a eles com minha zombaria, e eles até mesmo zumbirão por causa disso!

E outros têm orgulho de seu mínimo de retidão e, por causa disso, praticam violência para todas as coisas, para que o mundo se afogue em sua injustiça.

Ah! Como a palavra "virtude" sai de sua boca de maneira inepta! E quando eles falam: "Sou justo", sempre soa como: "Sou vingativo!"

Com suas virtudes, querem arrancar os olhos de seus inimigos; e elevam a si próprios apenas para que possam rebaixar os outros.

E novamente há aqueles que se sentam em seu pântano, e falam assim entre os juncos: "Virtude é sentar-se calmamente no pântano. Não mordemos ninguém e nos desviamos daquele que morde; e em todos os assuntos nós temos a opinião que nos é dada."

E também há aqueles que amam as atitudes e pensam que a virtude é uma espécie de atitude.

Seus joelhos adoram continuamente, e suas mãos são elogios à virtude, mas seu coração nada sabe disso.

E também há aqueles que consideram uma virtude dizer: "A virtude é necessária"; mas afinal acreditam apenas que os policiais são necessários.

E muitos que não podem ver a elevação dos homens, chamam isso de virtude ver sua baixeza: assim chama ele de virtude do mau-olhado.

E alguns querem ser edificados e elevados, e chamam isso de virtude; outros querem ser lançados para baixo, e da mesma forma chamam de virtude.

E assim quase todos pensam que participam da virtude; e, pelo menos, todos afirmam ser uma autoridade em "bem" e "mal".

Mas Zaratustra não veio dizer a todos aqueles mentirosos e tolos: "O que vós sabeis de virtude? O que PODERIAM saber sobre virtude?"

Vim aqui, meus amigos, para que vos canseis das velhas palavras que tereis aprendido com os tolos e mentirosos.

Para que vos canseis das palavras: "recompensa", "retribuição", "punição", "vingança justa."

Para que vos canseis de dizer: "Uma ação é boa porque é altruísta".

Ah! meus amigos! Que SEU próprio Ser esteja em sua ação, como a mãe está na criança: deixe que essa seja a SUA fórmula de virtude!

Na verdade, tirei-vos cem fórmulas e os brinquedos favoritos de sua virtude; e agora me repreendem, como repreendem crianças.

Eles brincavam à beira-mar, então veio uma onda e varreu seus brinquedos para o fundo: e agora choram.

Mas a mesma onda deve trazer-lhes novos brinquedos e espalhar diante deles conchas coloridas!

Assim eles serão consolados; e como eles vós também, meus amigos, tereis o vosso reconforto e novas conchas coloridas!"

Assim falava Zaratustra.

XXVIII. DAS CANALHAS

"A vida é um poço de deleite; mas onde também bebe a canalha, aí todas as fontes estão envenenadas.

Estou disposto a tudo de maneira limpa; mas odeio ver as bocas sorridentes e a sede do impuro.

Lançaram seus olhos para a fonte e agora lançam em mim seu sorriso odioso.

A água benta eles envenenaram com sua luxúria; e quando chamaram seus imundos sonhos de deleite, então envenenam também as palavras.

Indignada se torna a chama quando colocam seus corações úmidos no fogo; o próprio espírito borbulha e fumega quando o canalha se aproxima do fogo.

Piegas e excessivamente enjoativo torna-se o fruto em suas mãos.

E muitos que se afastaram da vida, afastaram-se apenas da canalha: odiavam compartilhar com elas fonte, chama e frutas.

E muitos que foram para o deserto e sofreram sede com feras predadoras, apenas não gostavam de sentar-se na cisterna com condutores de camelos imundos.

E muitos que vieram como destruidores e como uma tempestade de granizo para todos os campos de milho, queriam apenas colocar o pé nas mandíbulas da canalha e, assim, apertar sua garganta.

E não é a boca cheia que mais me sufoca, saber que a própria vida exige inimizade e morte e tortura, e cruzes.

Mas perguntei uma vez e quase me sufoquei com a minha pergunta: O quê? A canalha também é NECESSÁRIA para a vida?

São necessárias fontes envenenadas, fogos fedorentos, sonhos imundos e vermes no pão da vida?

Não meu ódio, mas minha aversão, corroeu avidamente minha vida! Ah, muitas vezes fiquei cansado de espírito, quando encontrei até mesmo a canalha espiritual!

E para os governantes virei as costas, quando vi o que agora chamam de governar: para o tráfego e barganha pelo poder com o canalha!

Entre povos de uma língua estranha habitei, com os ouvidos tapados: para que a língua de seu comércio permanecesse estranha para mim, e sua negociação pelo poder.

E segurando meu nariz, passei melancolicamente por todos os dias de ontem e hoje: na verdade, mal cheira todos os dias de ontem e hoje da ralé que rabisca!

Como um aleijado que fica surdo, cego e mudo, assim tenho vivido muito; para que não viva com a canalha do poder, da pena e dos prazeres.

Com esforço meu espírito subiu as escadas, e com cautela; esmolas de deleite foram sua consolação; no cajado a vida rastejou junto com o cego.

O que aconteceu comigo? Como me livrei do ódio? Quem tem meu olho rejuvenescido? Como voei para a altura onde a canalha já não se senta aos poços?

Minha própria aversão criou para mim asas e poderes de adivinhação de fontes? Na verdade, para a altura mais elevada tive que voar, para reencontrar o poço do deleite!

Oh, eu encontrei, meus irmãos! Aqui na altura mais elevada borbulha para mim o poço de deleite! E há uma vida em cujas águas nenhum canalha bebe comigo!

Fluis quase violentamente para mim, fonte de deleite! E muitas vezes esvazio a taça novamente, querendo enchê-la!

E ainda devo aprender a me aproximar de ti mais modestamente; com demasiada violência meu coração ainda fluir em direção a ti: Meu coração em que arde meu verão, meu curto, quente, melancólico verão super feliz: como meu coração de verão anseia por teu frescor!

Passado, o sofrimento persistente de minha primavera! Passado, a maldade dos meus flocos de neve em junho!

O verão me tornei inteiramente, e verão - meio-dia!

Um verão nas alturas mais elevadas, com fontes frias e quietude feliz: oh, venham, meus amigos, para que a quietude se torne mais bem-aventurada!

Pois esta é a NOSSA altura e nossa casa: muito alta e íngreme.

Lance apenas seus olhos puros no poço do meu deleite, meus amigos! Como poderia se tornar turvo assim! Ele deve rir de volta para vós com sua pureza.

Na árvore do futuro construímos nosso ninho; as águias nos trarão comida em nossos bicos!

Na verdade, nenhum alimento do qual o impuro pudesse ser coparticipante! Fogo, eles pensariam; devorariam e queimariam suas bocas!

Em verdade, aqui não temos moradas preparadas para os impuros! Uma caverna de gelo para seus corpos seria nossa felicidade, e para seus espíritos!

E como ventos fortes, viveremos acima deles, vizinhos das águias, vizinhos da neve, vizinhos do sol: assim vivem os ventos fortes.

E como um vento um dia soprarei entre eles, e com meu espírito, tomarei o fôlego de seu espírito: assim deseja o meu futuro.

Na verdade, um vento forte é Zaratustra para todos os lugares baixos; e este conselho aconselha ele a seus inimigos, e para tudo o que cospe e vomita: "Cuidado para não cuspir CONTRA o vento!"."

Assim falava Zaratustra.

XXIX. DAS TARÂNTULAS

"Olha: esta é a cova da tarântula! Queres ver a própria tarântula? Aqui está sua teia: toque nisto para que trema.

Lá vem a tarântula de boa vontade. Bem-vinda, tarântula! Preto em tuas costas é teu triângulo e símbolo; e também sei o que está em sua alma.

A vingança está em sua alma; onde quer que mordas, surge uma crosta negra; com vingança, teu veneno deixa a alma tonta!

Assim vos falo por parábola, vós que deixais a alma tonta, vós pregadores da IGUALDADE! Tarântulas sois para mim, e secretamente vingativas!

Mas logo vou trazer seus esconderijos à luz: portanto, rio na sua cara, meus riso das alturas.

Portanto, rasgo sua teia, para que sua raiva possa atraí-la para fora de sua cova de mentiras, e que sua vingança possa surgir por trás de sua palavra "justiça".

SEJA O HOMEM RESGATADO DA VINGANÇA; essa é para mim a ponte para a maior esperança, e um arco-íris após longas tempestades.

Do contrário, porém, as tarântulas o teriam. "Que seja muito justo para o mundo ficar cheio das tempestades de nossa vingança", assim elas conversam.

"Usaremos vingança e insultaremos todos os que não são como nós", assim fazemos.

"Vontade de Igualdade, isto será doravante o nome da virtude; e contra todos que tiverem poder, levantaremos um clamor!"

Vós pregadores da igualdade, o tirano frenesi da impotência clama assim em vós por "igualdade", seus anseios de tirano mais secretos disfarçam-se assim em palavras de virtude!

Presunção preocupada e inveja reprimida; talvez a vaidade e a inveja de seus pais: em ti quebra como chamas o frenesi de vingança.

O que o pai escondeu, sai no filho; e muitas vezes encontrei no filho o segredo do pai revelado.

Assemelham-se aos inspirados: mas não é o coração que os inspira, mas a vingança.

E quando eles se tornam sutis e frios, não é o espírito, mas a inveja, que os torna assim.

Seu ciúme os leva também aos caminhos dos pensadores; e este é o sinal de seu ciúme - eles sempre vão longe demais: de modo que seu cansaço finalmente tem que ir dormir na neve.

Em todas as suas lamentações soa a vingança, em todos os seus elogios há maleficência; e julgar parece-lhes bem-aventurança.

Mas assim vos aconselho, meus amigos: desconfiem de todos aqueles em quem o impulso de punir é forte!

Eles são pessoas de má raça e linhagem; fora de seus semblantes, espie o carrasco e o cão de caça.

Desconfie de todos aqueles que falam muito de sua justiça! Na verdade, em suas almas, não apenas o mel está em falta.

E quando eles se chamam de "os bons e justos", não se esqueça, que para eles serem Fariseus só lhes falta... poder!

Meus amigos, não serei confundido com os outros.

Existem aqueles que pregam a minha doutrina da vida, e ao mesmo tempo são pregadores da igualdade e tarântulas.

Que falam a favor da vida, embora se sentem em suas covas, essas venenosas aranhas, e se retiram da vida; porque, assim, causariam danos.

Para aqueles que, dessa forma, prejudicariam os que têm poder no momento, pois com aqueles a pregação da morte ainda está em casa.

Se fosse o contrário, então as tarântulas ensinariam o contrário: e eles próprios eram anteriormente os maiores malignos do mundo e queimadores de hereges.

Com esses pregadores da igualdade não serei confundido. Pois assim fala a justiça PARA MIM: "Os homens não são iguais".

E nem se tornarão assim! Qual seria o meu amor para o Super-homem, se eu falasse de outra forma?

Em mil pontes e pilares eles se aglomeram para o futuro, e sempre haverá mais guerra e desigualdade entre eles: assim me faz falar meu grande amor!

Serão inventores de figuras e fantasmas em suas hostilidades; e com aquelas figuras e fantasmas ainda lutarão um com o outro na luta suprema!

Bem e mal, rico e pobre, alto e baixo, e todos os nomes de valores: armas serão eles, e sinais sonoros, que a vida deve sempre se superar!

No alto, ela se construirá com colunas e escadas - a própria vida: em distâncias remotas olhe, e em direção a belezas bem-aventuradas - PORTANTO, isso requer elevação!

E porque requer elevação, portanto, requer degraus e variação de degraus e escaladores! Elevar-se luta pela vida e, ao elevar-se, superar a si mesmo.

E vejam só, meus amigos! Aqui, onde fica a toca da tarântula, ergue-se no alto as antigas ruínas do templo, apenas contemple-a com olhos iluminados!

Na verdade, aquele que aqui elevou seus pensamentos em pedra, sabia tão bem quanto os mais sábios sobre o segredo da vida!

Que existe luta e desigualdade até na beleza, e guerra pelo poder e supremacia: que aqui nos ensina na mais clara parábola.

Quão divinamente a abóbada e o arco contrastam aqui na luta: como luz e sombra eles lutam uns contra os outros, os que se esforçam divinamente.

Assim, firmes e belos, sejamos também inimigos, meus amigos! Divinamente iremos nos esforçar UM CONTRA O OUTRO!

Ai de mim! Lá a tarântula me mordeu, meu velho inimigo! Divinamente constante e linda, me mordeu o dedo!

"Deve haver punição e justiça" - assim pensa - "não gratuitamente aqui cante canções em homenagem à inimizade!"

Sim, ela se vingou! E ai! agora vai deixar minha alma tonta de vingança!

Para que NÃO fique tonto, porém, prendam-me com firmeza, meus amigos, a este pilar! Prefiro ser um santo-pilar do que um redemoinho de vingança!

Na verdade, nenhum ciclone ou redemoinho é Zaratustra: e se ele é dançarino, não é de forma alguma uma tarântula dançarina!"

Assim falava Zaratustra.

XXX. DOS CÉLEBRES SÁBIOS

"Todos vós, ó sábios célebres, tendes servido o povo e a sua superstição, e não a verdade! E justamente por isso vos prestaram reverência.

E por causa disso também toleraram sua incredulidade, porque era uma brincadeira e um caminho para as pessoas. Assim, o mestre dá liberdade de ação aos seus escravos, e desfruta de sua presunção.

Mas aquele que é odiado pelo povo, como o lobo pelos cães, é o espírito livre, o inimigo de grilhões, o não-adorador, o morador da floresta.

Arrancá-lo de seu lar, isso sempre foi chamado de "senso de justiça" pelas pessoas, sobre ele ainda perseguem seus cães de dentes mais afiados.

"Pois aí está a verdade, onde estão as pessoas! Ai, ai dos que buscam! ", assim ecoou em todos os tempos.

Vosso povo justificaria em sua reverência: que vos chamou de "Vontade de Verdade", ó célebres sábios!

E o teu coração sempre disse a si mesmo: "Do povo eu vim: dali veio a mim também a voz de Deus".

De pescoço duro e astuto, como o asno, sempre foram, como os defensores do povo.

E muitos poderosos que queriam correr bem com o povo, se atrelaram à frente de seus cavalos, um burro, um sábio famoso.

E agora, ó sábios famosos, gostaria que finalmente jogásseis fora toda a pele do leão!

A pele do animal predador, a pele salpicada e os cachos desgrenhados do investigador, do pesquisador e do conquistador!

Ah! para aprender a acreditar em sua "consciência", primeiro terias que destruir sua vontade de veneração.

Consciente, então chamo aquele que vai para o deserto abandonado por Deus, e quebranta seu coração de veneração.

Nas areias amarelas e queimadas pelo sol, ele, sem dúvida, olha com sede para as ilhas ricas em fontes, onde a vida repousa sob a sombra das árvores.

Mas sua sede não o persuade a se tornar como aqueles que estão confortáveis, onde existem oásis, também existem ídolos.

Faminto, feroz, solitário, esquecido por Deus: assim o faz o leão, deseja a si mesmo.

Livre da felicidade dos escravos, redimido das Divindades e adorações, destemido e inspirador de medo, grandioso e solitário: assim é a vontade dos conscienciosos.

No deserto, sempre moraram os espíritos conscienciosos e livres, como senhores das regiões selvagens; mas nas cidades habitam os bem alimentados e famosos sábios, os drogados, as bestas.

Que puxem sempre, como burros, os carros do POVO!

Não que por isso eu os censure, mas os servos permanecem e se aproveitam, embora brilhem em arreios dourados.

E frequentemente têm sido bons servos e dignos de seu salário. Pois assim diz a virtude: "Se deves ser um servo, busque aquele a quem o teu serviço é mais útil!

O espírito e a virtude de teu mestre devem avançar por tu sendo seu servo: assim tu queres tu mesmo avançar com o seu espírito e virtude!"

E, em verdade, ó sábios famosos, servos do povo! Avançastes com o espírito e a virtude do povo, e o povo aumentou por vossa causa! Digo isso, para vossa honra!

Mas permanecestes, porém, a ser povo, mesmo com vossas virtudes, povo com olhos cegos, as pessoas que não sabem o que é ESPÍRITO!

O espírito é a vida que se transforma em vida; por sua própria tortura, aumenta o seu conhecimento: já o sabíeis?

E a felicidade do espírito é esta: ser ungido e consagrado com lágrimas, já o sabíeis?

E a cegueira do cego, e sua busca e apalpação, ainda testemunhará o poder do sol para o qual ele olhou, já o sabíeis?

E com as montanhas aquele que tem discernimento aprenderá a CONSTRUIR! É uma coisa pequena para o espírito remover montanhas, já o sabíeis?

Vós conheceis apenas as faíscas do espírito, mas não vedes a bigorna que é, e a crueldade de seu martelo!

Na verdade, vós não conheceis o orgulho do espírito! Mas ainda menos poderias suportar a humildade do espírito, se quisesses falar!

E ainda não pudestes lançar o vosso espírito numa cova de neve; não estais com calor para isso!

Assim, vós não estais ciente, também, do deleite de vossa frieza.

Em todos os aspectos, entretanto, pareceis tomar demasiadas liberdades com o espírito; e por sabedoria tendes muitas vezes servido de abrigo e hospital para maus poetas.

Vós não sois águias; portanto, nunca experimentastes a felicidade do alarme do espírito.

E aquele que não é um pássaro não deve acampar acima de abismos.

Vós me pareceis mornos, mas friamente flui todo o conhecimento profundo. Gelados são os poços mais íntimos do espírito: um refresco para mãos e manipuladores quentes.

Respeitáveis, permaneceis de pé, e rígidos, e com as costas retas, sábios célebres! Nenhum vento forte vos impele.

Nunca vistes uma vela cruzando o mar, arredondada e inflada, e tremendo com a violência do vento?

Como a vela tremendo com a violência do espírito, minha sabedoria atravessa o mar, minha sabedoria selvagem! Mas vós, servos do povo, sábios célebres, como PODERÍEIS ir comigo?"

Assim falava Zaratustra.

XXXI. O CANTO DA NOITE

"É noite; agora eleva-se mais a voz das fontes. E a minha alma é também uma fonte.

É noite; agora despertam todos os cantos dos amantes. E a minha alma é também um canto de amante.

Há qualquer coisa em mim não aplicada nem aplicável, que quer se expressar. Há em mim um anelo de amor que fala a linguagem do amor.

Sou luz. Ah! se fosse noite! Mas é esta a minha soledade: ver-me rodeado de luz.

Ah! se fosse sombrio e noturno! Como sorveria os seios da luz!

E também vos bendiria a vós, estrelinhas que brilhais lá em cima como pirilampos! E seria venturoso com vossos mimos de luz.

Eu, porém, vivo da minha própria luz, absorvo em mim mesmo as chamas que de mim brotam.

Não conheço o prazer de receber, e frequentemente tenho sonhado que roubar deve ser ainda maior deleite do que receber. A minha pobreza reside em que a minha mão nunca se cansa de dar, a minha inveja são os olhos que vejo esperando, e as noites vazias do desejo.

Ó! miséria de todos os que dão! Ó! eclipse do meu sol! Ó! desejo de desejar! Ó! fome devoradora na fartura! Eles recebem de mim; mas, acaso lhes tocarei eu sequer a alma? Entre dar e receber há um abismo; e é muito difícil transpor o mais pequeno abismo.

Nasceu um homem da minha beleza; quereria prejudicar os que ilumino; quereria saquear os que cúmulo de presentes: assim tenho ânsia de maldade.

Retirando a mão, quando a mão já se estende; vacilando como a cascata que vacila até na sua queda; assim tenho sede de maldade.

Tais vinganças medita a minha exuberância; tais malícias nascem da minha soledade.

O meu prazer de dar morreu à força de dar; a minha virtude cansou-se de si mesmo por sua própria exuberância.

O que dá sempre, corre perigo de perder o pudor; aquele que reparte sempre, à força de repartir acaba por se lhe calejarem as mãos e o coração.

Os meus olhos já se não arrasam de lágrimas ao ver a vergonha dos que imploram; a minha mão endureceu demais para experimentar o tremor das mãos cheias.

Para aonde foram as lágrimas dos meus olhos e a plumagem do meu coração? Ó! soledade de todos que dão!

Ó! silêncio dos que brilham!

Muitos sóis gravitam no espaço vazio; a sua luz fala a tudo que é obscuro; só para mim emudeceu.

Ó! É a inimizade da luz contra o luminoso! Desapiedado, segue o seu caminho. Profundamente injusto contra o luminoso, frio para com os sóis, assim caminha todo o sol.

Como uma tempestade, voam os sóis por suas órbitas: é esse o seu caminho. Siga a sua vontade inexorável: é essa a sua frialdade.

Ai! só vós obscuros e noturnos, que tirais o vosso calor do luminoso, só vós bebeis o leite balsâmico dos úberes da luz!

Ai! há gelo em torno de mim, gelo que queima as minhas mãos! Tenho uma sede que suspira por vossa sede!

É noite. Ai! Por que hei de eu ser luz? E sede do noturno! E soledade!

É noite... como uma fonte, brota o meu anelo - meu anelo de fulgor.

É noite: agora eleva-se mais a voz das fontes; e a minha alma é também uma fonte.

É noite: agora despertam todos os cantos dos namorados. E a minha alma é também um canto de namorado."

Assim falava Zaratustra.

XXXII. A MÚSICA DANÇANTE

Uma tarde, atravessava Zaratustra o bosque com seus discípulos, e procurando uma fonte, chegaram a um verde prado pacificamente rodeado de árvores e mato: estavam ali dançando umas jovens. Logo que viram Zaratustra pararam de dançar; mas Zaratustra aproximou-se amigavelmente e disse estas palavras:

"Não pareis de bailar, encantadoras meninas! Quem se aproxima de vós não é um obstáculo ao vosso recreio, não é um inimigo das jovens.

Sou o advogado de Deus ante o diabo, e o diabo é o espírito da gravidade. Como poderia eu ser inimigo das divinas danças ou dos pés juvenis de lindos tornozelos?

É certo que sou uma selva e uma noite de escuras árvores; mas aquele que não temer a minha obscuridade encontrará sendas de rosas abaixo de meus pés.

Saberá também encontrar o pequenino Deus preferido das donzelas: está junto da fonte, silencioso, com os olhos fechados.

Adormeceu em pleno dia o folgado! Andou demais à procura de mariposas?

Não vos agasteis comigo, formosas bailarinas, se fustigo um tanto o pequenino Deus. Pode ser que ele se ponha a gritar e a chorar; mas até chorando se presta ao riso.

E com lágrimas nos olhos vós deveis pedir uma dança; e eu mesmo acompanharei essa dança com uma canção.

Uma canção de dança e uma sátira sobre o espírito da gravidade, sobre o meu diabo sóbrio onipotente, que dizem ser o "dono do mundo."

Eis aqui a canção que Zaratustra cantou. Cupido e os jovens dançavam:

"Ainda há pouco olhei os teus olhos, ó! vida! e parecia-me cair no insondável!

Assim falam todos os peixes - dizias - o que eles não podem penetrar é insondável.

Eu, porém, sou volúvel e selvagem, mulher em tudo, e nunca virtuosa.

Posto que para vós, homens, eu seja "a profunda", ou "a fiel", "a eterna", "a misteriosa".

Mas vós, homens, ó! virtuosos! emprestai-nos sempre as vossas próprias virtudes.

Assim ria ela, uma inacreditável; que nunca a acredito, nem a ela nem ao seu riso, quando fala de si própria.

E quando falava a sós com a minha selvagem sabedoria, disse-me ela irritada:

"Tu queres, tu desejas, tu amas! e só por isso lisonjeias a vida"

Pouco me faltou para responder mal e dizer a verdade à irritada; e ninguém pode responder pior do que quando "diz a verdade" à sua sabedoria.

Assim sucede convosco. Eu nada amo mais profundamente do que a vida, e ainda mais quando a detesto.

Se me inclino para a sabedoria, e amiúde com excesso, é porque me lembra bastante a vida.

Tem os seus olhos, o seu riso e até o seu dourado anzol. Que hei de fazer, se parece tanto as duas?

E quando um dia a vida me perguntou:

"Mas, que é sabedoria?", respondi pressuroso: "Ah! sim! uma sabedoria!

Estamos sedentos dela, e não nos saciamos; olhamo-la através de uma nuvem; queremos alcançá-la através de uma rede.

É formosa? Não sei! Até as carpas mais velhas, porém, se deixam colher por ela.

É versátil e obstinada: muitas vezes lhe vi morder os lábios e eriçar o cabelo com o pente.

Talvez seja má e falsa mulher em tudo; mas quando fala mal de si mesma, é quando seduz mais.

Quando disse isto à vida, ela riu-se maldosamente e cerrou os olhos. "Mas, de quem falas tu?", disse. "É de mim?

E conquanto tivesses razão, dizeres isso na minha cara. Fala, pois da tua sabedoria!"

Ai! E então tornaste a abrir os olhos, ó! amada vida! E parecia-me tornar a cair no insondável!"

Assim cantou Zaratustra. Mas quando, acabado o baile, as donzelas se afastaram, ficou triste.

"O sol já se pôs há muito", disse por fim. "O prado está úmido, sente-se a frescura dos bosques.

Há algo desconhecido em torno de mim, que olha pensativo. Quê? Ainda vives, Zaratustra?

Por quê? Para quê? Onde? Como? Não é uma loucura viver?

Ah, meus amigos! É a noite que assim me interroga. Perdoai-me a tristeza!

Cerrou-se a noite! Perdoai-me ter-se cerrado a noite!"

Assim falava Zaratustra.

XXXIII. O CANTO DO SEPULCRO

"Ali está a ilha dos sepulcros, silenciosa; ali estão também nos sepulcros da minha juventude. Além quero levar uma coroa imarcescível da vida.

Resolvendo isso em meu coração, atravessei o mar.

Ó! imagens e visões da minha juventude! Ó! olhares de amor, momentos divinos! Como pereceram depressa! Penso hoje em vós como nos mortos.

De vós, mortos prediletos, chega até mim um perfume suave que alivia o coração e faz correr lágrimas.

Verdadeiramente esse perfume agita e alivia o coração do que navega só.

Sou eu sempre o mais rico e invejável, eu, o solitário! Porque EU POSSUO a vós, e vós me possuis ainda; diga-me: para quem caíram da árvore maçãs mais vermelhas do que para mim?

Sou sempre o herdeiro e o terreno próprio do vosso amor, onde florescem, em memória, meus amados, selvagens virtudes de todas as cores.

Ai! nós outros éramos feitos para permanecer uns ao pé dos outros; e vós outras, estranhas e deliciosas maravilhas, não vos apaixonastes por mim e pelo meu desejo como tímidas aves, não vistes como o confiado aquele que confia.

Sim; feitos para a fidelidade como eu, e para a doce eternidade, agora terei de vos lembrar por vossa infidelidade; ó! olhares e momentos divinos! ainda não aprendi outro nome.

Demasiado cedo morrestes para mim, fugitivos. Não fugistes, todavia, de mim, nem eu de vós: não somos culpados uns para com os outros da nossa infidelidade.

Estrangularam-vos para me matarem, aves das minhas esperanças! Sim; para vós, amados, atira sempre flechas a maldade, para me alcançar o coração.

E alcançou! Porque sempre fostes meu querido, o meu bem, a minha posse; POR CONTA DISSO tivestes que morrer novos e cedo demais.

Para o mais vulnerável que havia em mim se disparou a flecha: para vós, cuja pele é semelhante ao pulmão, ainda mais o sorriso que morre de um olhar.

Eu, porém, hei de dizer aos meus inimigos: Que é matar um homem, em comparação com o que me fizestes?

O que fizeram comigo é pior que um assassinato: tiraram de mim o que não retorna. Assim vos falo eu, inimigos!

Mataram as visões da minha juventude e as minhas mais caras maravilhas. Tiraram de mim os meus companheiros de recreio, os espíritos bem-aventurados! Em memória deles deposito esta coroa e esta maldição.

Esta maldição contra meus inimigos! Porque encurtastes a minha eternidade como se interrompe um som na noite gelada! Sozinho, veio para mim a eternidade como olhar de olhos divinos, como um relance.

Assim me disse um dia minha pureza na hora propícia: "Para mim todos os seres devem ser divinos".

Então lançaram sobre mim imundos fantasmas. Ai! Para onde fugiu aquela hora propícia?

"Todos os dias devem ser sagrados para mim".

Assim me falou um dia a sabedoria da minha juventude; palavras, na verdade, de sabedoria.

Vós, porém, inimigos meus, roubaram as minhas noites para trocar por tormentoso velar. Ai! Para onde fugiu aquela sabedoria?

Noutro tempo já suspirava por preságios felizes, e vós fizestes passar pelo meu caminho uma monstruosa e sinistra coruja. Ai! Para onde fugiu então o meu doce desejo?

Um dia fiz voto de renunciar a toda a repugnância e vós convertestes em úlceras tudo quanto me rodeia! Ai!

Para onde fugiram então os meus mais nobres votos?

Como cego percorri venturosos caminhos; vós arrojastes imundícies ao caminho do cego, e agora repugnam-me a antiga senda.

E quando consumi o mais árduo para mim, e celebrava o triunfo dos meus esforços, fizestes calar aos que me estimavam que eu lhes acarretava maior dano.

Assim procedestes sempre; amargastes o meu melhor mel e a atividade das minhas melhores abelhas.

Sempre enviastes à minha caridade os mendigos mais insolentes; sempre apinhastes em torno da minha compaixão os mais incuráveis desvergonhados. Assim feristes as minhas virtudes na sua fé.

E quando fazia a oferta do mais sagrado que possuía, a vossa "devoção" apressurava-se a ajuntar dádivas mais pingues; de modo que as emanações da vossa gordura afogavam o mais sagrado que eu tinha.

E uma vez quis bailar como nunca bailara; quis bailar além de todos os céus. Então alcançastes o meu mais querido cantor.

E entoou o seu canto mais lúgubre e sombrio. Ai! zumbiu-me aos ouvidos como a mais fúnebre trompa!

Cantor mortífero, instrumento de maldade, tu, que eras o mais inocente! Eu estava disposto para o melhor baile, e tu com as tuas notas mataste-me o êxtase. Só no baile sei dizer os símbolos das coisas mais sublimes; e agora os meus membros não puderam representar o meu mais alto símbolo.

Inexpressiva ficou a minha mais alta esperança!

E todas as visões e todos os consolos da minha mocidade morreram.

Como pude suportar? Como pude ser superior a semelhantes feridas? Como ressuscitou a minha alma desses túmulos?

Sim! Há algo invulnerável em mim, qualquer coisa que se não pôde enterrar e que faz saltar os rochedos; chama-se a minha vontade. Essa atravessa os anos silenciosa e imutável.

A minha antiga vontade quer andar no seu passo pelos meus pés; o seu sentido é duro e invulnerável.

Só sou vulnerável no calcanhar!

Assim vives tu sempre, pacientíssima, igual a ti mesma. Passastes sempre todos os túmulos!

Em ti ainda vive o irredimido da minha mocidade, e viva e moça permanece sentada, cheia de esperança, sobre os amarelos escombros das sepulturas.

Sim; tu para mim ainda és a destruidora de todas as sepulturas. Salve, minha vontade! E só onde há sepulturas é que há ressurreições!"

Assim falava Zaratustra.

XXXIV. DA SUPERAÇÃO DE SI MESMO

""Vontade de verdade", chamais, vós mais sábios, aquilo que vos impele e vos torna ardentes?

Vontade de imaginar tudo o que existe: assim chamo a tua vontade!

Querem pensar em tudo que existe: porque duvidais, com razão, que tudo seja pensável.

Mas ela deve se acomodar e se curvar a vós! Assim deve ser a vossa vontade. Suave deve tornar-se e sujeita ao espírito, como reflexo e espelho.

Essa é toda a vossa vontade, mais sábios, como uma vontade de poder; e mesmo quando faleis de bem e mal, e de estimativas de valor.

Criareis ainda um mundo diante do qual podeis dobrar os joelhos: tal é a sua última esperança e êxtase.

O ignorante, todavia, o povo, são como um rio no qual um barco flutua, e no barco estão as estimativas de valor, solenes e disfarçadas.

Vossa vontade e vossas avaliações colocastes no rio do devir; isso revela uma velha vontade de poder, o que as pessoas acreditam ser bom e mau.

Fostes vós, os mais sábios, que colocastes tais hóspedes neste barco e lhes destes pompa e orgulho, vós e vossos governantes!

Em frente, o rio agora carrega seu barco: ele DEVE carregá-lo. Pouco importa se a onda espuma e furiosamente resiste à quilha!

Não é o rio que é o seu perigo e o fim do seu bem e do seu mal, ó mais sábios: mas aquela vontade em si, a vontade de poder, a inesgotável e criadora vontade.

Mas para que compreendestes meu evangelho do bem e do mal, direi-vos meu evangelho da vida e da natureza de todas as coisas vivas.

A coisa viva eu segui; andei nos caminhos mais largos e estreitos para aprender sua natureza.

Com um espelho de cem faces, peguei seu olhar quando sua boca estava fechada, de modo que seu olho pode falar comigo. E seus olhos falavam de mim.

Mas onde quer que encontrasse coisas vivas, ouvia também a linguagem da obediência. Todos os vivos são obedientes.

E isso eu ouvi em segundo lugar: tudo o que não pode obedecer a si mesmo é ordenado. Essa é a natureza das coisas vivas.

Esta, no entanto, é a terceira coisa que ouvi: comandar é mais difícil do que obedecer. E não só porque o comandante carrega o fardo de todos obedientes, mas porque este fardo o esmaga prontamente.

Comandar parece-me um risco; e sempre que ordena, a coisa viva se arrisca por meio disso.

E quando se manda a si próprio também tem que expiar a sua autoridade, tem que ser juiz, vingador e vítima das próprias leis.

Como isso funciona? - me questionei. - Que é que leva o ser vivo a obedecer, a mandar, e a ser obediente em comandar?

Escutai a minha palavra, sábios! Verifiquem seriamente se penetrei no coração da vida!

Onde quer que encontrasse o que é vivo, encontrei a vontade de dominar, até na vontade do que obedece encontrei a vontade de ser comandante.

Sirva o mais fraco ao mais forte: eis o que lhe incita a vontade, que quer ser senhora do mais fraco. É essa a única alegria de que se não quer privar.

E como o mais pequeno se entrega ao maior, para gozar do mais pequeno e dominá-lo, assim o maior se entrega também e arrisca a vida pelo poder.

É este o abandono do maior; haja temeridade e perigo e jogue-se a vida num lance de dados.

E onde há sacrifício e serviço e olhar de amor há também vontade de ser senhor. Por caminhos secretos desliza o mais fraco até à fortaleza, e até mesmo ao coração do mais poderoso, para roubar o poder.

E a própria vida me confiou este segredo: "Olha — disse — eu sou o que deve ser superior a si mesmo."

Certamente vós chamais a isso vontade de criar ou impulso para o fim, para o mais sublime, para o mais longínquo, para o mais múltiplo; mas tudo isso é apenas uma só coisa e um só segredo.

Prefiro renunciar a essa coisa única: e, na verdade, onde há morte e folhas caídas, é onde se sacrifica a vida pelo poder.

É importante que eu seja luta e sucesso e fim e contradição dos fins. Ai! Aquele que adivinha a minha vontade adivinha também os caminhos tortuosos que precisa seguir.

Seja qual for a coisa que eu crie e o amor que lhe tenha, em breve devo ser adversário e o adversário do meu amor: assim o quer a minha vontade.

E tu também, investigador, não és mais do que a senda e a pista da minha vontade: a minha vontade de domínio segue também os vestígios da tua vontade de verdade.

Certamente não encontrou verdade aquele que falava da "vontade de existir"; não há tal vontade.

Porque o que não existe não pode querer; mas como poderia o que existe ainda desejar a existência!

Só onde há vida há vontade; não vontade de vida, mas como eu predico, vontade de PODER.

Há muitas coisas que o vivente aprecia mais do que a vida; mas nas próprias apreciações fala a "vontade de poder".

Isto ensinou-me um dia a vida, e por isso, sábios, resolvo o enigma do vosso coração. Em verdade vos digo. Bem e mal absolutos não existem. É preciso que incessantemente se excedam a si mesmos.

Com os vossos valores e as vossas palavras do bem e do mal, vós, os apreciadores de valor, exerceis poderio; e é este o seu amor oculto e o esplendor, o tremor e o transbordar da sua alma.

Dos vossos valores, porém, surge um poder mais forte e uma nova vitória sobre si, que parte os ovos e as cascas do ovo.

E o que deve ser criador no bem e no mal deve começar por ser destruidor e quebrar os valores.

Assim a maior maldade forma parte da maior bondade; mas esta bondade é a criadora. Digamo-lo, sábios, embora nos custe muito; calarmo-nos é ainda mais duro: todas as verdades caladas se tornam venenosas. Aniquile-se tudo quanto pode ser aniquilado pelas nossas verdades! Há ainda muitas estruturas a edificar!"

Assim falava Zaratustra.

XXXV. DOS SUBLIMES

"Calmo é o fundo do meu mar. Quem adivinharia que oculta monstros?

A minha profundidade é inabalável, mas irradia enigmas e gargalhadas.

Hoje vi um homem sublime, solene, um purificador do espírito. Como a minha alma se riu da sua feiura!

Inflando o peito, como quem aspira, estava ali silencioso o homem sublime.

Engalanando com feias verdades, sua polaina de caça, e rico com vestimenta cara também nele havia muitos espinhos, mas não vi nenhuma rosa.

Ainda não conhece o riso nem a beleza. Com semblante desabrido voltou esse caçador do conhecimento.

Lutou com animais selvagens; mas a sua rígida fisionomia ainda reflete o animal selvagem: um animal selvagem não dominado.

Está sempre como um tigre preparando o salto; mas a mim não me agradam essas almas mesquinhas; não são do meu gosto todos esses retraídos.

E vós, amigos, dizei-me que questões de gostos não se discutem. Toda a vida, contudo, é batalha por gostos.

O gosto é a um tempo o peso, a balança, e o pesador; e aí de toda a coisa viva que quisesse viver sem luta pelos pesos, as balanças e os pesadores.

Se este homem sublime se enfastiasse da sua sublimidade, só então principiaria a sua beleza, e só então quereria eu gostar dele, só então lhe acharia gosto.

E só quando se apartar de si saltará por cima da sua sombra e penetrará no seu sol.

Demasiado tempo esteve sentado à sombra; o purificador do espírito viu empalidecer as faces, e quase o matou de fome a espera.

Ainda, nos seus olhos há desdém, e repugnância oculta nos seus lábios. É verdade que descansa agora, mas ainda não descansou ao sol.

Deveria fazer como o touro, e a sua felicidade deveria vir da terra, e não do desprezo a terra.

Gostaria de vê-lo como um touro branco que sopra e muge diante do arado e o seu mugido deveria cantar o louvor de tudo o que é terrestre.

O seu semblante ainda é sombrio; a sombra de sua mão se projeta nele. Ainda está na sombra o seu olhar.

A sua própria ação nele não é mais do que uma sombra; a mão escurece o que atua. Ainda não está superior ao seu ato.

Agrada-me ver nele o pescoço de um touro, mas agora também me agradaria ver-lhe o olhar de anjo.

É preciso igualmente que esqueça a sua vontade de herói: deve ser para mim um homem elevado, e não só sublime: até o éter deveria elevar esse homem sem vontade.

Venceu monstros, adivinhou enigmas; mas precisava também salvar os seus monstros e os seus enigmas; precisava transformá-los em filhos divinos.

O seu conhecimento ainda não aprendeu a sorrir e a não ter inveja: a onda da sua paixão ainda se não acalmou na beleza.

Não é de certo na sociedade que se deve calar e submergir o seu desejo, mas na beleza.

A graça forma parte da generosidade dos que pensam com elevação. Com o braço sobre a cabeça: eis como deveria repousar o herói; assim até deveria estar superior ao seu repouso.

Mas, precisamente para o herói, a beleza é a mais difícil de todas as coisas.

A beleza é inexequível para toda a vontade violenta. Um tanto mais, um tanto menos, esse pouco aqui é muito.

Permanecer com os músculos inativos e a vontade desembaraçada é o que há de mais difícil para os homens sublimes.

Quando o poder se torna clemente e desce ao visível, a essa clemência chamo eu beleza.

De ninguém exijo tanto a beleza como de ti, que és poderoso; seja a tua bondade a tua última vitória sobre ti mesmo. Julgo-te capaz de todas as maldades, mas exijo de ti o bem.

Na verdade tenho-me rido amiúde dos fracos que se julgam bons por terem as patas tolhidas! Deveis imitar a virtude da coluna, que vai sendo mais bela e mais fina, porém mais dura e resistente interiormente à medida que se alteia.

Sim, homem sublime: um dia serás belo e apresentarás ao espelho a tua própria beleza.

Então estremecerá a tua alma com desejos divinos, e na tua vaidade haverá adoração!

Porque eis aqui o segredo da tua alma: quando o herói a abandona, é então que se aproxima em sonhos o super-herói."

Assim falava Zaratustra

XXXVI. DA TERRA DA CULTURA

"Voei demasiado longe pelo futuro, e horrorizei-me.

Quando olhei em torno de mim reparei que o tempo era o meu único contemporâneo.

Voltei então, cada vez mais apressado: assim cheguei até vós, homens atuais; assim cheguei ao país da civilização.

Pela primeira vez olhei com olhos favoráveis e com boas intenções. E que me sucedeu? Apesar do medo que me invadiu... tive que dar risada!

Nunca meus olhos viram o que quer que fosse tão bizarro.

Gargalhava, ao passo que me tremiam os pés e também o coração. "Mas este — disse comigo — é o país dos vasos coloridos!" Com a face e os membros pintados de mil maneiras, assim me assombram, homens atuais.

E com mil espelhos ao seu redor, que adulavam e repetiam o efeito das cores. Certo, não poderiam usar melhores máscaras do que a vossa própria face, homens atuais.

Quem vos poderia reconhecer? Pintalgados com os sinais do passado, cobertos por seu turno com outros sinais: assim vos ocultastes de todos os intérpretes!

E embora se soubesse examinar as entranhas, quem acreditaria que tivessem entranhas? Parecem feitos de cores e de papéis pegados.

Todos os tempos e todos os povos olham com raiva através dos vossos véus; todos os costumes e todas as crenças falam confundidos através de vossa atitude.

Aquele que vos tirasse os véus, os retoques, as cores e as atitudes, não deixaria mais do que um espantalho.

Na verdade, eu mesmo sou um pássaro espantado que uma vez os viu nu e sem cores! E quando tal esqueleto me acenou amoroso, fugi apavorado.

Porque preferiria descer aos profundos e confundir-me nas sombras do passado! As sombras dos que existiram têm mais consistência do que vós.

A minha íntima amargura, homens atuais, é que não posso lhes suportar nem nus, nem vestidos! Tudo o que inquieta no futuro e tudo o que pode afugentar um pássaro espantado inspira verdadeiramente mais quietude e calma do que a vossa "realidade".

Porque dizem: "Somos inteiramente reais, não temos crenças nem superstições"; assim enchem o bico, sem ter bico.

Como seria possível vós crerdes, tão pintados! Vós que sois pinturas de tudo quanto se tem acreditado! Sois uma refutação da própria fé, e a ruptura de todos os pensamentos.

Seres incríveis! Assim os chamo, "homens da realidade". Todas as épocas declamaram umas contra as outras em vossos espíritos: e os sonhos e as declamações de todas as épocas eram mais reais do que a sua vigília.

Sois estéreis: por isso lhes falta fé.

Aquele, porém, que devia criar, tinha também sempre os seus sonhos de verdade e os seus sinais estelares, e tinha fé na fé! Sois portas entreabertas onde aguardam os coveiros.

Eis a vossa realidade: "Tudo merece desaparecer". Ah! Como estais aí diante de mim, homens estéreis? Que pobreza de costelas! E quantos dentre vós que o não têm visto.

E dizem: "Tirar-me-ia algum deus qualquer coisa enquanto eu dormia? Certamente, o suficiente para formar uma mulher! É prodigiosa a pobreza das minhas costelas!" Assim têm falado já muitos homens célebres.

Sim; fazem-me rir, homens atuais e sobretudo quando vos assombrais de vós mesmos. Pobre de mim se me não pudesse rir do vosso assombro e se tivesse de tragar tudo quanto há de repugnante em vossas escudelas!

Eu, porém, tomo-vos ao de leve, pois tenho coisas pesadas para levar; e que me importa que pousem na minha carga insetos e moscas? A verdade é que a minha carga não será mais pesada por isso.

Não sois vós, contemporâneos, que me haveis de causar maior fadiga. Aonde devo subir ainda com o meu desejo? Olho do alto de todos os picos à procura de pátrias e de terras natais.

Em nenhuma parte, porém, as encontro: ando errante por todas as cidades e saio de todas as portas.

Os homens atuais, para quem há pouco se inclinava o meu coração, agora me são estranhos e provocam-me riso: e vejo-me expulso das pátrias e das terras natais.

Já não amo, pois, senão o país dos meus filhos, a terra incógnita entre mares longínquos: é essa que a minha vela deve, incessante, procurar.

Em meus filhos quero remediar o ser filho de meus pais; e, no futuro todo, quero remediar este presente."

Assim falava Zaratustra.

XXXVII. DO IMACULADO CONHECIMENTO

"Quando ontem e véspera a lua apareceu, então imaginei que ela estava prestes a dar luz a um sol: tão larga e abundante estava no horizonte.

Mas era uma mentirosa com sua gravidez; e mais cedo vou acreditar na lua ser homem do que mulher.

Certamente, pouco de homem também é, aquela tímida foliã noturna. Na verdade, com má intenção caminha sobre os telhados.

Pois é avarento e ciumento, o monge da lua; cobiçoso da terra, e de todas as alegrias dos amantes.

Não, não gosto dele, aquele gato dos telhados! Odiosos para mim são todos aqueles que se esgueiram por aí em janelas semicerradas!

Piedosa e silenciosamente, ele caminha pelos tapetes das estrelas: mas não gosto de pisar na luz com pés humanos, nos quais nem mesmo uma espora tilinta.

Cada passo honesto fala; o gato, entretanto, foge pelo chão. Olhem! Como um gato vem a lua, e desonestamente.

Falo esta parábola a vós, dissimuladores sentimentais, a vós, os "puros discernidores!" A vós eu chamo avarentos!

Também vós amais a terra e o terreno: vos adivinhei bem! — mas a vergonha está em vosso amor e má consciência — vós sois como a lua!

Para desprezar o terreno, seu espírito foi persuadido, mas não vossas entranhas: estas, no entanto, são mais fortes em vós!

E agora o vosso espírito se envergonha de estar a serviço de vossas entranhas, e segue por caminhos e maneiras mentirosas de escapar da sua própria vergonha.

"Isso seria a coisa mais importante para mim", assim diz o vosso espírito mentiroso a si mesmo, olhar sobre a vida sem desejo, e não como o cachorro, com a língua de fora.

Para ser feliz em olhar: com vontade morta, livre das garras e da ganância do egoísmo - frio e acinzentado por toda parte, mas com olhos de lua intoxicados!

"Isso seria a coisa mais querida para mim", assim o seduzido se seduz, "Amar a terra como a lua a ama, e com olhos apenas para sentir sua beleza."

E isso chamo de conhecimento IMACULADO de todas as coisas: não desejar mais nada delas, mas ter permissão para ficar diante delas como um espelho com uma centena de facetas.

Oh, seus dissimuladores sentimentais, seus avarentos! Vós careceis de inocência em vosso desejo: e agora difamam o desejo por causa disso!

Na verdade, não como criadores, procriadores ou jubiladores, vós amais a terra!

Onde está a inocência? Onde há vontade de procriação. E aquele que busca criar além de si mesmo, tem para mim a vontade mais pura.

Onde está a beleza? Onde DEVO DESEJAR com toda a minha Vontade; onde vou amar e perecer, para que uma imagem não permaneça apenas uma imagem.

Amando e perecendo: estas rimam desde a eternidade. Vontade de amar: isso é estar pronto também para a morte. Assim falo a vós, covardes!

Mas agora vossa cobiça emasculada professa ser "contemplação!" E o que pode ser examinado com olhos covardes está para ser batizado de "lindo!"

Mas será essa a vossa maldição, ó imaculados, puros procuradores do conhecimento, que nunca produzem, embora estejais largos e abundantes no horizonte!

Em verdade, encheis a vossa boca com palavras nobres: e devemos acreditar que o vosso coração transborda, vigaristas?

Mas minhas palavras são pobres, desprezíveis e gaguejantes: de bom grado pego o que caí da mesa em suas refeições.

Ainda assim, posso dizer com isso a verdade - aos dissimuladores! Sim, meus ossos de peixe, conchas e folhas espinhosas farão cócegas no nariz dos dissimuladores!

O ar ruim é sempre sobre vós e vossas refeições: vossos pensamentos lascivos, vossas mentiras e segredos estão realmente no ar!

Ouseis apenas acreditar em vós mesmos - em vós mesmos e em suas partes internas! Aquele que faz não acreditar em si mesmo, sempre mente.

Uma máscara de Deus penduraste na frente de vossas faces, vós "puros": em uma máscara de Deus escondei-vos uma cobra peçonhenta.

Na verdade, vos enganais, "contemplativos!" Até Zaratustra já foi o tolo de seu exterior divino; não adivinhou a espiral da serpente com a qual foi recheada.

Uma alma de Deus, uma vez pensei ter visto jogando em seus jogos, puros discernidores! Não melhor com as quais sonhei uma vez do que com as suas artes!

A sujeira das serpentes e o mau cheiro, a distância escondida de mim: e que a pele de um lagarto rondava por aí lascivamente.

Mas vim a NOITE para vós: então veio a mim o dia e agora vem a vós; o caso de amor da lua está no fim!

Veja lá! Surpreso e pálido ele permanece - antes do alvorecer!

Pois ela já vem, a aurora — SEU amor à terra vem! Inocência e desejo criativo, é todo amor solar!

Veja lá, como ela vem impacientemente sobre o mar! Não sentis a sede e o sopro caloroso de seu amor?

Quer beber as profundezas do mar até sua altura: agora surge o desejo do mar com seus mil seios.

Beijado seria pela sede do sol; vapor SE tornaria, e altura e caminho da luz, e a própria luz! Na verdade, como o sol, amo a vida e todos os mares profundos.

E isso significa PARA MIM conhecimento: tudo o que é profundo ascenderá - à minha altura!"

Assim falava Zaratustra.

XXXVIII. DOS ACADÊMICOS

"Estando eu adormecido, pôs-se uma ovelha a despinicar a coroa de hera da minha cabeça, dizendo enquanto comia: "Zaratustra já não é um sábio".

Dito isto retirou-se altiva e desdenhosa. Assim me contou um rapazinho.

Gosto de me deitar onde as crianças estão brincando, junto do muro gretado, sob os cardos e as vermelhas papoulas. Ainda sou um sábio para as crianças, e também para os cardos e para as papoulas vermelhas.

Todos eles são inocentes até na sua maldade. Já não sou um sábio para as ovelhas: assim o quer a minha sorte.

Bendita seja! Porque é esta a verdade: saí da casa dos sábios atirando com a porta. Demasiado tempo esteve a minha alma faminta sentada à sua mesa; não estou assim como eles, adestrado para o conhecimento como para descascar nozes.

Amo a liberdade e o ar na terra fresca; e até me agrada mais dormir em peles de bois do que nas suas honrarias e dignidades. Sou ardente demais e estou demasiado consumido pelos meus próprios pensamentos; falta-me amiúde a respiração; então necessito procurar o ar livre e sair de todos os compartimentos empoeirados.

Eles, porém, estão sentados muito frescos à fresca sombra: em parte alguma querem passar de espectadores, e livram-se bem de se sentar onde o sol caldeia os degraus.

À semelhança dos que se postam no meio da rua a olhar de boca aberta quem passa, assim aguardam de boca aberta os pensamentos dos outros.

Se se lhes toca com as mãos, involuntariamente levantam pó em torno de si, como sacos de farinha; mas quem suspeitaria que·o seu pó procede do grão e das douradas delícias dos campos de estio? Se dão mostras de sábios, horrorizam-me com as suas sentenças e as suas verdades: a sua sabedoria cheira amiúde como se saísse de um pântano, e indubitavelmente já nele ouvi cantar as rãs.

São destros e têm dedos hábeis: que tem a ver a minha simplicidade com a sua complexidade?

Os seus dedos estendem à maravilha tudo quanto seja fiar, ajuntar e tecer; tanto assim que fazem as meias do espírito.

São bons relógios — sempre que haja o cuidado de lhes dar corda. — Indicam então a hora sem falar e com um ruído modesto.

Trabalham como moinhos e morteiros: basta lançar o grão! Já sabem moer bem o grão e convertê-lo em branca farinha.

Olham os dedos uns dos outros com desconfiança. Inventivos em pequenas maldades, espreitam aqueles cuja ciência coxeia; espreitam-nos como aranhas.

Sempre os vi preparar veneno com precaução, tapando as mãos com luvas de cristal.

Também jogam com dados falsos, e vi-os jogar com tal entusiasmo que estavam banhados de suor. Somos estranhos uns aos outros, e as suas virtudes ainda me contrariam mais do que as suas falsidades e trapaças.

E quando andava entre eles, mantinha-me sempre por cima deles; e é por isso que me olham de soslaio. Não querem ouvir andar ninguém por cima das suas cabeças; por isso entre mim e as suas cabeças puseram ramagem, terra e lixo.

Assim abafaram o ruído dos meus passos; e até agora os mais doutos são os que menos me têm ouvido.

Entre mim e eles interpuseram todas as fraquezas e todas as faltas dos homens: "andar falso" eis como chamam a isto nas suas casas.

Eu, porém, apesar de tudo, ando sempre por cima da cabeça deles com os meus pensamentos; e se quisesse andar com os meus próprios defeitos, ainda assim andaria sobre eles e sobre as suas cabeças.

Que os homens não são iguais: assim fala a justiça. E o que quero não poderiam eles querer!"

Assim falava Zaratustra

XXXIX. DOS POETAS

"Visto que conheci melhor o corpo" — disse Zaratustra a um de seus discípulos — "o espírito tem sido para mim simbolicamente espírito; e todo o "imperecível" — também é símbolo. "

"Assim já te ouvi dizer uma vez", respondeu o discípulo, "e então acrescentaste:

"Mas os poetas mentem demais." Por que disseste que os poetas mentem demais?"

"Por quê?" disse Zaratustra. "Tu perguntas por quê? Não pertenço àqueles que podem ser questionados pelo seu Por quê.

Minha experiência é antiga. Há muito tempo experimentei as razões de minhas opiniões.

Não deveria ser um barril de memória, se também quisesse ter meus motivos comigo?

Já é demais para mim reter minhas opiniões; os pássaros querem voar.

E às vezes, também, encontro uma criatura fugitiva em meu pombal, que é estranha para mim, e treme quando coloco minha mão sobre ela.

Mas o que Zaratustra te disse uma vez? Que os poetas mentem demais?

Zaratustra também é poeta.

Crês tu que ali falava a verdade? Por que acreditas nisso?"

O discípulo respondeu: "Eu acredito em Zaratustra". Mas Zaratustra balançou a cabeça e sorriu.

"A crença não me santifica", disse ele, "muito menos a crença em mim mesmo.

Mas admitindo que alguém disse com toda a seriedade que os poetas mentem demais: estava certo - NÓS mentimos muito.

Também sabemos muito pouco e aprendemos mal: somos obrigados a mentir.

E qual de nós, poetas, não adulterou o seu vinho? Muitas misceláneas venenosas foram desenvolvidas em nossas adegas: muitas coisas indescritíveis têm sido feitas.

E porque sabemos pouco, portanto, estamos satisfeitos de coração com os pobres em espírito, especialmente quando são moças!

E até mesmo dessas coisas somos desejosos, o que as mulheres velhas contam umas às outras no chá da tarde. Chamamos isso de eternamente feminino em nós.

É como se houvesse um acesso secreto especial ao conhecimento, um CHOQUE para aqueles que aprendem alguma coisa, então acreditamos nas pessoas e em sua "sabedoria".

No entanto, todos os poetas acreditam nisto: que todo aquele que ergue os ouvidos quando está deitado na grama ou em encostas solitárias, aprende algo das coisas que estão entre o céu e a terra.

E se surgirem emoções ternas, os poetas sempre pensam que a natureza está apaixonada por eles.

E que ela sussurra aos seus ouvidos segredos e lisonjas amorosas: disto se plumam e se orgulham!

Ah, há tantas coisas entre o céu e a terra das quais apenas os poetas têm sonhado!

E especialmente ACIMA dos céus: pois todos os Deuses são poetas - simbolizações, poetas sofisticados!

Na verdade, sempre somos puxados para o alto — isto é, para o reino das nuvens: nele colocamos nossos fantoches vistosos e, em seguida, chamamos de Deuses e Super-homens.

Não são leves o suficiente para essas cadeiras! Todos esses deuses e Super-homens?

Ah, como estou farto de todas as inadequações que se insistem como correntes! Ah como estou cansado dos poetas!"

Quando Zaratustra falou assim, seu discípulo se ressentiu, mas ficou em silêncio. E Zaratustra também estava silêncio; e seus olhos se dirigiram para dentro, como se olhassem ao longe.

Finalmente ele suspirou e respirou fundo.

"Sou de hoje e até agora", disse ele então; "mas algo está em mim que é do amanhã, e do dia seguinte e do outro.

Fiquei cansado dos poetas, do velho e do novo: são todos superficiais para mim, mares rasos.

Eles não pensaram suficientemente nas profundezas; portanto, seu sentimento não alcançou o fundo.

Alguma sensação de volúpia e alguma sensação de tédio: estas ainda foram suas melhores contemplações.

Fantasma — respirando e fantasma — sussurrando, parece-me todo o tilintar — tilintar de suas harpas; o que eles sabem até agora do fervor dos tons!

Eles também não são puros o suficiente para mim: todos eles atrapalham sua água para que pareça profunda.

E de bom grado se proporcionariam reconciliadores: mas medíocres e misturadores são eles a mim, e metade impuros!

Ah, de fato lancei minha rede no mar deles e pretendia pescar bons peixes; mas sempre fiz desenhar a cabeça de algum Deus antigo.

Assim o mar deu uma pedra ao faminto. E eles próprios podem originar do mar.

Certamente, neles se encontram pérolas: assim, se parecem mais com moluscos duros. E em vez de uma alma, muitas vezes encontro neles limo de sal.

Aprenderam do mar também a sua vaidade: não é o mar o pavão dos pavões?

Mesmo antes que ao mais feio de todos os búfalos ele estenda a cauda; nunca se cansa de seu leque de prata e seda.

Desdenhosamente o búfalo olha para lá, perto da areia com sua alma, mais desdenhosamente ainda para o matagal, mais perto, porém, do pântano.

O que é beleza, mar e esplendor de pavão? Falo esta parábola aos poetas.

Na verdade, seu próprio espírito é o pavão dos pavões e um mar de vaidade!

Espectadores, busquem o espírito do poeta; deveriam ser búfalos!

Mas desse espírito me cansei; e vejo chegar a hora em que se cansará de si.

Sim, vi os poetas, e seus olhares se voltaram para si mesmos.

Tenho visto o aparecimento de penitentes do espírito; eles cresceram a partir dos poetas."

Assim falava Zaratustra.

XL. DOS GRANDES EVENTOS

Há uma ilha no mar — perto das Ilhas Afortunadas de Zaratustra — onde fumega uma constante montanha de fogo. O povo, e mormente as velhas, dizem que essa ilha está posicionada como um penhasco diante da porta do inferno; mas o mesmo atalho que leva a essa porta atravessa a ígnea montanha.

Sucedeu, pois, que na época em que Zaratustra vivia nas Ilhas Afortunadas, ancorou um baixel na ilha onde se acha a montanha fumegante, e a sua tripulação saltou para terra para atirar aos coelhos. Ao meio dia, porém, quando novamente estavam reunidos o capitão e a sua gente, viram de súbito um homem atravessar o ar perto deles, e uma voz pronunciou nitidamente estas palavras: "Já é tempo! não há um instante a perder!"

Quando a visão se aproximou mais — passava rápida, como uma sombra, em direção da montanha de fogo — reconheceram sobressaltados que era Zaratustra: porque já todos o conheciam, exceto o capitão, e lhe queriam como quer o povo, misturando em partes iguais o amor e o receio.

"Olhem — disse o piloto — é Zaratustra que vai para o inferno!"

Pela mesma época em que estes marinheiros arribaram à ilha do fogo, correu o boato de que desaparecera Zaratustra, e, interrogados os amigos, responderam que durante a noite embarcara sem dizer para onde.

Houve, por conseguinte, certa inquietação; mas ao fim de três dias essa inquietação aumentou com a narrativa dos marinheiros, e todo o povo julgava que o demônio levara Zaratustra. A verdade é que os discípulos dele se riam esses rumores, e até um deles chegaram a dizer: "Prefiro acreditar que foi Zaratustra quem levou o demônio". No íntimo, porém, todos estavam cheios de angústia e de sobressalto! Grande foi, portanto, o seu alvoroço quando ao fim de cinco dias, Zaratustra apareceu.

Eis a descrição da conversa que Zaratustra teve com o cão do fogo:

"A terra — disse — tem pele, e essa pele sofre enfermidades; uma delas, por exemplo, chama-se "homem".

E a outra chama-se "cão do fogo". Acerca dele têm os homens aqui mencionados e especializados muitas mentiras.

Para aprofundar esse segredo cruzei o mar e vi a verdade, nua, nua dos pés à cabeça.

Sei agora a que me hei de ater sobre o cão do fogo, assim como sobre todos os estragos que atemorizam, e não só como velhas.

Sai da tua profundidade, cão do fogo — exclamei — e confessa quão profunda é essa profundidade! Donde tiras o que vomitas?

Bebes copiosamente do mar: é isso o que revela o sal da tua facúndia. Verdadeiramente, para um cão das profundidades, tomas demasiado alimento da superfície.

Olho-te em suma, como o ventríloquo da terra, e sempre que ouvi falar em demônios de erupções e estragos, sempre me pareceram semelhantes a ti, com o teu sal, as tuas mentiras e as tuas trivialidades.

Sabes mugir e obscurecer com cinzas! Tens as maiores bocarras, e aprendestes bastante a arte de fazer ferver lodo.

Por onde quer que andes sempre há de haver perto de ti lodo e coisas esponjosas, cavernosas e comprimidas: tudo isso quer liberdade.

"Liberdade!" é o teu grito predileto, mas perdi a fé nos "grandes acontecimentos" desde que em torno deles muitos uivos e muita fumarada.

E confessa-o! Quando o teu ruído e o teu fumo se dissipavam, sempre sucedia ter-se passado coisa pouco importante. Que importa que uma cidade se torne múmia, e que caía no lodo uma coluna!

E distribuirei mais estas palavras para os destruidores de colunas: "É rematada loucura deitar sal no mar e colunas no lodo.

A coluna jazia no lodo do desprezo; mas a sua lei quer que surja do desprezo com nova vida e beleza.

Ergue-se agora com mais divina aparência e sedutor sofrimento, e ainda expõe graças, destruidores, pôr a terdes derrubado."

É este, porém, o conselho que dou aos reis e às igrejas, e a quanto fraqueja pela idade e pela virtude: "deixai-vos derrubar para volverdes à vida e de vós se assenhoreie uma virtude!"

Assim falei diante do cão do fogo; mas ele interrompeu-me rosnando e perguntou-me: "Igreja? Isso o que é?"

Igreja — respondi — é uma espécie de Estado, e uma espécie mais enganosa. Galante, porém, cão hipócrita: tu conheces a tua raça melhor que ninguém!

O Estado é um cão hipócrita como tu; como a ti, agrada-lhe falar fumegando e uivando, para fazer crer, como tu, que fala saindo das entranhas das coisas.

Que o Estado empenha-se em ser o animal mais importante da terra. E julga sê-lo.

Quando disse isto, o cão do fogo tirado do louco de ciúme "Que! — exclamou. — O animal mais importante da terra?

E julga sê-lo?" E do seu gasnete saíram vozes tão terríveis que supus que o asfixiaria a cólera e a inveja.

Por fim foi-se calando, diminuindo os seus uivos; mas quando se calou, disse-lhe eu rindo:

"Encolerizas-te, cão do fogo! Por isso, tenho razão.

E para conservar a razão, deixa-me falar-te doutro cão do fogo; este fala realmente do coração da terra.

O seu hálito é de ouro e uma chuva de ouro: assim o quer o seu coração.

As cinzas, o fumo e a espuma quente, para ele que são? Do seu seio voa um riso como uma nuvem colorida: é inimigo dos teus murmúrios, das tuas erupções, e da raiva das tuas entranhas.

O seu ouro e o seu riso, porém, tira-os do coração da terra porque, não sei se sabes que o coração da terra é de ouro!" Ao ouvir isto o cão do fogo não pôde escutar-me mais.

Envergonhado meteu o rabo entre as pernas, e arrastando-se para a sua casota, ia dizendo, confuso: "Guão! guão!" Assim contava Zaratustra; mas os discípulos quase o não ouviam, tanta era a sua vontade de lhes falar dos marinheiros, dos coelhos e do homem voador.

"Que hei eu pensar disso? — disse Zaratustra. — Acaso serei um fantasma? Isso deve ter sido a minha sombra.

Já ouvistes falar do viajante e da sua sombra? O certo é que devo prendê-la mais, ou tornará a prejudicar-me a reputação." E Zaratustra tornou a menear a cabeça com admiração:

"Que devo pensar disso? — repetiu. — Por que gritaria o fantasma? "Já é tempo! Não há um instante a perder!" Mas, para que é que já é tempo?"

Assim falava Zaratustra.

XLI. O ADIVINHO

"Vi uma grande tristeza pairando sobre a humanidade. Os melhores cansaram-se das suas obras.

Proclamou-se uma doutrina e com ela circulou uma crença: Tudo é vazio, nada muda, tudo passa!

É verdade que temos colhido; mas porque apodreceram e enegreceram os nossos frutos? Que foi que na última noite caiu da má lua?

O nosso trabalho foi inútil; o nosso vinho tornou-se veneno; o mau olhado amareleceu-nos os campos e os corações.

Secamos de todo, e se caísse fogo em cima de nós, as nossas cinzas voariam em pó. Sim; cansamos o próprio fogo.

Todas as fontes secaram para nós, e o mar retirou-se. Todos os solos se querem abrir, mas os abismos não nos querem tragar!

"Ó! Aonde haverá ainda um mar em que uma pessoa se possa afogar?" Assim a nossa queixa ressoa através dos pântanos.

Na verdade, já nos fatigamos demais para morrer; agora continuamos a viver acordados em abóbadas funerárias!"

Assim ouviu Zaratustra falar um adivinho; e a sua predição chegou-lhe diretamente à alma e transformou-o. Vagueou triste e fatigado, e tornou-se semelhante àqueles de que falara o adivinho.

"Na verdade — disse ele aos discípulos — pouco falta para chegar esse grande crepúsculo. Ai! Como hei de haver para o atravessar salvando a minha luz? Como farei para a minha luz se não afogar nessa tristeza? Deve ser ainda a luz de mundos longínquos a iluminar as noites mais longínquas!"

Fundamente preocupado, Zaratustra começou a vaguear de uma para outra parte, e durante três dias não comeu nem bebeu, nem descansou e perdeu a palavra. Por fim caiu num profundo sono.

Entretanto, os discípulos passavam grande vigílias, sentados à roda dele, e aguardavam desassossegados que despertasse e se curasse de sua tristeza.

Eis, porém, o discurso que lhes dirigiu Zaratustra ao despertar, ainda que sua voz parecesse vir de longe.

"Ouvi o sonho que tive, amigos, e ajudai-me a adivinhar a sua significação!

Para mim este sonho é um enigma; o seu sentido permanece ainda oculto nele e vela; ainda não paira livremente sobre ele.

Sonhei que renunciara à vida. Convertera-me em vigilante noturno e guardião dos túmulos, na montanha solitária do palácio da Morte.

Lá guardava os seus ataúdes: as abóbadas sombrias estavam cheias desses troféus das suas vitórias.

Através dos féretros de cristal olhavam-me as vidas vencidas. Respirava a atmosfera de eternidades reduzidas a pó: a minha alma jazia sufocada e machucada.

E quem poderia arejar ali a alma? Rodeava-me a claridade da noite, e ao seu lado acaçapava-se a solidão; sobre isto um sepulcral silêncio de agonia, o pior dos meus amigos.

Eu levava as minhas chaves, o mais ferrugentas que podiam ser; e sabia abrir com elas as portas mais complexas.

Com gritos roucos de cólera corriam os sons por largas galerias, quando se abriam os batentes da porta: uma ave soltava gritos sinistros: não queria ser acordada.

O mais espantoso, porém, e quando mais se me oprimia o coração era quando tudo outra vez se calava, e tornava a ver-me só no meio daquele silêncio traiçoeiro.

Assim passou o tempo lentamente, se é que ainda se podia falar de tempo; mas afinal sucedeu o que me despertou.

Soaram três pancadas à porta, as abóbadas tremeram e ressoaram três vezes seguidas: aproximei-me da porta.

— Alpa — exclamei. — Quem leva a sua cinza para a montanha? Alpa! Alpa! Quem leva a sua cinza para a montanha?

E apertava a chave, e empurrava a porta, e forcejava; mas a porta não cedia. Nisto o furacão separou-lhe, violento, os batentes; e por entre silvos e gritos agudos, que cortavam o ar, atirou-me com um negro ataúde.

E, silvando e rugindo, o ataúde despedaçou-se e despediu mil gargalhadas. Mil visagens de crianças, de anjos, de corujas, de loucos e de borboletas do tamanho de crianças se riam e zombavam de mim.

Tinha um medo horrível: cai no chão e gritei de pavor como nunca gritara. O meu grito despertou-me, porém, e tornei a mim."

Assim contou Zaratustra o seu sonho, depois calou-se, porque ainda lhe não conhecia a significação; mas o seu discípulo mais dileto levantou-se imediatamente, pegou-lhe na mão e disse: "A tua própria vida nos explica esse sonho, Zaratustra!

Não serás tu o vento de silvos agudos que arranca as portas do palácio da Morte?

Não serás tu o ataúde cheio de malignidades e de angélicas visagens da vida?

Na verdade, com mil gargalhadas infantis chega Zaratustra a todas as câmaras mortuárias, rindo-se de todos esses vigias noturnos e de todos esses guardiães dos sepulcros que agitam as suas chaves com sinistro som.

Tu os espantarás e derribarás com o teu riso; o desmaio e o despertar provaram o teu poder sobre eles.

E mesmo quando chegar o longo crepúsculo e a mortal lassidão, tu não desaparecerás do nosso céu, patrocinador da vida! Mostraste-nos novas estrelas e novos esplendores noturnos; estendeste sobre nós o próprio riso com um toldo ricamente matizado.

Agora, dos túmulos brotarão sempre risos infantis; agora virá, sempre vitorioso de todos os desfalecimentos mortais, um vento enérgico, do qual tu és o fiador e o adivinho.

Em verdade sonhaste com eles — com os teus inimigos; — foi esse o teu sonho mais doloroso.

Mas assim como despertaste deles e tornaste a ti, assim eles devem despertar-se a si próprios... e tornar para ti." Deste modo falou o discípulo; e todos os outros se apinhavam à roda de Zaratustra, pegavam-lhe as mãos e queriam induzi-lo a largar o leito e a tristeza para tornar para eles.

Zaratustra, porém, continuava no leito, com um olhar estranho.

Como se regressasse de longa ausência contemplou os discípulos e observou-lhes os semblantes; e ainda assim não os reconheceu; mas quando o ergueram e puseram de pé, os olhos transformaram-se-lhe de repente; compreendeu tudo quanto sucedera, e cofiando a barba, disse com voz firme:

"Ora! tudo isso virá a seu tempo; mas, agora, discípulos meus, ide arranjar bom alimento, e já. Quero penitenciar-me assim dos meus maus sonhos! O adivinho, porém, deve comer e beber a meu lado; e lhe indicarei um mar onde se possa afogar."

Assim falava Zaratustra.

XLII. DA REDENÇÃO

Um dia, passando Zaratustra pela ponte grande, viu-se rodeado de aleijados e de mendigos, e um corcunda disse-lhe assim:

"Olha, Zaratustra! Também o povo aprende de ti, e começa a crer na tua doutrina; mas para te acreditarem de todo ainda falta uma coisa: tens que nos convencer também a nós, aleijados. Tens por onde escolher! Podes curar cegos, fazer andar coxos e aliviar um tanto o que leva às costas uma carga pesada. Será este, a meu ver, o melhor modo de fazer que os aleijados creiam em Zaratustra".

Zaratustra respondeu assim ao que falara: "Se ao corcunda se lhe tira a corcova tira-se-lhe ao mesmo tempo o espírito — assim diz o povo. — Se ao cego se restitui a vista, vê na terra demasiadas coisas más; de forma que maldiz daquele que o curou. — O que faz correr o coxo faz-lhe o maior dos males: porque apenas se apanha a correr desenvolvem-se-lhe os vícios. Eis o que diz o povo quanto aos aleijados. E por que razão não aprenderia Zaratustra do povo o que o povo aprendeu de Zaratustra?

Desde que vivo entre os homens, porém, o que menos me importa é ver que a este falta um olho, àquele um ouvido, a um terceiro a perna, ou que haja outros que perderam a língua, o nariz ou a cabeça.

Vejo e já vi coisas piores: e as há tão espantosas, que não quereria falar de todas elas nem também calar-me sobre alguma, a saber: há homens que carecem de tudo, conquanto tenham qualquer coisa em excesso — homens que são unicamente um grande olho, ou uma grande boca, ou um grande ventre, ou qualquer outra coisa grande. — A esses chamo aleijados às avessas.

Quando, ao sair da minha soledade, atravessava pela primeira vez esta ponte, não dei crédito aos meus olhos, não cessei de olhar e acabei por dizer: "Isto é uma orelha! Uma orelha do tamanho de um homem!" Acercava-me mais, e por trás da orelha movia-se algo tão pequeno, mesquinho e débil que fazia compaixão. E efetivamente: a monstruosa orelha descansava num tênue cabelo — esse cabelo era um homem! — Olhando através de uma lente ainda se podia reconhecer uma cara invejosa, e também uma alma vã que se agitava no remate do cabelo. O povo, contudo, dizia-me que a orelha grande era não só um homem mas um grande homem, um gênio. Eu, porém, nunca acreditei no povo quando me falava de grandes homens, e sustento a minha ideia de que era um aleijado às avessas que tinha pouquíssimo de tudo e uma coisa em demasia."

Assim que Zaratustra disse isto ao corcovado e àqueles de quem era intérprete e representante, voltou-se para os discípulos com profundo descontentamento e disse:

"Meus amigos, ando entre os homens como entre fragmentos e membros de homens.

Para os meus olhos o mais horrível é vê-los destroçados e divididos como em campo de batalha e de morticínio.

E se os meus olhos fogem do presente para o passado, sempre encontram o mesmo: fragmentos, membros, e casos espantosos... mas homens, não!

O presente e o passado sobre a terra... ai, meus amigos! eis para mim o mais insuportável; e não viveria se não fosse um visionário do que deve vir.

Um vidente, um voluntário, um criador, um futuro e uma ponte para o futuro — e também, aí! até certo ponto, um aleijado no meio dessa ponte —, tudo isto é Zaratustra.

E vós também vos interrogastes amiúde: "Para nós quem é Zaratustra? Como lhe poderemos chamar?" E à minha imitação destes as vossas perguntas como respostas.

É o que promete ou o que cumpre? Um conquistador ou um herdeiro? O outono ou a relha do arado? Um médico, ou um convalescente?

É poeta ou diz a verdade? É libertador ou dominador? Bom ou mau?

Ando entre os homens como entre os fragmentos do futuro: desse futuro que os meus olhares aprofundam.

E todos os meus pensamentos e esforços tendem a condenar e a unir numa só coisa o que é fragmento e enigma e espantoso azar.

E como havia de suportar ser homem, se o homem não fosse também poeta adivinho de enigmas e redentor do azar?!

Redimir os passados e transformar tudo, "foi" num "assim o quis": só isto é redenção para mim.

Vontade! — assim se chama o libertador e o mensageiro da alegria: — eis o que vos ensino, meus amigos; mas aprendei também isto: a própria vontade é ainda escrava. O querer liberta; mas, como se chama o que aprisiona o libertador?

"Assim foi": eis como se chama o ranger de dentes e a mais solitária aflição da vontade. Impotente contra o fato, a vontade é para todo o passado um malévolo espectador.

A vontade não pode querer para trás: não pode aniquilar o tempo e o desejo do tempo é a sua mais solitária aflição.

O querer liberta: que há de imaginar o próprio querer para se livrar da sua aflição e zombar do seu cárcere?

Ai! Todo o preso enlouquece! Também loucamente se liberta a vontade cativa.

A sua raiva concentrada é o tempo não retroceder; "o que foi": assim se chama a pedra que a vontade não pode remover.

E por isso, por despeito e raiva, remove pedras e vinga-se do que não sente como ela raiva e despeito.

Assim a vontade, a libertadora, tornou-se maléfica; e vinga-se em tudo que é capaz de sofrer, de não poder voltar para trás.

Isto, e só isto, é a vingança em si mesma, a repulsão da vontade contra o tempo e o seu "foi".

Realmente vive uma grande loucura na nossa vontade; e a maldição de todo o humano é essa loucura haver aprendido a ter espírito.

O espírito de vingança: meus amigos, tal foi até hoje a melhor reflexão dos homens; e onde quer que houvesse dor, deve sempre ter havido castigo.

"Castigo": assim se chama a si mesma a vingança: com uma palavra enganadora finge uma consciência limpa.

E como naquele que quer há sofrimento, posto que não é permitido querer para trás, a própria vontade e toda a vida deviam ser castigo.

E assim se acumulou no espírito uma nuvem após outra, até que a loucura proclamou: "Tudo passa; por conseguinte, tudo merece passar!"

"E aquela lei que diz que o tempo deve devorar os seus próprios filhos, é a mesma justiça". Assim se proclamou a loucura.

"A ordem moral das coisas repousa no direito e no castigo. Ai! Como livrarmo-nos da corrente das coisas e do castigo da "existência"?" Assim se proclamou a loucura.

"Como pode haver redenção, se há um direito eterno? Ai! Não se pode remover a pedra do passado: é mister que todos os castigos sejam também eternos!" Assim se proclamou a loucura.

"Nenhum fato pode ser destruído; como poderia ser desfeito pelo castigo?" Eis o que há de eterno no castigo da existência: a existência deve ser uma vez e outra, eternamente, ação e dívida. "A não ser que a vontade acabe por se libertar a si mesma, e que o querer se mude em não querer". Mas, irmãos, vós conheceis estas canções da loucura!

Vos afastei delas quando vos disse: "A vontade é um criador".

Todo o "foi" é fragmento e enigma e espantoso azar, até que a vontade criadora acrescente: "Mas eu assim o quero! Assim o hei de querer".

Já falou, porém, assim? E quando sucederá isso? Acaso a vontade se livrou da sua própria loucura?

Porventura se tornou a vontade para si mesma redentora e mensageira de alegria? Acaso esqueceu o espírito de vingança e todo o ranger de dentes?

Então quem lhe ensinou a reconciliação com o tempo e qualquer coisa mais alta que a reconciliação?

É preciso que a vontade, que é vontade de Jerônimo, queira qualquer coisa mais alta que a reconciliação; mas, como? Quem a ensinará também a retroceder?"

Neste ponto do seu discurso, Zaratustra deteve-se, como de súbito assaltado pelo terror. Contemplou os discípulos com olhos espantados: o seu olhar penetrava como setas nos seus pensamentos. Passado um momento, porém, tornou-se a rir e disse com serenidade:

"É difícil viver entre os homens porque é tão difícil uma pessoa calar-se. Sobretudo para um falador!"

Assim disse Zaratustra. O corcunda, entretanto, escutara a conversa ocultando a cara: quando ouviu rir Zaratustra ergueu os olhos com curiosidade e disse lentamente:

"Porque é que Zaratustra nos fala de uma maneira e doutra diferente aos seus discípulos?"

Zaratustra respondeu: "Que há de estranhar? Com seres disformes pode-se muito bem falar de uma maneira disforme!"

"Sim", disse o corcunda. "E com estudantes bem se pode fazer de professor.

Mas, porque é que Zaratustra fala de um modo aos seus discípulos, e doutro a si próprio?"

XLIII. DA CIRCUNSPECÇÃO HUMANA

"Não é a altura que aterroriza; o que aterroriza é o declive!

O declive donde o olhar se precipita para o fundo, e a mão se estende para o cume. É aqui que se apodera do coração a vertigem da sua dupla vontade.

Ai, meus amigos! Adivinhais a dupla vontade do meu coração?

Vejam, vejam, qual é o meu declive e o meu perigo; o meu olhar precipita-se para o cume, enquanto a minha mão quereria fincar-se e amparar-se... no abismo!

Ao homem se me aferra a vontade, ao homem me prendo com cadeias, enquanto do alto me atrai o Super-homem: porque para lá quer ir a minha outra vontade.

E por isso vivo cego entre os homens, como se os não conhecesse: para a minha mão não perder inteiramente a sua fé nas coisas sólidas.

Não vos conheço a vós, homens; é essa a obscuridade e o consolo que amiúde me envolve.

Sinto-me perto de todos os pérfidos, e pergunto: Quem me quer enganar?

A minha primeira circunspecção humana é deixar-me enganar para não me ver obrigado a estar em guarda contra os enganadores.

Ai! Se me pusesse em guarda contra o homem, como poderia ser o homem uma âncora para o meu barco? Facilmente me veria arrastado para o largo.

Não me precaver: tal é a providência que preside ao meu destino.

E aquele que não quiser morrer de sede entre os homens deve aprender a beber em todos os vasos, e o que quiser permanecer puro entre os homens deve aprender a lavar-se em água suja.

Eis o que a mim mesmo tinha dito muitas vezes à guisa de consolação: "Não te importes, velho coração! Feriu-te um infortúnio: gloria-te disso como de uma ventura!"

Eis aqui, porém, a minha outra circunspecção humana: trato com mais considerações os vaidosos que os orgulhosos.

Não é a vaidade ferida mãe de todas as tragédias? Mas, onde é o orgulho que se fere, cresce qualquer coisa melhor do que ele.

Para o espetáculo da vida recrear é mister que seja bem representado; mas para isso necessitam-se bons atores.

Todos os vaidosos me têm parecido bons atores; representam e querem que a gente se divirta em os ver: todo o seu espírito está nesse desejo.

Põem-se em cena, e fingem; ao seu lado gozo na contemplação da vida: assim se cura a melancolia.

Por isso sou diferente para os vaidosos: porque são os médicos da minha melancolia e me apegam ao homem como a um espetáculo.

Quem medirá, em toda a sua profundidade, a modéstia do vaidoso? Gosto dele e lastimo-o pela sua modéstia.

De vós outros quer aprender a fé em si mesmo; de vossos olhares se alimenta, de vossas mãos come o elogio.

Até acredito nas vossas mentiras, se mentis bem acerca dele, porque no fundo do coração suspira: "Quem sou eu?"

E se a verdadeira virtude é a que nada sabe de si mesma, o vaidoso nada sabe da sua modéstia!

Eis aqui, porém, a minha terceira sisudez humana; não quero privar-me da vista dos maus por uma timidez igual a vossa.

Desfruto vendo os portentos que faz brotar o sol ardente: tigres e palmeiras e cobra cascavel.

Também se vêm entre os homens lindas crias do ardente sol, e muitas coisas maravilhosas entre os maus.

Verdade é que assim como os mais sensatos de vós me não parecem tais completamente, assim também a maldade dos homens me pareceu inferior à sua reputação.

E muitas vezes perguntei a mim mesmo, meneando a cabeça: Porque sonhas ainda, cobra cascavel?

Até para o mal há um futuro. E ainda: para o homem se não descobriu o meio-dia mais ardente.

Quantas coisas se chamam já hoje as piores das maldades e que, todavia, não têm mais de doze pés de largura.

Um dia, porém, virão ao mundo dragões maiores.

Que para o Super-homem ter o seu dragão, o superdragão digno dele, serão precisos muitos sóis ardentes que caldeiem as úmidas selvas virgens!

É preciso que os vossos gatos monteses se transformem em tigres, e os vossos sapos venenosos em crocodilos: porque ao bom caçador convém boa caça!

É a verdade, justos e bons! Há em vós outros muitas coisas que se prestam ao riso, especialmente o vosso temor pelo que hoje se tem chamado demônio!

E a vossa alma está tão longe do que é grande, que o Super-homem vos espantaria com a sua bondade!

E vós outros, sábios e ilustres, fugiríeis ante a ardência solar da sabedoria em que, prazenteiro, banha o Super-homem a sua nudez.

Homens superiores em que tem tropeçado o meu olhar! É esta a minha dúvida sobre vós outros e o meu secreto riso! Adivinho que chamaríeis... demônio ao meu Super-homem!

Ai! Enfastiei-me desses superiores e melhores: desejo subir e afastar-me cada vez mais da sua altura, com rumo ao Super-homem.

Deu-me um calafrio quando vi nus os melhores deles, então me nasceram asas para me transportarem a longínquos futuros.

A futuros mais remotos, a meios-dias mais meridionais que os que jamais pôde sonhar a fantasia, além onde os deuses se envergonham de todo o vestuário.

Mas a vós outros, irmãos e próximos meus, quero-vos ver disfarçados e bem adornados, e vaidosos, e dignos, com os "bons e os justos".

E disfarçado quero eu estar também entre vós para vos desconhecer e desconhecer-me a mim mesmo: porque é esta a minha última circunspecção humana."

Assim falava Zaratustra

XLIV. A HORA MAIS SILENCIOSA

"O que aconteceu comigo, meus amigos? Vós me vedes perturbado, de canto, obediente, pronto para partir - infelizmente, para me afastar de VÓS!

Sim, mais uma vez Zaratustra deve retirar-se para sua solidão: mas infelizmente desta vez o urso volta para sua caverna!

O que aconteceu comigo? Quem ordena isto? — Ah, minha zangada senhora deseja então; ela falou para mim. Já citei o nome dela para ti?

Ontem, ao anoitecer, falou-me MINHA HORA MAIS SILENCIOSA: esse é o nome de minha terrível amante.

E assim aconteceu, pois tudo devo dizer-lhe, para que seu coração não se endureça contra aquele que está partindo repentinamente!

Vós conheceis o terror daquele que adormece?

Ele está apavorado até os dedos dos pés, porque o chão cede sob ele, e o sonho começa.

Isto vos falo por parábola. Ontem na hora mais silenciosa o chão cedeu debaixo de mim: o sonho começou.

O ponteiro das horas avançou, o relógio da minha vida respirou - nunca ouvi tal quietude ao meu redor, de modo que meu coração estava apavorado.

Então me foi falado sem voz: "TU SABES, ZARATUSTRA?"

E chorei de terror com este sussurro, e o sangue deixou meu rosto: mas fiquei em silêncio.

Então foi-me dito mais uma vez, sem voz: "Tu o sabes, Zaratustra, mas tu não o falas!"

E finalmente respondi, como um desafiador: "Sim, sei, mas não vou falar isso!"

Então foi-me dito novamente, sem voz: "Não queres, Zaratustra? É isto verdade? Não te ocultes atrás do teu desafio!"

E chorei e tremi como uma criança, e disse: "Ah, sim, mas como posso fazer isso? Isenta-me apenas disso! Está além do meu poder!"

Então foi novamente falado para mim sem voz: "O que importa sobre ti, Zaratustra? Fala a tua palavra e sucumbe!"

E eu respondi: "Ah, é a minha palavra? Quem sou eu? Espero o mais digno; eu não sou digno até mesmo de sucumbir por ele."

Então, foi-me dito novamente, sem voz: "O que te importa? Tu ainda não é humilde o suficiente para mim. A humildade tem a pele mais dura."

E eu respondi: "O que não suportou a pele da minha humildade! Ao pé da minha altura eu habito: quão alto são os meus cumes, ninguém ainda me disse. Mas conheço bem meus vales."

Então, foi-me dito novamente, sem voz: "Ó Zaratustra, aquele mover montanhas, move também vales e planícies."

E eu respondi: "Minha palavra ainda não moveu montanhas, e o que disse não alcançou o homem. Fui, de fato, aos homens, mas ainda não os alcancei."

Então, foi novamente falado para mim, sem voz: "O que tu sabes DISSO? O orvalho cai sobre a grama quando a noite está mais silenciosa."

E respondi: "Zombaram de mim quando descobri e andei no meu próprio caminho; e certamente meus pés tremeram. E assim eles falaram comigo: Tu esqueceste o caminho antes, agora tu também esquece!"

Então, foi-me dito novamente, sem voz: "Que importa a respeito de sua zombaria!

Tu és aquele que desaprendeu a obedecer: agora tu deves comandar!

Não sabes quem é mais necessário para todos? Aquele que comanda grandes coisas.

É difícil executar grandes coisas: mas a tarefa mais difícil é comandar grandes coisas.

Esta é a tua obstinação mais imperdoável: tu tens o poder e não queres governar."

E eu respondi: "Não tenho a voz do leão para todos os comandantes."

Então foi novamente falado para mim como um sussurro: "São as palavras mais calmas que trazem a tempestade. Os pensamentos que vêm com os passos das pombas guiam o mundo.

Zaratustra, irás como a sombra do que está por vir; assim farás comando, e no comando vai primeiro."

E eu respondi: "Tenho vergonha."

Em seguida, foi novamente falado para mim sem voz: "Tu ainda deves tornar-te uma criança, e não tenha vergonha.

O orgulho da juventude ainda está sobre ti; tarde te tornaste jovem: mas aquele que tornar-se uma criança deve superar até mesmo sua juventude."

Considerei um longo tempo, e tremi. Por fim, no entanto, disse o que havia dito primeiro. "Eu não vou."

Então uma risada aconteceu ao meu redor. Infelizmente, aquele riso dilacerou meus intestinos e fez corte em meu coração!

E foi-me dito pela última vez: "Ó Zaratustra, os teus frutos estão maduros, mas tu não estás maduro para teus frutos!

Portanto, deve ir novamente para a solidão, pois ainda deve tornar-se maduro."

E novamente houve uma risada, e ele fugiu: então ficou quieto ao meu redor, como com uma quietude dupla. Deitei, no entanto, no chão, e o suor escorria de meus membros.

– Agora já ouvistes tudo e por que devo voltar para a minha solidão. Nada guardei escondido de vós, meus amigos.

Mas até isso vós ouvistes de mim, QUE ainda é o mais reservado dos homens - e será!

Ah, meus amigos! Deveria ter algo mais a dizer-vos! Deveria ter algo mais para dar-vos! Por que não dou? Sou um avarento?"

Quando, no entanto, Zaratustra disse essas palavras, a violência de sua dor e um sentimento da proximidade de sua partida de seus amigos veio sobre ele, de modo que ele chorou alto; e ninguém sabia como consolá-lo. À noite, no entanto, foi embora sozinho e deixou seus amigos.

PARTE III

"Vós olhais para cima quando aspirais em vos elevar. Eu, como estou no alto, olho para baixo. Qual de vós pode se conservar no alto e rir ao mesmo tempo?
Aquele que escala as montanhas mais altas, ri de todas as peças e realidades trágicas."

XLV. O ANDARILHO

Então, por volta da meia-noite, Zaratustra passou pela crista da ilha, para chegar de madrugada na outra costa; porque lá ele pretendia embarcar. Pois havia um bom ancoradouro ali, no qual os navios estrangeiros também gostavam de ancorar: aqueles navios levavam muitas pessoas com eles, que desejavam cruzar as Ilhas Afortunadas. Então enquanto Zaratustra subia a montanha, pensava no caminho de suas andanças solitárias desde a juventude, e quantas montanhas e cumes já havia escalado.

"Sou um andarilho e alpinista", disse ele em seu coração, "não amo as planícies e parece que não posso ficar parado por muito tempo.

Já passou o tempo em que acidentes poderiam me acontecer; e agora que me poderia sobreviver que já não tenha sido meu!

O meu próprio eu está de regresso, finalmente, meu próprio Ser, e tudo o que foi há muito tempo por terras estranhas, e espalhado entre coisas e contingências.

Nada mais sei, senão que estou agora antes do meu último cume, e diante daquele que me foi poupado durante muito tempo. Ah, tenho que seguir meu caminho mais difícil! Ah, comecei minha peregrinação mais solitária!

Aquele, no entanto, que é da minha natureza não evita tal hora, da hora que diz: Agora só tu segues o caminho para a tua grandeza! Cume e abismo são agora compreendidos juntos!

Tu segues o caminho para a tua grandeza: agora se tornou o teu último refúgio, o que era até agora teu último perigo!

Tu segues o caminho para a tua grandeza: agora deve ser a tua melhor coragem para que não haja mais qualquer caminho atrás de ti!

Tu segues o caminho para a tua grandeza: ninguém seguira as tuas pegadas! Teu próprio pé apagou o caminho que deixais atrás de ti, e sobre ele está escrito: Impossibilidade.

E se todas as escadas de agora em diante te falharem, então aprendereis a subir mais alto que a sua própria cabeça: como quererias subir de outra forma?

Sobre a tua própria cabeça e além do teu coração! Agora o mais suave vai se tornar para ti o mais duro.

Aquele que sempre se condescendeu adoece por fim com sua grande condescendência. Louvores pelo que o torna resistente! Não elogio a terra onde a manteiga e o mel fluem!

Para ver muitas coisas é preciso desprender o olhar pra si mesmo. Essa dureza é necessária para escalar montanhas.

Ele, no entanto, que é intrusivo com seus olhos como um discernidor, como pode não ver mais nada além de seu primeiro plano!

Mas tu, ó Zaratustra, queres ver a base de tudo, e seu pano de fundo: assim deves subir mesmo acima de ti mesmo, para cima, para cima, até que tenhas até as tuas estrelas abaixo de ti!

Sim, do alto olhar para mim mesmo e também para as minhas estrelas! Só a isso chamaria meu cume, esse que ainda estaria reservado para mim, meu topo derradeiro."

Assim falava Zaratustra consigo mesmo enquanto subia, confortando seu coração com rudes máximas: pois estava com o coração dolorido como nunca antes. E quando alcançou o topo da crista da montanha, eis que lá estava o outro mar estendido diante dele: e ficou parado em silêncio por muito tempo. Naquela altura, a noite, no entanto, estava fria, clara e estrelado.

"Reconheço meu destino", disse ele por fim, com tristeza. "Nós vamos! Estou pronto. Agora minha última solidão começou.

Ah, este mar sombrio e triste, abaixo de mim! Ah, esse sombrio aborrecimento noturno! Ah, destino e mar! Devo agora descer para vós!

Estou diante de minha mais alta montanha e de minha mais longa viagem! Por isso tenho de descer como nunca desci!

Tenho de ir ao fundo da dor mais do que nunca, até suas águas mais escuras! Assim o quer meu destino. Coragem! Estou pronto!

De onde vêm as montanhas mais altas? Também perguntei uma vez. Então aprendi que elas vêm do mar.

Esse testemunho está inscrito em suas pedras e nas paredes de seus cumes. Do mais profundo deve o mais alto atingir seu apogeu."

Assim falava Zaratustra para si mesmo, no pico da montanha onde reinava o frio. Mas quando chegou perto do mar e se encontrou sozinho entre as rochas da margem, sentiu-se cansado do caminho e ainda mais cheio que antes de ardentes desejos.

"Tudo dorme ainda", disse ele; "até o mar dorme. Ele olha para mim sonolento e estranhamente.

Mas sinto que sua respiração é quente. E ao mesmo tempo vejo que sonha. Agita-se sonhando sobre duros travesseiros.

Ouça! Ouça! Quantos gemidos com más recordações! Ou serão maus presságios?

Ah, estou triste contigo, monstro sombrio, e zangado comigo mesmo por sua causa.

Ah! Minha mão não tem força suficiente! Com prazer, de fato, te libertaria dos maus sonhos!"

E enquanto Zaratustra falava assim, ria de si mesmo com melancolia e amargura. "O que? Zaratustra", disse ele, "cantarás consolação ao mar?

Ó Zaratustra! Louco rico de amor, ébrio de confiança! Mas assim sempre foi, sempre te aproximaste com confiança de coisas terríveis.

Querias acariciar todos os monstros. Um sopro de hálito quente, um pouco de pele macia nas garras e imediatamente estavas dispostos a amar e a atrair.

O amor é o perigo do mais solitário, amor por todos os seres, contanto que estejam vivos!

Risível, na verdade, é minha loucura e minha modéstia no amor!"

Assim falava Zaratustra e pôs-se a rir outra vez.

Então, no entanto, ele pensou amigos que deixara e, como se tivesse feito algo errado contra eles em pensamento, censurou-se por causa de seus pensamentos. E assim o que ria logo estava chorando. Zaratustra chorava amargamente de raiva e nostalgia.

XLVI. A VISÃO E O ENIGMA

I

Quando se espalhou entre os marinheiros que Zaratustra estava a bordo do navio —porque, ao mesmo tempo que ele, fora a bordo um homem da Ilhas Afortunadas; houve grande curiosidade e grande expectativa.

Mas Zaratustra calou-se por dois dias, permaneceu frio e surdo com tristeza; para que não respondesse olhares nem perguntas.

Na noite do segundo dia, no entanto, ele novamente abriu os ouvidos, embora ainda permanecesse em silêncio, pois havia muitas coisas curiosas e perigosas para serem ouvidas a bordo do navio, que veio de longe, e deveria ir ainda mais longe. Zaratustra, porém, era amigo de todos os que fazem grandes viagens e de quem não sabe viver sem perigo. E vejam! ao ouvir, sua própria língua foi finalmente afrouxado, e o gelo de seu coração se quebrou. Então ele começou a falar assim:

"Para vós, os ousados aventureiros e exploradores, e quem quer que tenha embarcado com astúcia em mares assustadores, para vós, o ébrios de enigmas, apreciadores do crepúsculo, cujas almas são atraídas por flautas para cada golfo traiçoeiro.

Porque não quereis seguir às cegas e com mão medrosa um fio condutor; e onde quer que podeis adivinhar aborreceis concluir.

Só para vós conto o enigma que vi. A visão do mais solitário.

Caminhei sombriamente, ultimamente, no crepúsculo da cor de um cadáver, sombriamente e severamente, com lábios comprimidos. Não apenas um sol se pôs para mim.

Um sendeiro que subia com ar de desafio por entre despenhadeiros, um sendeiro perverso e solitário que já não queria erva nem brenhas, um sendeiro da montanha rechinava ante o repto dos meus passos.

Marchando silenciosamente sobre o tilintar desdenhoso de seixos, pisoteando a pedra que o deixou escorregar: assim meu pé forçou seu caminho para cima.

Para cima: embora gravitasse sobre mim esse espírito, a puxar para o abismo; a despeito do espírito do pesadelo, meu demônio e mortal inimigo.

Para cima: embora gravitasse sobre mim esse espírito, entre anão e míope, paralisado e paralisador; pingando chumbo em meu ouvido e pensamentos como gotas de chumbo em meu cérebro.

"Ó Zaratustra", sussurrou com desdém, sílaba por sílaba, "ó pedra da sabedoria! Tu te jogaste bem alto, mas toda pedra lançada deve cair!

Condenado por ti mesmo e ao teu apedrejamento: ó Zaratustra, longe de fato te arremessaste tua pedra, mas sobre ti ela recuará!"

Então o anão ficou em silêncio; e durou muito. O silêncio, entretanto, oprimia-me; quando uma pessoa se desdobra em duas, fica-se verdadeiramente mais solitário do que quando está sozinho!

Eu subi, subi mais, sonhando e pensando, mas tudo me oprimia. Assemelhava-se a um enfermo prostrado pela agudeza do seu sofrimento, e a quem um pesadelo desperta do seu torpor.

Mas há algo em mim que chamo de coragem: até agora ela matou em mim todo desânimo. Essa coragem finalmente mandou que eu parasse e dissesse: "Anão! Ou tu ou eu!"

Pois a coragem é o melhor dos matadores, a coragem que ataca, pois em cada ataque há o som de triunfo.

É o homem o animal mais valoroso: por isso venceu todos os outros animais. Ao rufar do tambor triunfou sobre todas as dores; e a dor humana é a dor mais profunda.

A coragem mata também a vertigem nos abismos: e onde o homem não estará à beira dos abismos? Mesmo olhar··· não será ver abismos?

A coragem é a melhor matador: a coragem também mata a compaixão. E a compaixão, no entanto, é o abismo mais profundo: tão profundo quanto o homem olha para a vida, tão profundo quanto ele vê o sofrimento.

Coragem, no entanto, é o melhor matador, coragem que ataca: mata até a própria morte; pois diz: "Era isto a vida? Então tornemos a começar!"

Nesse discurso, entretanto, há muito som de triunfo. Quem tiver ouvidos que ouça."

II

""Pare, anão!", eu disse. "Ou tu ou eu! Eu, no entanto, sou o mais forte dos dois: tu não conheces o meu pensamento mais profundo! Isso tu não poderias suportar!"

Então aconteceu que me deixou mais leve, pois o anão saltou do meu ombro, o espírito curioso! E se agachou em uma pedra na minha frente. No entanto, havia um portal onde paramos.

"Anão! Olhe para este portal!", continuei, "Ele tem duas faces. Duas estradas se unem aqui: ninguém foi até o fim.

Esta longa estrada para trás... ela continua por uma eternidade. E aquele longo caminho à frente, é outra eternidade.

Estes caminhos são contrários, opõem-se um ao outro, e encontram-se aqui neste portal. O nome do portal, está escrito em cima; chama-se "instante".

Mas se alguém os seguir mais, e cada vez mais e mais adiante, acaso julgas, anão, que essas estradas seriam eternamente antitéticas?"

"Tudo quanto é reto mente", murmurou o anão. "Toda verdade é distorcida; o próprio tempo é um círculo."

"Tu, espírito de gravidade!", disse eu com raiva, "Não leve isso muito levianamente! Ou vou deixar-te acaçapado onde estás, e olha que fui eu quem te trouxe cá acima!"

"Olha para este instante!", continuei. "Deste portal de momento segue para trás uma larga e eterna rua; detrás de nós há uma eternidade.

Tudo quanto é capaz de correr não deve já ter percorrido alguma vez esta rua? Tudo o que pode suceder não deve ser sucedido, ocorrido, já alguma vez?

E se tudo já existiu, o que pensas, anão, deste momento? Este portal também não deve ter já existido?

E não estão todas as coisas firmemente agarradas umas às outras que para ele atrai este instante todas as coisas futuras? Em decorrência a ele próprio também.

E se tudo já existiu por aqui, que pensas tu, anão, deste instante? Esse portal não deve também... ter existido por aqui?

E esta aranha lenta que se assusta ao luar, tanto atrai após si o seguinte? Por consequência... até a si mesmo?

Porque tudo quanto é capaz de correr deve percorrer também mais de uma vez esta larga rua que sobe!"

Assim falava, sempre suavemente, pois tinha medo dos meus próprios pensamentos e de suas intenções. Então, de repente ouvi um cachorro uivar perto de mim.

Já tinha ouvido um cachorro uivar assim? Meus pensamentos voltaram ao passado. Sim! Quando eu era criança, na minha mais distante infância.

Então ouvi um cachorro uivar assim. E vi também, com os cabelos eriçados, a cabeça para cima, tremendo na mais silenciosa meia-noite, quando até os cães acreditam em fantasmas.

De modo que isso despertou minha comiseração. Acabava de aparecer a lua cheia, silenciosa como a morte, e parou exatamente sobre a casa, como um globo brilhante, imóvel sobre o teto plano, como em propriedade alheia.

Desse modo, o cão ficara apavorado, pois os cães acreditam em ladrões e fantasmas. E quando novamente ouvi tal uivo, então despertou minha comiseração mais uma vez.

Onde estava agora o anão? E o portal? E a aranha? E todos os sussurros? Sonhara? Teria acordado? Encontrei-me de repente entre duas rochas acidentadas, sozinho, triste e abandonado ao mais triste luar.

Mas ali jazia um homem! O cão pulando, eriçando-se, ganindo, agora via-me chegando, então uivou de novo e pôs-se a ganir. Já ouviu alguma vez um cão pedir ajuda assim?

E, na verdade, o que vi, foi algo como nunca tinha visto. Vi um jovem pastor, contorcendo-se, sufocando, tremendo, com semblante distorcido e com uma pesada serpente negra pendurada fora de sua boca.

Quando vira tal repugnância e pálido terror num semblante? Adormecera, de certo, e a serpente se introduziu-se na garganta dele, ali se aferrando.

Minha mão começou a puxar a serpente e puxava, mas em vão! Falhei em puxar a serpente de sua garganta. Então me escapou um grito: "Morde! Morde!" Assim gritava em mim meu espanto, meu ódio, minha repugnância, minha compaixão, todo o meu bem e meu mal se puseram a gritar em mim num só grito.

Vós, intrépidos que me rodeias! Exploradores, aventureiros e quem quer que seja dentre vós que zarpou astuciosamente por mares inexplorados! Vós que gostais de enigmas!

Resolva-me o enigma que então contemplei, interpretai a visão do mais solitário!

Porque foi a um tempo visão e previsão. Que vi então uma imagem? E quem é aquele que necessariamente ainda deve chegar algum dia?

Quem é o pastor em cuja garganta a serpente rastejou assim? Quem é o homem em cuja garganta se introduzira o que houver de mais negro e mais pesado?

O pastor, entretanto, começou a morder quando meu grito o advertiu; mordeu com uma mordida forte! Cuspiu longe a cabeça da serpente e saltou em pé.

Não era mais pastor, não era mais homem, um ser transfigurado, um ser rodeado de luz, que sorriu! Nunca na terra um homem riu como ele!

Ó meus irmãos, ouvi uma risada que não era humana, e agora devora-me uma sede de mim, uma saudade que nunca se apaga.

Minha saudade daquela risada me atormenta: oh, como posso ainda suportar a vida! E como eu poderia suportar morrer agora!"

Assim falava Zaratustra.

XLVII. DA BEATITUDE INVOLUNTÁRIA

Com tantos enigmas e amargura no coração, Zaratustra navegou pelo mar. Quando, no entanto, estava a quatro dias de jornadas das Ilhas Afortunadas e de seus amigos, então superou toda a sua dor: triunfante e com os pés firmes, aceitou novamente o seu destino.

E então falou Zaratustra desta maneira à sua consciência exultante:

"Estou sozinho novamente, e gostaria de estar, sozinho com o céu puro e o mar aberto; e de novo reina a tarde ao meu redor.

Numa tarde encontrei meus amigos pela primeira vez; em uma tarde, também, encontrei uma segunda vez: na hora em que toda a luz se apaga.

Porque os raios de ventura que ainda estão a caminho entre o céu e a terra, procuram um refúgio numa alma luminosa. Agora, a ventura se tornou mais tranquila a luz toda.

Ó tarde da minha vida! Uma vez minha felicidade também desceu ao vale para que pudesse procurar alojamento, então encontrou aquelas almas abertas e hospitaleiras.

Ó tarde da minha vida! O que não me rendi para que pudesse ter uma coisa, para ter esse viveiro de meus pensamentos, e este amanhecer de minha maior esperança!

Um dia, o criador procurou os filhos de sua esperança, e viram que não poderia encontrá-los, a não ser que ele mesmo deveria primeiro criá-los.

Assim estou eu no meio do meu trabalho, indo para os meus filhos, e deles voltando, por causa de seus filhos Zaratustra deve se aperfeiçoar.

Pois em seu coração se ama apenas seu filho e sua obra; e onde há grande amor a si mesmo, então é sinal de fecundidade. Isso tenho notado.

Meus filhos, árvores do meu jardim e de minha melhor terra, ainda crescem verdejantes em sua primeira primavera, plantados lado a lado e agitados pelo mesmo vento.

E, na verdade, onde essas árvores ficam lado a lado, é que estão as Ilhas Afortunadas!

Mas um dia irei pegá-las e colocá-las sozinhas, para que aprendam solidão, desafio e prudência.

Retorcido, torto e com dureza flexível ficará então à beira-mar, um farol da vida invencível.

No mesmo lugar onde se precipitam no mar as tempestades, onde a falda da montanha se banha nas ondas, nesse local deverá cada um estar de sentinela dia e noite, para sua prova e seu conhecimento.

Cada um será reconhecido e testado, para ver se é do meu tipo e linhagem: se for mestre de uma longa vontade, silencioso mesmo quando fala, e doando-se de tal maneira que receba ao doar.

Para que um dia se torne meu companheiro, um companheiro criador e companheiro de diversão: aquele que escreve a minha vontade nas minhas tábuas, para a mais completa perfeição de todas as coisas.

E por causa dele e de seus semelhantes deve completar-me de mim mesmo. Por isso agora fujo de minha ventura, oferecendo-me todos os sofrimentos para minha última prova e conhecimento.

E, na verdade, era hora de partir; e a sombra do andarilho, o instante mais longo e a hora do supremo silêncio, todos me disseram: "Não há um instante a perder!"

A palavra soprou para mim pelo buraco da fechadura e disse "Venha!" A porta saltou sutilmente abrindo-se para mim e disse "Vá!"

Mas eu estava acorrentado ao meu amor por meus filhos: o desejo espalhou esta armadilha para mim. O desejo de amor para me tornar a presa de meus filhos e me perder neles.

Desejar isso é já ter me perdido. Eu vos tenho, meus filhos! Nesta posse, tudo deverá ser segurança e nada desejo.

Mas, meditando, pousou o sol do meu amor sobre mim, em seu próprio suco cozeu Zaratustra, então passaram por mim sombras e dúvidas.

Agora ansiava o frio e o inverno: "Oh, essa geada e o inverno me fariam de novo tiritar e ranger os dentes!", suspirei; então surgiu uma névoa gelada de dentro de mim.

Meu passado destruiu suas sepulturas. Mais de uma dor enterrada viva despertou. Não fizera mais do que adormecer envolta em sudários.

Assim tudo me chamava tudo em sinais: "É hora!", mas eu não ouvia, até que finalmente o meu abismo se moveu, e meu pensamento me mordeu.

Ah, pensamento que vem do meu abismo! Quando encontrarei forças para te ouvir escavando, e não tremer mais?

Chegam-me à garganta as batidas do coração quando ouço-vos cavando! Tua mudez me asfixia, ó pensamento que vem do meu abismo!

Até agora, nunca me aventurei a chamar-te à superfície; tem sido o suficiente te carregar comigo! Ainda não fui forte o suficiente para minha última devassidão e temeridade do leão.

Bem terrível tem sido teu peso para mim. Mas hei de encontrar um dia a força e a voz do leão para te chamar à superfície.

Quando tiver me superado nisso, então me superarei também naquele que é maior; e uma vitória será o selo da minha perfeição!

Entretanto, vagueio ainda por mares incertos, acariciado pelo acaso sedutor. Olho para trás e para frente e ainda não descubro fim.

Ainda não chegou a hora da minha luta final, ou talvez chegue até mim agora mesmo? Na verdade, com uma beleza insidiosa, o mar e a vida me contemplam ao redor.

Ó tarde da minha vida! Ó felicidade antes do anoitecer! Ó refúgio em alto-mar! Ó paz em incerteza! Como desconfio de vós todos!

Na verdade, desconfio de sua beleza insidiosa! Como o amante, que também desconfia do sorriso elegante.

Como o ciumento repele a sua amada, terno até em sua dureza, assim afasto de mim esta hora de beatitude.

Para longe de mim, hora da beatitude! Contigo veio a mim uma bem-aventurança involuntária! Pronto para a minha dor mais intensa, estou aqui, na hora errada, vieste!

Para longe de mim, hora de beatitude! Busca antes refúgio em outro lugar, junto de meus filhos! Não tardes, corre para levar-lhes antes do crepúsculo a benção da minha felicidade!

Lá, já se aproxima o entardecer: o sol se põe. Fora minha felicidade!"

Assim falava Zaratustra. E esperou por seu infortúnio a noite toda; mas esperou em vão. A noite permaneceu clara e calma, e a própria felicidade aproximava-se cada vez mais para ele.

Perto do alvorecer, no entanto, Zaratustra se pôs a rir intimamente e disse em tom de brincadeira:

"A felicidade corre atrás de mim. A causa deve ser porque não corro atrás das mulheres. Ora a felicidade é mulher."

XLVIII. ANTES DO NASCER DO SOL

"Ó céu acima de mim, tu puro, tu céu profundo! Tu abismo de luz! Olhando para ti, estremeço de desejos divinos.

Elevar-me até a tua altura para me lançar, essa é a minha profundidade! Em tua pureza para me esconder, essa é a minha inocência! O Deus velou sua beleza: assim oculta as tuas estrelas. Tu não falas: assim proclama tua sabedoria para mim.

Ah! Como não havia de adivinhar todo o pudico de tua alma! Antes de o sol raiar, vieste até a mim, solitário entre os solitários.

Somos amigos de sempre. Comuns nos são tristeza, terror e profundidade. O sol também nos é comum.

Não falamos porque sabemos muitas coisas. Calamos e um sorriso basta para revelar o que sabemos.

Não és tu a luz do meu fogo? Não tens a alma irmã do meu discernimento?

Juntos aprendemos tudo; juntos aprendemos a ascender além de nós mesmos para nós mesmos, e sorrir serenamente: a sorrir sem nuvens e com olhos luminosos e límpidos, quando sob nós se desvanecem, como névoa vaporosa que segue a chuva, a imposição, o fim e o erro.

E quando caminhava só, de que tinha minha alma fome durante as noites e nos caminhos do erro? E quando escalava montes, a quem procurava nos píncaros senão a ti?

As nuvens passageiras que detesto, aqueles gatos monteses que se arrastam: tiram de mim e de ti o que é comum para nós: o vasto e ilimitado que diz sim e amém.

Esses mediadores e misturadores que detestamos, as nuvens passageiras, aquelas de meio termo, que não aprenderam a abençoar nem a amaldiçoar de coração.

Preferia viver sob um céu sem horizonte, estar no fundo de um abismo, sem ver o céu, do que te ver, céu luminoso, obscurecido pelas nuvens errantes!

E muitas vezes tenho desejado prendê-los com os fios de ouro irregulares do relâmpago que vão em zigue-zague, a fim de poder, como o trovão, tocar tambor em sua pança de caldeirão.

Como tamborileiro furioso, porque ele roubou de mim teu Sim e teu Amém! O céu acima mim, tu puro, tu céu luminoso! Abismo de luz! porque roubam de ti o meu Sim e meu Amém.

Porque prefiro, ainda o ruído e o troar e as maldições da tempestade que essa calma felina, circunspecta e duvidosa. E também entre os homens odeio mais do que todos aqueles que caminham na ponta dos pés, e que usam meias medidas, que são outras tantas nuvens duvidosas, hesitantes e passageiras.

E "aquele que não pode abençoar deve aprender a amaldiçoar!" – este ensino claro caiu para mim do céu claro; esta estrela permanece em meu céu mesmo nas noites escuras.

Eu, no entanto, sou um abençoador e um afirmador do Sim, se tu estiveres apenas ao meu redor, tu és puro, tu és céu luminoso! Tu és abismo de luz! A todos os abismos, pois levo meu abençoado Sim.

Tornei-me um abençoador e um afirmador: e, portanto, me esforcei muito e fui um lutador, que um dia possa ter minhas mãos livres para abençoar.

E minha benção consiste em estar por cima de cada coisa como o céu com a sua cúpula redonda, com sua abóbada azul e sua eterna segurança. E bem-aventurado daquele que assim abençoa!

Porque todas as coisas são batizadas na fonte da eternidade e além do bem e do mal. Mas o bem e o mal não são mais do que sombras passageiras e nuvens errantes.

Na verdade ensino benção e não maldição quando digo: "sobre todas as coisas estende o seu Acaso, o céu Inocência, o céu Acidente e o céu Ufania".

"Por Acaso", essa é a nobreza mais antiga do mundo; que me devolveu a todas as coisas; eu a emancipei da escravidão sob um propósito.

Essa liberdade, essa serenidade celeste coloquei-a como abóboda azul sobre todas as coisas, ao ensinar que acima delas e por elas nenhuma "vontade eterna" quer.

Essa devassidão e loucura coloquei no lugar dessa vontade, quando ensinei que "Em tudo há uma coisa impossível, a racionalidade!"

Um pouco de razão com certeza, um grão de sabedoria, espalhado de estrela em estrela, este fermento misturado em todas as coisas, por causa da tolice, a sabedoria está misturada em todas as coisas.

Um pouco de sabedoria é possível, mas encontrei em todas as coisas esta feliz certeza: preferem bailar com os pés do acaso.

Ó céu acima de mim, puro excelso! Esta é agora a tua pureza para mim, que não haja nenhuma aranha, nem teia de aranha eterna da razão, em que sejas um salão de baile para os acasos divinos, uma mesa divina para os divinos dados e jogadores de dados.

Mas coras? Falei coisas indizíveis? Proferi maldição, quando quis abençoar-te?

Ou o que faz corar foi o colóquio que tivemos a dois? Preferes que me retire e cale porque agora chega o dia?

O mundo é profundo, e mais profundo do que qualquer outro dia poderia ser. Nem tudo pode ser pronunciado na presença do dia. Mas o dia chega: então vamos nos separar!

Ó céu modesto acima de mim! Céu brilhante! Ó tu, minha felicidade antes do nascer do sol! Chega o dia vem, então vamos nos separar!"

Assim falava Zaratustra.

XLIX. DA VIRTUDE AMESQUINHADORA

I

Quando Zaratustra voltou ao continente, não foi diretamente para suas montanhas e sua caverna, mas fez muitas perambulações e questionamentos, e averiguou isto e aquilo; de modo que disse de si mesmo em tom de brincadeira:

"Eis um rio que flui de volta à sua nascente em muitos enrolamentos!" Pois ele queria saber o que tinha acontecido entre os homens durante o intervalo: se tornaram-se maiores ou menores. E uma vez, quando viu uma fileira de novas casas, se maravilhou, e disse: "O que essas casas significam? Na verdade, nenhuma grande alma as coloca como sua comparação! Será que uma criança tola as tirou da caixa de brinquedos? Será que outra criança as colocaria novamente na caixa!

E aqueles quartos e aposentos! Como poderão entrar e sair deles verdadeiros homens? Parecem ter sido feitos para bonecas de seda; ou para gatos gulosos, que talvez também se deixam comer."

E Zaratustra parou e meditou. Por fim, disse com tristeza: "Tudo ficou menor! Em toda parte, vejo portas inferiores: quem é do meu tipo ainda pode passar por elas, mas ele deve se curvar!

Oh, quando chegarei novamente à minha casa, onde não terei mais que me curvar, não terei mais que me curvar diante dos pequenos!" E Zaratustra suspirou, e olhou para longe.

No mesmo dia, porém, fez seu discurso sobre a virtude amesquinhadora.

II

"Passo pelo meio desse povo e mantenho os olhos abertos. Esta gente não me perdoa que eu não lhes inveje as virtudes.

Querem morder-me por lhes dizer que as pessoas pequenas merecem pequenas virtudes e porque me é difícil admitir que sejam necessárias as pessoas pequenas.

Aqui estou eu ainda como um galo em um curral estranho, no qual até as galinhas bicam, mas nem por isso sou hostil às galinhas.

Sou cortês com elas, como com todos os pequenos aborrecimentos; ser espinhoso em relação ao que é pequeno, parece-me sabedoria para ouriços.

Todos falam de mim quando estão sentados à noite em volta da lareira. Falam de mim, mas ninguém pensa em mim.

Esta é a nova quietude que experimentei: seu barulho ao meu redor espalha um manto sobre meus pensamentos.

Eles vociferam: "Que quer de nós essa sombria nuvem? Andemos com cautela para que não nos traga alguma epidemia!"

E recentemente uma mulher agarrou seu filho que estava vindo até mim: "Deixe as crianças longe", gritou ela, "esses olhos queimam as almas das crianças".

Eles tossem quando falo, pensam que a tosse é uma objeção aos ventos fortes, não sabem nada da turbulência da minha felicidade!

"Com Zaratustra não temos tempo a perder". Essa é sua objeção. Mas que me importa um tempo que com Zaratustra "não se tem tempo a perder"?

E ainda que me elogiassem, como poderia adormecer com o elogio deles? Seu elogio é para mim uma coroa de espinhos, me arranha mesmo quando tiro.

E também aprendi isso entre eles: aquele que elogia o faz como que para pagar a sua dívida. Na verdade, que se lhe dê mais.

Pergunte ao meu pé se suas variedades de elogiar e atração lhe agradam! Na verdade, com esse tique-taque não pode dançar e nem se manter em pé.

Procuram elogiar-me para atrair a sua modesta virtude. Quiseram arrastar meu pé ao som da modesta felicidade.

Para pequenas virtudes iriam me atrair e elogiar; quiseram persuadir meu pé para a modesta felicidade.

Passo pelo meio do povo e mantenho os olhos abertos. Eles amesquinharam e continuam sempre mais a amesquinhar. Deve-se isto a sua doutrina de felicidade e da virtude.

Pois são moderados também em virtude, porque desejam conforto. Com conforto, no entanto, virtude moderada apenas é compatível.

Aprenda também a arte de andar ao seu modo e de avançar. A isto chamo ir coxeando. São assim um obstáculo a todos que andam depressa.

E muitos deles caminham para a frente, e olham para trás assim, com pescoços enrijecidos. Com ele é que gosto de esbarrar quando caminho.

Os pés, os olhos não devem mentir nem desmentir, mas entre as pessoas pequenas há muitas mentiras. Olhos e pés não mentirão, nem desmentirão uns aos outros. Mas há muito mentindo entre pessoas pequenas.

Alguns deles querem, mas a maioria apenas são queridos. Alguns são genuínos, mas a maioria é de maus comediantes.

Existem comediantes sem saber entre eles, e comediantes sem intenção, os genuínos são sempre raros, especialmente os atores genuínos.

Escasseia entre eles a virilidade. Por isso as mulheres se masculinizam. Porque só se for homem bastante haverá de emancipar na mulher, a mulher.

E esta hipocrisia descobri que é a pior entre eles, que mesmo aqueles que comandam fingem as virtudes de quem serve.

"Eu sirvo, tu serves, nós servimos", assim reza aqui até mesmo a hipocrisia dos governantes e aí quando o primeiro senhor for apenas o primeiro servo!

AI! meu olhar curioso deteve-se em sua hipocrisia e desvendou sua felicidade de moscas e seu zumbido junto as vidraças ensolaradas.

Toda a bondade que vejo é pura fraqueza. Toda a justiça e compaixão, fraqueza pura.

Redondos, justos e atenciosos são uns com os outros, como os grãos de areia são redondos, justos e atenciosos entre si.

Abraçar modestamente uma pequena felicidade é o que chamam "resignação"! E ao mesmo tempo olham de soslaio modestamente para outra pequena felicidade.

No fundo de sua simplicidade só tem um desejo: que ninguém os prejudique. Por isso são amáveis com todos e praticam o bem.

Isto, porém, é covardia, conquanto se chame virtude.

E quando a esses mesquinhos lhes acontece de falar com rudeza, em sua voz só ouço rouquidão porque a menor corrente de ar os enrouquece!

São astutos. Suas virtudes têm dedos astutos. Mas faltam-lhe os pulsos. Seus dedos não sabem desaparecer por detrás dos pulsos.

Para eles, o que modera e domestica é a virtude. Assim fizeram do lobo um cão e do próprio homem o melhor animal doméstico do homem.

"Nós colocamos nossa cadeira bem no meio, confessa-me seu sorriso satisfeito, a igual distância dos gladiadores moribundos e dos imundos suínos".

Isto, porém é mediocridade, embora a chamem moderação."

III

"Passo por este povo e deixo cair muitas palavras: mas eles não sabem tirar nem como retê-las. Se perguntam por que não vim insultar os prazeres e o vício; e na verdade, não vim avisar contra batedores de carteira também!

Se perguntam por que não estou pronto para estimular e aguçar sua sabedoria: como se eles ainda não tivessem bastante sabichões, cujas vozes arranham meus ouvidos como lápis de ardósia!

E quando grito: "Amaldiçoe todos os demônios covardes em vós, que choramingariam de bom grado, cruze as mãos e adore", então gritam: "Zaratustra é ímpio".

E seus pregadores de resignação são os que mais vociferam, mas é justamente a esses que gosto de gritar ao ouvido: "Sim! Eu sou Zaratustra, o sem Deus!"

E especialmente seus pregadores de submissão gritam isso, mas precisamente em seus ouvidos adoro gritar: "Sim! Eu sou Zaratustra, o ímpio!"

Os pregadores de resignação! Onde quer que haja mesquinhez, doença, infecção, arrastam-se como piolhos e só por nojo não os esmago!

Coragem! Este é o meu sermão para seus ouvidos: Eu sou Zaratustra, o ímpio, que diz: "Quem é mais ímpio do que eu, para que eu possa desfrutar de seus ensinamentos?"

Eu sou Zaratustra, o ímpio; onde posso encontrar o meu igual? E todos esses são meus iguais que dão a si mesmos sua Vontade e se despojam de toda submissão.

Eu sou Zaratustra, o ímpio! Cozinho todas os acasos na minha panela. E só quando tiver sido bem cozido, o acolho como meu alimento.

E, na verdade, mais de um acaso se aproximou de mim com ares do senhor. Mas minha vontade lhe falou de uma maneira ainda mais imperiosa e logo se ajoelhou aos meus pés, suplicando-me que lhe desse asilo e afeição, dizendo em tom adulador: "olha Zaratustra, só um amigo pode aproximar-se assim de um amigo!"

Mas por que falo eu, se ninguém tem meus ouvidos! Por isso gritarei a todos os ventos:

Gente mesquinha, cada vez vós amesquinhais mais! Gente acomodatícia, estai-vos esmigalhando! E acabareis por ir a pique com vossa infinidade de pequenas virtudes, de múltiplas pequenas faltas e de múltiplas pequenas resignações.

Muito tenro, muito maleável: assim é o seu solo! Mas para uma árvore se tornar grande, ela procura se agarrar a duras rochas com duras raízes!

Além disso, o que omitis tece na teia de todo o futuro humano; até mesmo o vosso nada é uma teia de aranha, e uma aranha que vive do sangue do futuro.

E quando recebeis é como se furtásseis, mesquinhos e virtuosos. Até entre ladrões, contudo, diz a voz da honra: "Só se deve furtar onde não se pode saquear".

"Isso se dá", essa também é uma doutrina de submissão. Mas eu vos digo, a vós que amais as vossas comodidades: isto é tomado e será tomado sempre, ainda mais de vós.

Ai! Se pudéssemos de uma vez rejeitar essa meia vontade e assumir resolutamente a preguiça como modo de agir!

Ah, que compreendestes minha palavra: "Fazei tudo o que quereis, mas primeiro seja daqueles que podem querer.

Ame sempre o seu próximo como a si mesmo, mas primeiro ame-se.

Tal como o amor com grande amor, como o amor com grande desprezo!" Assim fala Zaratustra, o ímpio.

Mas por que falo, se ninguém me ouve! Ainda uma hora mais cedo cheguei aqui.

Meu próprio precursor sou eu entre este povo, meu próprio galo canta em caminhos escuros.

Mas vem a hora deles! E aí vem também a minha! De hora em hora eles ficam menores, mais pobres, infrutíferos, ervas pobres! pobre terra!

E logo estarão diante de mim como grama seca e pradaria, e verdadeiramente, cansados de si mesmos, e ofegando por fogo, mais do que por água!

Ó abençoada hora do raio! Ó mistério antes do meio-dia! Há de chegar a vez de os converter em fogo que se propaga e em arautos de língua de chamas.

Até anunciarão um dia com línguas de chamas: Já vem, já se aproxima o grande meio-dia!"

Assim falava Zaratustra.

L. NO MONTE DAS OLIVEIRAS

"O inverno, um péssimo hóspede, senta-se comigo em casa. Tenho as mãos roxeadas por seus afetuosos apertos de mão. Honro, esse mau convidado, mas com prazer o deixo sozinho. Alegremente, fujo dele e, correndo bem sempre se consegue escapar.

Com pés quentes e pensamentos calorosos, corro onde o vento está calmo, para o canto ensolarado do meu monte de oliva.

Lá rio de meu convidado severo, e ainda gosto dele; porque ele limpa minha casa de moscas, e acalma uma porção de pequenos ruídos.

Pois ele não tolera um mosquito zumbir, ou mesmo dois deles; também as ruas o tornam solitário, a tal ponto que à noite fica com medo até o luar.

Um convidado difícil é ele, mas eu o honro, e não adoro, o pançudo Deus do fogo.

Melhor até mesmo um pouco de bater de dentes do que a adoração de ídolos! Assim quer minha natureza. E em especial, detesto esses ídolos do fogo, ardentes, enfumaçados, engordurados.

Quando amo, amo melhor no inverno do que no verão. Zombo agora melhor e mais animadamente de meus amigos, desde que o inverno entra em minha casa.

De coração, na verdade, mesmo quando rastejo para a cama: lá, ainda ri meu desejo e felicidade oculta; até meu sonho enganoso ri.

Eu, arrastar-me? Nunca em minha vida me arrastei diante dos poderosos; e se alguma vez menti, foi por amor. Portanto, estou feliz mesmo em minha cama de inverno.

Uma cama humilde me aquece mais do que uma rica, pois tenho ciúme da minha pobreza. E no inverno ela é mais fiel a mim.

Com uma maldade começo todos os dias: zombo do inverno com um banho frio, isso faz resmungar o meu severo companheiro de casa.

Também gosto de fazer cócegas nele com um cone de cera, para que ele possa finalmente deixar os céus emergirem do crepúsculo acinzentado.

Porque sou maldoso sobretudo de manhã, na primeira hora, quando chiam os baldes no poço e os cavalos relincham pelas ruas sombrias.

Então espero impacientemente, até que o céu claro possa finalmente amanhecer para mim, o céu de inverno, o velho de cabeça branca. O céu de inverno, o silencioso céu de inverno, que muitas vezes sufoca até o sol!

Será que aprendi com ele o longo e claro silêncio? Ou aprendeu comigo? Ou cada um de nós o inventou para si mesmo?

A origem de todas as coisas boas é múltipla. Todas as coisas extravagantes saltam de prazer à existência. Como não haveria de fazer uma só vez?

Uma coisa boa também é o longo silêncio, e parecer, como o céu de inverno, fora de um semblante claro de olhos redondos:

Gosto de sufocar o sol e a vontade solar inflexível: na verdade, essa arte e essa malícia aprendi bem!

Minha maldade e arte mais cara é, que meu silêncio aprendeu foi a não se trair calando.

Fazendo barulho com dicção e dados, superei os assistentes solenes: todos aqueles observadores severos que andam à espreita.

Para que ninguém possa ver minhas profundezas e minha vontade final para esse propósito planejei o longo e luminoso silêncio.

Encontrei mais de um prudente que velava o semblante e turvava sua água para ninguém poder olhar através dele e não visse seu profundo.

Era, porém precisamente a ele que vieram os astutos mais desconfiados e decifradores de enigmas. A ele precisamente ele pescou seu melhor peixe secreto!

Mas os límpidos, os bravos, os transparentes, esses são para mim o que melhor sabem guardar silêncio. Seu íntimo é tão profundo que a água mais límpida poderia trair.

Tu, de barba de neve, silencioso, céu de inverno, tu cabeça branca de olhos redondos acima de mim! Tu, imagem celestial de minha alma e sua devassidão!

E não devo me esconder como alguém que engoliu ouro para que minha alma não seja rasgada?

Não será preciso que eu use perna de pau para que não reparem em minhas longas pernas todos esses tristes invejosos que me cercam?

Aquelas almas sujas, aquecidas pelo fogo, gastas, tingidas de verde, azedadas, como sua inveja poderia aguentar minha felicidade!

Assim, mostro a eles apenas o gelo e o inverno de meus picos, e não que minha montanha enrola todas as cinturas solares ao seu redor!

Ouvem apenas o assobio das minhas tempestades de inverno: e não sabem que eu também viajo mares quentes, como ventos do sul ansiosos, fortes e quentes.

Lamentam também meus acidentes e acasos, mas minha palavra diz: "Deixai o acaso vir a mim: é inocente como uma criança!"

Como poderiam suportar a minha felicidade, se eu não a rodeasse de acidentes e misérias invernais, privações, gorros de pele de urso e flocos de neve incrustantes!

Se eu não tivesse pena de sua Piedade, que pena daqueles invejosos e injuriosos!

Se não suspirasse e tiritasse de frio diante deles, deixando-me envolver pacientemente em sua compaixão?

Esta é a sábia exuberância e boa vontade de minha alma, de não ocultar invernos e tempestades glaciais; também não esconde suas frieiras.

A solidão, para alguns, é o abrigo do doente. Para outros, a solidão é o abrigo contra o doente.

Deixe-os me ouvirem tagarelando e suspirando com o frio do inverno, todos aqueles pobres patifes ao meu redor! Com tantos suspiros e tagarelice, fujo de seus quartos aquecidos.

Que eles simpatizem comigo e suspirem comigo por causa de minhas frieiras: "No gelo do conhecimento ele ainda congelará até a morte!" assim lamentam.

Enquanto isso corro com os pés quentes de um lado para outro no meu monte de oliveiras. No recanto ensolarado de meu monte de oliveiras canto e escarneço de toda a compaixão."

Assim falava Zaratustra.

LI. DE PASSAGEM

Vagando assim vagarosamente por muitos povos e cidades diversas, Zaratustra voltava por estradas circunvizinhas para suas montanhas e sua caverna. E eis que assim veio sem saber também a porta da grande cidade. Aqui, no entanto, um tolo espumando, com as mãos estendidas, caiu sobre ele e ficou em seu caminho.

Era o mesmo louco a quem o povo chamava "O macaco de Zaratustra", porque havia aprendido com ele algo da expressão e modulação da linguagem, e talvez gostasse também de tomar emprestado do estoque de sua sabedoria. E o louco falou assim com Zaratustra:

"Ó Zaratustra, aqui está a grande cidade: aqui não tens nada a buscar e tudo a perder.

Por que atravessarias este lodo? Tenha piedade do teu pé! Cuspa no portão da cidade e volte!

Aqui está o inferno para os pensamentos dos solitários. Aqui se cozinham vivos os grandes pensamentos. Aqui todos os grandes sentimentos decaem; aqui só podem chocalhar as sensações desossadas!

Não sentes o cheiro da confusão e das baiucas do espírito? Não fumega esta cidade com a fumaça do espírito abatido?

Não vês as almas penduradas como trapos sujos e moles? E também fazem jornais fora desses trapos!

Não ouves como o espírito aqui se tornou um jogo verbal? Vomitam lavagem verbal repugnante! E também fazem jornais com essa baboseira verbal.

Provocam-se sem saber porquê. Entusiasmam-se e não sabem porquê. Sacodem suas latas, tilintam com seu ouro.

Sentem frio e procuram o calor das águas destiladas: eles estão inflamados e procuram frieza de espíritos congelados; estão todos doentes e feridos pela opinião pública.

Todas as luxúrias e vícios estão aqui em casa; mas aqui também existem os virtuosos; há muita virtude nomeada.

Muitas virtudes designáveis com dedos de escriba, com um poder infinito de paciência e de espera. Abençoados com pequenas estrelas no peito e moças estofadas de roupas e sem nádegas.

Há também aqui muita piedade, e muito lealdade para lamber e cuspir, diante do Deus dos Exércitos.

ASSIM FALAVA ZARATUSTRA

"Do alto", goteja a estrela e a graciosa saliva; para o alto, anseia por cada peito sem estrelas.

A lua tem sua corte, e a corte seus satélites. Mas o povo mendicante e as hábeis virtudes mendicantes rezam a tudo o que vem da corte.

"Eu sirvo, tu serves, nós servimos" assim reza todas as virtudes designáveis ao príncipe: que a merecida estrela se prenda afinal ao peito esguio!

A lua, porém, ainda gira em torno de tudo o que é terrestre. Assim também o soberano gira em torno do que há de mais terrestre: o ouro dos lojistas.

O deus do exército não é o deu das barras de ouro. O soberano propõe, mas o lojista dispõe.

Em nome de tudo quanto é claro, forte e bom que em ti existe, Zaratustra cospe a esta cidade dos lojistas e volta para trás.

Aqui corre sangue pútrido, pobre e espumoso, por todas as veias. Cospe sobre a grande cidade, o que é o grande depósito onde se acumulam todos os detritos.

Cuspir na cidade de almas comprimidas e seios delgados, de olhos pontiagudos e dedos pegajosos. Na cidade do intrusivo, do cara de bronze, dos demagogos da pena e da língua dos demagogos, os ambiciosos superaquecidos.

Sobre a cidade onde se reúne todo carcomido, cariado, lascivo, sombrio, putrefato, purulento, clandestino, cospe sobre a grande cidade e retorna sobre teus passos!"

Aqui, porém, Zaratustra interrompeu o tolo espumando de raiva e fechou sua boca.

"Pare com isso de uma vez!", gritou Zaratustra, "por muito tempo tua fala e tua espécie me enojaram!

Por que tens vivido tanto tempo no pântano, a ponto de tu mesmo te converteres em sapo ou rã?

Não correrá agora em tuas próprias veias um sangue de pântano, viciado e espumoso, para teres aprendido a resmungar e insultar?

Por que não te retiraste para o bosque? Por que não lavraste a terra? Não está o mar cheio de ilhas verdejantes?

Desprezo teu desdém e já que me prevines, porque não te preveniste a ti mesmo?

Só por amor meu desprezo e meu pássaro de advertência voarão; mas não fora do pântano!

Chamam-te de meu macaco, seu doido raivoso, mas eu te chamo de meu porco grunhidor, por teu grunhindo, tu estragaste até mesmo meu louvor de loucura.

O que foi que primeiro te fez grunhir? Porque ninguém te adulou o suficiente.

Portanto, te sentaste ao lado dessas imundícies, para que tivesses numerosas razões para vingança. Porque a vingança, louco vaidoso, é tua baboseira toda. Calei-te em definitivo!

Mas a palavra dos loucos me prejudica, mesmo quando estás certo! E mesmo que mil vezes a palavra de Zaratustra fosse justificada, tu sempre farias errado, usando a minha própria palavra!"

Assim falava Zaratustra. Então olhou para a grande cidade e suspirou; ficou em silêncio por muito tempo. Por fim, disse:

"Também sinto repugnância por esta grande cidade e não só deste louco. Aqui e acolá, nada há que melhorar, nada há que piorar.

Ai desta grande cidade! E gostaria de já ver a coluna de fogo em que ela será consumida!

Pois tais colunas de fogo devem preceder o grande meio-dia. Mas isso tem seu tempo e seu próprio destino. Este preceito, no entanto, dou-te, ao me despedir, seu louco: Onde não se pode mais amar, deve-se passar!"

Assim falava Zaratustra enquanto passava diante do louco e da grande cidade.

LII. DOS RENEGADOS

I

"Ah, jaz tudo já murcho e cinza neste prado, tudo que a pouco estava verde e cheio de cor! E quanto mel de esperança carreguei daí para as minhas colmeias!

Todos aqueles jovens corações já envelheceram: nem velhos sequer! Apenas cansados, comuns e cômodos. Eles declaram: "Tornamo-nos novamente a ser piedosos."

Ainda há pouco os vi correr de madrugada com passos valorosos; mas os pés de seu conhecimento se cansaram, e agora difamam até mesmo seu valor matinal!

Na verdade, muitos deles uma vez levantaram as pernas como uma bailarina; para eles piscou o riso de minha sabedoria. Então eles se lembraram. Agora mesmo os vi curvados rastejando aos pés da cruz.

Outrora giravam como mosquitos e jovens poetas em torno da luz e da liberdade. Um pouco mais velho, um pouco mais frio e já são mistificadores, resmungões e caseiros.

Desfaleceram porque a solidão me engoliu como uma baleia?

Talvez seus ouvidos tenham ouvido ansiosamente por mim em vão, e por minhas notas de trombeta e chamadas de arauto?

Ah! Sempre existem poucos daqueles cujos corações têm coragem persistente e exuberância; e em tais permanece também o espírito paciente. O resto, no entanto, são covardes.

O resto sempre é grande número, o cotidiano, o supérfluo, os que estão demais. Todos eles covardes!

Aquele que é do meu tipo, também as experiências do meu tipo se encontrarão no caminho. De forma que os seus primeiros companheiros só poderão ser cadáveres e bufões.

Seus segundos companheiros, porém, serão chamados seus fiéis: um enxame animado, muito amor, muita loucura, muita veneração juvenil.

Para aqueles crentes, aquele que é do meu tipo entre os homens não amarrará seu coração. Nessas primaveras e nos prados de muitas cores, aquele que conhece não deve dar confiança à fraca e fugitiva espécie humana.

Poderiam fazer o contrário, então eles também farão de outra forma. Gente pela metade prejudica o que é inteiro. Se as folhas murcham que há para lamentar sobre isso!

Deixe-as cair, Zaratustra, deixe-as cair e não te queixes! Pelo contrário, varre-as com o sopro de teu vento. Sopra sobre essas folhas, Zaratustra! Para que se afaste de ti tudo o que é murcho, mais rápido ainda, escape!"

II

""Tornamo-nos piedosos de novo", assim confessam esses renegados; e alguns deles ainda são pusilânimes demais para confessar.

Para eles eu olho nos olhos, ante eles digo isso em seu rosto e ao rubor em suas bochechas: Sois vós aqueles que oram novamente!

No entanto, é uma pena orar! Não por todos, mas por ti, por mim e por quem quer que tenha a sua consciência em sua cabeça. Para ti é uma vergonha orar!

Bem o sabes: o covarde demônio que dentro de ti se compraz em juntar as mãos e em cruzar os braços e que desejaria ter uma vida mais fácil, esse covarde demônio te disse: "Há um Deus!"

Assim, pois, pertences ao tipo que teme a luz, para quem a luz nunca permite o repouso; agora tu deves lançar tua cabeça diariamente mais profundamente na obscuridade e no vapor!

E, na verdade, tu escolhes bem a hora, pois agora mesmo os pássaros noturnos voam novamente. A hora chegou para todas as pessoas temerosas da luz, a hora da noite e da festa, mas onde esse povo não festeja.

Ouço e sinto o cheiro: chegou a sua hora de caça e procissão, não de uma caçada selvagem, mas para uma caça mansa, manca, farejadora, furtiva e de orações sussurradas, uma caçada a belas almas sentimentais. Todas as ratoeiras para apanhar corações estão novamente preparadas! E onde levanto uma cortina, logo sai uma borboleta noturna. Para todos os lugares cheiro pequenas comunidades escondidas; e onde quer que haja esconderijos, haverá novos devotos nele, e a atmosfera dos devotos.

Eles se sentam por longas noites um ao lado do outro e dizem: "Vamos nos tornar novamente como pequenas crianças e dizem, bom Deus!" arruinado na boca e no estômago pelos piedosos confeiteiros.

Ou contemplam durante longas noites alguma astuta aranha espreitando que prega a astúcia às próprias aranhas, ensinando: "É bom tecer sob as cruzes!"

Ou sentam o dia todo em pântanos com hastes angulares e, por isso, pensam que são profundos; mas quem pesca onde não há peixes, eu nem mesmo o chamo superficial!

Ou aprendem alegremente a tocar harpa com um versejador que se desejaria insinuar no coração das donzelas porque está cansado das velhas e de seus elogios.

Ou aprendem a estremecer com um erudito tresloucado, que espera em salas escuras para que apareçam os espíritos e o seu espírito foge inteiramente!

Ou ouvem um velho flautista, que aprendeu com os ventos tristes a tristeza dos sons; agora ele flui como o vento, e prega tristeza em tristes acordes. Agora sibila à semelhança do vento e prega a compreensão em tom compungido.

E alguns até se tornaram guardas-noturnos. Agora sabem tocar cornetas, rondar de noite e despertar antigas coisas há muito tempo adormecidas.

Ouvi cinco palavras sobre coisas antigas ontem à noite no muro do jardim: elas vieram de velhos guardas, tristes e mirrados.

"Sendo pai, não vela bastante pelos filhos. Pais humanos fazem-no melhor que ele".

"Ele é muito velho! Ele agora não se preocupa mais com seus filhos", respondeu o outro vigia.

"Ele então terá filhos? Ninguém pode provar, a menos que ele mesmo o prove! Há muito que gostaria de provar isso completamente".

"Provar? Como se ele já tivesse provado alguma coisa! Provar é difícil para ele. Prefere muito mais que se acredite nele".

"Sim! Sim! A crença o salva; a crença nele. É assim com os velhos! Então, conosco acontece o mesmo!"

Assim conversaram os dois morcegos, inimigos da luz. Depois tocaram tristemente as cornetas. Isso foi o que se passou ontem à noite, ao lado do velho cercado do jardim.

Para mim, no entanto, o coração se contorceu de tanto rir, e quase se partiu; não sabia para onde ir, e afundou no diafragma.

Na verdade, minha morte será afogar-me em riso, vendo asnos embriagados e ouvindo assim morcegos duvidarem de Deus.

Não se passou muito tempo para todas essas dúvidas? Quem poderia hoje despertar coisas velhas e adormecidas, que evitam a luz!

Há muito tempo que se acabaram os antigos deuses e na verdade deuses que tiveram um bom e alegre fim!

Não passaram pelo "crepúsculo" antes da sua morte. É uma mentira dizê-lo! Pelo contrário, mataram-se a si mesmos a poder do riso!

Isso aconteceu quando a expressão mais ímpia veio do próprio Deus a expressão: "Só existe um Deus! Não terás outros deuses diante de mim!"

Uma velha barba sombria de um Deus, ciumento, excedeu-se de tal maneira.

E todos os deuses então riram, sacudiram seus tronos e exclamaram: Não consiste precisamente a divindade em haver deuses, e que Deus não exista?

Quem tiver ouvidos, ouça."

Assim falava Zaratustra na cidade que amava, que tem o nome de "Vaca Malhada". De lá ele tinha apenas dois dias de viajem para alcançar mais uma vez sua caverna e seus animais; a alma dele, no entanto, regozijou-se incessantemente por causa de seu retorno para casa.

LIII. O REGRESSO

"Ó solidão! Minha pátria, solitária! Por muito tempo vivi selvagem na selva distante, para voltar para ti sem lágrimas!

Agora me ameace com o dedo como as mães ameaçam; agora sorria para mim como as mães sorriem; agora diga apenas: "Quem foi que uma vez como um furacão se afastou de mim?"

Aquele que ao partir, gritou: "Há muito tempo que me sentei solitário; desaprendi então o silêncio? Isso aprendeste agora, certo?"

Ó Zaratustra, tudo sei; e que tu irmão, te sentias mais abandonado entre a multidão do que jamais estiveste comigo!

Uma coisa é o abandono, outra coisa é a solidão, isso aprendeste agora! E que entre os homens tu serás sempre selvagem e estranho.

Selvagens e estranhos mesmo quando te amam; porque acima de tudo eles querem ser tratados indulgentemente!

Aqui, porém, estás em tua pátria, em teu lar e em tua casa. Podes dizer tudo aqui e sacudir todos os fundamentos. Aqui ninguém se envergonha de sentimentos ocultos e tenazes.

Aqui todas as coisas vêm com carinho para a tua conversa e lisonjeiam-te, pois eles querem cavalgar sobre suas costas. Em cada símile tu cavalgaste aqui para cada verdade.

Podes falar retamente e abertamente sobre todas as coisas e, na verdade, tudo que se fala com lealdade soa como um louvor aos seus ouvidos!

Outra questão, entretanto, é o abandono. Pois não te lembras, Zaratustra? Quando teu pássaro gritou acima, quando tu estavas na floresta, indeciso, sem saber para onde ir, ao lado de um cadáver.

Quando dizias: "Deixe meus animais me conduzirem! Encontrei mais perigo entre homens do que entre os animais". Aquilo era o abandono!

E tu te lembras, Zaratustra? Quando sentou-se em sua ilha, uma fonte de vinho entre baldes vazios, dando de beber e distribuindo entre os sedentos.

Até que, finalmente, foste o único sequioso entre os bêbados, e gritava todas as noites: "Receber não é mais abençoado do que dar? E roubar ainda mais abençoado do que aceitar?" Aquilo era abandono!

E recordas-te Zaratustra? Quando chegou tua hora do supremo silêncio e te deixou fora de ti: quando te segredou maliciosamente: "Fala e sucumbe!"

Quando te desgostou de tua espera e de teu silêncio e desencorajou teu ânimo decaído?" Aquilo era abandono!

Ó solidão! Minha pátria, solitária! Quão abençoada e ternamente fala a tua voz para mim!

Não nos questionamos, não reclamamos uns dos outros; nós vamos juntos abertamente através de portas abertas.

Pois tudo está aberto e claro para ti, e até as horas correm aqui com pés mais leves. Pois no escuro, o tempo pesa mais sobre nós do que na luz.

Aqui se revelam para mim a essência e a expressão de todas as coisas. Tudo o que existe quer exprimir-se aqui e tudo o que está em via de existir quer aprender a falar comigo.

Lá embaixo, porém, toda conversa é em vão! Lá, esquecer e passar adiante é a melhor sabedoria. Isso aprendi agora!

Aquele que quer entender tudo entre os homens, teria que aprender tudo. Mas para isso tenho mãos muito limpas.

Já não poso sentir seu hálito. Ai! Por que vivi tanto tempo entre seu ruído e seu mau hálito?

Não gosto nem mesmo de inalar seu hálito. Ai de mim! que tenho vivido tanto tempo entre o barulho deles e seu mau hálito!

Ó abençoada quietude ao meu redor! Ó puros odores ao meu redor! Como de um seio profundo essa quietude busca a respiração pura! Como este bendito silêncio escuta!

Em troca, além tudo fala e nada se ouve. Embora uma pessoa anuncie seu saber a toque de campainha, os lojistas abafarão o som na praça pública com o ruído de suas moedas.

Entre eles tudo fala. Ninguém mais sabe compreender. Tudo cai na água, mas nada cai em fontes profundas.

Entre eles tudo é discurso. Já nada se consegue, a bom termo nada chega. Todas as coisas cacarejam, mas quem é que quer ficar ainda no ninho a chocar os ovos?

Entre eles tudo é discurso, palavras que se dissipam. E o que ontem era ainda demasiado duro para o próprio tempo e para seus dentes, hoje pende, gasto e roído, pelas maxilas do homem.

Tudo entre eles fala, tudo é divulgado. E o que uma vez foi chamado de segredo e sigilo de almas profundas, pertence hoje às ruas trompetistas e outros tagarelas.

Ó burburinho humano, coisa maravilhosa! Barulho nas ruas escuras! Agora és tu de novo atrás de mim: meu maior perigo está atrás de mim!

Na condescendência e na piedade estava sempre o meu maior perigo; e toda confusão humana deseja ser indulgente e tolerada.

Com verdades suprimidas, com mão de tolo e coração enganado, e rico em mentiras mesquinhas de piedade. Assim já vivi entre os homens.

Disfarçado, sentei-me entre eles, disposto a conhecer-me para que pudesse suportá-los, e de bom grado dizendo a mim mesmo: "Tolo, não conheces os homens!"

Esquece-se o que os homens são quando se vive com eles. Há demasiadas afinidades em todos os homens. Que poderão fazer por lá olhos que descortinam o horizonte, que perscrutam as distâncias?

E, tolo que fui, quando me julgaram mal, concordei com eles por conta disso mais do que eu mesmo, sendo habitualmente duro comigo mesmo, e muitas vezes até me vingando de mim mesmo pela indulgência.

Picado por moscas venenosas e oco como a pedra por muitas gotas de maldade: assim me sentei entre eles, e ainda disse a mim mesmo: "Inocente é todo mesquinho de sua mesquinhez!"

Em especial, encontrei aqueles que se autodenominam "os bons", foram os que me pareceram as moscas mais venenosas. Picam com toda a inocência, mentem com toda a inocência. Como poderiam ser justos comigo?

A piedade ensina a mentir aos que vivem entre os homens. A piedade torna a atmosfera carregada para todas as almas livres. Porque a estupidez dos bons é insondável.

Ocultar-me a mim mesmo é minha riqueza, foi isso que aprendi por lá porque todos se mostram a mim pobres de espírito.

A mentira de minha compaixão foi olhar e sentir em cada um o que para ele era bastante espírito e o que era espírito demais!

Seus homens rígidos sábios: eu os chamo de sábios, não rígidos. Assim aprendi a trocar as palavras.

Os coveiros cavam para si doenças. Sob o lixo velho repousam os vapores ruins. Não se deve remover o lodaçal. Basta viver nos montes.

Com narinas felizes respiro outra vez a liberdade dos montes! Afinal libertou-se meu nariz do cheiro de todos os seres humanos!

Irritado pelo ar vivo como por vinhos espumantes, minha alma espirra, ela espirra e exclama de contentamento: "À tua saúde!"."

Assim falava Zaratustra.

LIV. DOS TRÊS MALES

I

"Em meu sonho, em meu último sonho de manhã, estava hoje em um promontório, além do mundo. Segurei uma balança e pesei o mundo.

Ah, a aurora veio muito cedo para mim. Ela me iluminou acordado, essa ciumenta!

Ela está sempre com ciúme do brilho de meus sonhos matinais.

Mensurável por quem tem tempo, pesável por um bom pesador, exequível para o voo para quem tiver asas vigorosas, adivinhável para adivinhos, assim viu meu sonho o mundo.

Meu sonho, ousado navegante, meio navio, meio borrasca, silencioso como a borboleta, impaciente como falcão, mas no dia de hoje teve paciência e tempo para pesar o mundo!

Será que minha sabedoria talvez falasse secretamente a ele, minha risonha sabedoria diurna bem acordada, que zomba de todos os "mundos infinitos"? Pois diz: "Onde há força conquista-se também o número, que é o que tem mais força".

Com mais segurança meu sonho observou este mundo infinito! Não era curiosidade, nem indiscrição, nem temor, nem suplica.

Como se apresentasse a minha mão uma grande maçã, uma maçã de ouro, madura, fresca e de casca macia, assim se apresentava a mim o mundo.

Como se uma árvore acenasse para mim, uma árvore de ramos largos, de força de vontade, curvada como uma reclina e um banquinho para os viajantes cansados, assim estava o mundo no meu promontório.

Como se mãos delicadas carregassem um cofre para mim, um cofre aberto para o deleite de meus olhos modestos e adoradores, assim o mundo se apresentou hoje diante de mim.

Não é enigma suficiente para assustar o amor humano, não é solução suficiente para fazer adormecer a sabedoria humana. Uma coisa humanamente boa era o mundo para mim hoje, assim me pareceu hoje o mundo de que tanto mal se fala.

Como agradeço ao meu sonho matinal que assim, na madrugada de hoje, pesei o mundo! Como uma coisa humanamente boa veio a mim, este sonho consolador de coração!

E para que eu possa fazer o mesmo, para dele aprender meu melhor ensinamento, quero colocar agora na balança os três maiores males e quero pesá-los de maneira humana correta.

O mestre que ensinou a abençoar, ensinou também a amaldiçoar. Quais são as três coisas mais amaldiçoadas no mundo? São essas que quero pôr na balança.

A voluptuosidade, o desejo de dominar, o egoísmo. Estas três coisas têm sido as mais difamadas, as mais cruelmente vilipendiadas e caluniadas até hoje. São estas três coisas que quero pesar de modo humanamente correto.

Coragem! Aqui está meu promontório, e lá está o mar que rola até mim, desgrenhado e lisonjeador, esse cão velho e fiel, monstro de cem cabeças a quem estimo.

Coragem! Aqui sobre o mar ondulante quero levantar a balança e vou escolher também uma testemunha para vigiar a pesagem. A árvore solitária, tu, árvore de cheiro forte e de amplo arco que eu amo!

Por que ponte vai o presente para o futuro? Qual a força que compele para baixo o que está no alto? E que foi que obrigou a coisa mais alta a subir ainda mais?

Agora a balança está imóvel e em equilíbrio. Lancei nela três pesadas perguntas. O outro prato sustém três pesadas respostas.

II

Voluptuosidade, é para todos os portadores de cilício e detratores do corpo seu aguilhão e farpa na carne. Amaldiçoada como "mundo" por todos aqueles que creem no mundo do além porque a voluptuosidade ri e zomba de todos os mestres do erro e do errado.

Voluptuosidade, és para a canalha fogo lento que a queima. Para toda a madeira carcomida e de todos os trabalhos hediondos o grande fogo ardente.

Voluptuosidade, és para os corações livres qualquer coisa inocente e livre, as delicias do jardim terrestre, transbordante gratidão do futuro no presente.

Voluptuosidade, só és um veneno adocicado para os melancólicos. Para os que tem a vontade do leão, és grande remédio para o coração, o vinho dos vinhos, que se economiza religiosamente.

Voluptuosidade, és a maior felicidade simbólica para a ventura e a esperança superior. Que há muitas a que é permitido o consórcio, e mais que o consórcio, muitas coisas que são mais estranhas para si do que o homem para a mulher. E quem compreendeu até que ponto são estranhos um para o outro, o homem e a mulher?

Voluptuosidade... Mas quero limitar meus pensamentos e também minhas palavras que os sórdidos e os exaltados não invadam os jardins.

Desejo de dominar: o açoite pungente dos mais duros de os corações endurecidos, o martírio espantoso reservado ao mais cruel, a chama sombria das fogueiras vivas.

Desejo de dominar: o afã que sentem os povos mais vãos, aqueles que zomba de todas as virtudes incertas, aquele que cavalga sobre todos os orgulhos.

Desejo de dominar: o terremoto que quebra e desagrega tudo quanto é velho e oco, o furioso destruidor de todos os sepulcros caiados, o sinal de interrogação que lança raios sobre as respostas prematuras.

Desejo de dominar: sob teu olhar, se arrasta e humilha o homem, descendo abaixo da cobra e do suíno, até que enfim, clama nele o grande desprezo.

Desejo de dominar: o terrível mestre que ensina o grande desprezo, que prega nas cidades e dentro dos impérios: "vai embora!", até que afinal eles próprios exclamam: "Sou eu que devo ir embora!"

Desejo de dominar que ascende também até os puros e solitários a fim de os atrair, que ascende até as alturas da satisfação de si mesmo, ardente como um amor que pinta no céu terrestre sedutoras beatitudes purpúreas.

Desejo de dominar... Mas, quem quereria chamar a isto um desejo quando para baixo é que a altura aspira ao poder! Nada há de febril nem doentio em tais desejos e decadências!

Não se condene a altura solitária à eterna solidão, nem se contente de si! Desçam as montanhas para os vales e os ventos das alturas para as planícies!

Ah! Quem haveria de encontrar o verdadeiro nome para batizar e honrar semelhante desejo! "Virtude dadivosa".

Assim chamou Zaratustra em outro tempo a essa coisa inefável.

E também então, pela primeira vez, de certo, elogiou sua palavra o e egoísmo, o bom e o sadio egoísmo que brota de sua alma poderosa a que corresponde o corpo elevado, belo, vitorioso e reconfortante, em torno do qual tudo se muda em espelho: o corpo flexível e persuasivo, o dançarino cujo símbolo e expressão é a alma contente de si mesma.

Ao próprio contentamento de tais corpos e tais almas chama-se "virtude".

Com suas máximas sobre o bem e o mal essa alegria protege-se a si própria como se fosse rodeada de bosques sagrados. Com os nomes de sua ventura, desterra para longe de si tudo o que é desprezível.

Desterra para longe de si tudo o que é covardia. Diz ela: mau é o que é covarde.

Desprezível lhe parece o que sofre, suspira e se queixa sempre e recolhe até o menor lucro.

Despreza também toda a sabedoria que floresce na obscuridade, uma sabedoria de sombra noturna, como a que suspira sempre "tudo é vão".

Não estima a desconfiança medrosa, nem o que quer juramento em vez de olhares e mãos, tampouco a sabedoria desconfiada demais porque tudo isto é próprio de almas covardes.

Ainda mais baixo lhe parece o obsequioso, o cão que logo se deita de costas, o humilde.

Odeia e tem asco daquele que nunca se defenderá, aquele que engole as salivas venenosas e os olhares de revés, ao pacientíssimo que tudo suporta e com tudo se contenta, pois esse é o modo dos escravos.

Sejam eles servis diante dos deuses e rejeições divinas, ou diante dos homens e das estúpidas opiniões humanas: em todos os tipos de escravos ele cospe, este abençoado egoísmo!

Mau, assim chama a tudo o que é baixo, ruim e servil, aos olhos vesgos e submissos, aos corações contritos e essas criaturas falsas e rasteiras que beijam com lábios covardes.

E sabedoria espúria, assim chama toda a inteligência que os escravos, e as cabeças velhas e cansadas aqueles afetam; e, especialmente, todas as tolices astutas, espúrias e curiosas dos sacerdotes!

Os falsos sábios, todos os sacerdotes, os cansados do mundo, a gente de alma afeminada e servil, oh! Como sempre causaram embaraços ao jogo do egoísmo!

E exatamente isso deveria ser virtude e deveria ser chamado de virtude, abusar do egoísmo! E todos esses covardes e todas essas aranhas cansadas de viver desejam eximir-se com boas razões de carregar a cruz!

Para todos eles, porém, chega agora a luz, a transformação, a espada da justiça, o grande meio dia, em que muitas coisas secretas serão reveladas!

E aquele que proclama sadio e santo o EU e santifica o egoísmo, esse, o profeta, diz na verdade o que sabe: "Vede! Aí vem, já se aproxima o grande meio-dia!"."

Assim falava Zaratustra.

LV. DO ESPÍRITO DE PESO

I

"Minha linguagem é a do povo. Falo de modo muito rude e franco para os delicados. Minha palavra, porém, parece ainda mais estranha a todos esses escritores de baixa qualidade, a esses rabiscadores de papel.

Minha mão, é mão de louco. Pobres de todas as mesas e paredes, e tudo o que tem lugar para o esboço e rabisco do louco!

Meu pé, é pé de cavalo; com isso eu pisoteio e troto sobre gravetos e pedras, nos campos para cima e para baixo, e fico endiabrado de prazer em todas as corridas rápidas.

Meu estômago, certamente seja o estômago de uma águia. Pois prefere carne de cordeiro. Mas, certamente, é estômago de ave.

Alimentado com coisas inocentes e com pouco, pronto a voar e impaciente por tomar o voo. Assim sou. De resto, como não haveria de ter algo de ave?

Sou como uma ave, sobretudo por ser inimigo do espírito do peso, inimigos deveras mortais, inimigo jurado, inimigo inato! Para onde já não voou minha inimizade!

A este respeito poderia entoar um canto e quero entoá-lo, conquanto esteja só, numa casa vazia, e tenha que cantá-lo a meus próprios ouvidos.

Há também outros cantores que não têm a garganta expedita, a mão eloquente, expressivo o olhar e o coração desperto, senão quando tem a casa cheia. Não me pareço com eles.

II.

Aquele que um dia ensinar os homens a voar terá mudado todos os marcos; para ele os próprios marcos voarão pelos ares, e a terra será batizada novamente de "o corpo de luz".

O avestruz corre mais rápido do que o cavalo veloz, mas também enfia a cabeça na pesada terra. Assim é com o homem que ainda não pode voar.

Pesados para ele estão a terra e a vida, e, portanto, o espírito do peso! Mas ele quem se tornaria luz, e seria um pássaro, deve amar a si mesmo. Assim eu ensino.

Claro, não é amar-se com o amor dos enfermos e dos febricitantes porque nestes até o amor de si próprio cheira mal.

É preciso aprender a amar-se com amor sadio, a fim de aprender a suportar-se e a não vaguear fora de si mesmo.

"Amor ao próximo", assim se chama o fato de vaguear fora de si mesmo.

É com esta expressão que se tem mentido e fingido mais, especialmente por parte daqueles a quem todo o mundo dificilmente suporta.

E, na verdade, não é um mandamento para hoje e amanhã este de aprender a amar a si mesmo.

Em vez disso, é de todas as artes a mais fina, sutil, última e paciente.

Pois para seu possuidor todas as posses estão bem escondidas, e de todos os tesouros o que mais tarde se descobre é o que vos pertence em propriedades: é esta a obra do espírito de peso.

Quase no berço ainda nos dotam de pesadas palavras e pesados valores: "bem" e "mal", assim se chama o patrimônio. Pelo preço desses valores, nos desculpam o fato de viver.

E se os homens deixam vir a si crianças é para prevenir a tempo contra o amor de si próprias. Isso é que faz o espírito do peso.

E nós suportamos lealmente o que é distribuído a nós, sobre ombros rígidos, sobre robustas montanhas! E quando suamos, as pessoas nos dizem: "Sim, a vida é difícil de suportar!"

Mas o próprio homem é difícil de suportar! A razão disso é que ele carrega muitas coisas estranhas em seus ombros. Como o camelo ajoelha-se e deixa-se carregar bem.

Especialmente o homem forte e portador de carga em quem reside a reverência. Muitos carregam palavras pesadas e valores pesados a sobre si mesmo, então parece que a vida é um deserto!

E, na realidade, muitas coisas que nos são próprias, na verdade, são também fardos pesados de levar! E o interior do homem se parece muito com a ostra: repelente, viscosa e difícil de apanhar, de forma que uma nobre concha de nobres adornos se vê obrigada a interceder pelo resto, mas também se deve aprender essa arte: possuir casca, uma bela aparência e uma sabia cegueira.

Também nos enganamos muito acerca do homem, por haver muita casca pobre e triste de excessiva grossura. Há muita força e bondade oculta que jamais foram desvendadas. As iguarias mais esquisitas não encontram afeiçoados.

As mulheres o sabem, pelo menos as mais sofisticadas: um pouco mais de gordura, um pouco menos de carnes, nesse "pouco" tudo varia!

O homem é difícil de descobrir, e ainda mais para si mesmo. A inteligência mente muitas vezes acerca do coração. Isso é o que faz o espírito de peso.

Mas aquele que diz: Este é meu bem e meu mal, esse descobriu-se a si mesmo. Com isso fez emudecer o míope e o anão que dizem: "Bem para todos, mal para todos".

Na verdade, também não gosto daqueles para quem todas as coisas são boas e que chamam a este mundo o melhor dos mundos. Chamo-os de insatisfeitos.

A felicidade de gostar de tudo não é dos melhores gostos. Louvo as línguas delicadas e os estômagos escrupulosos que aprendem a dizer: "Eu" e "Sim" e Não."

Mastigar e digerir tudo, porém é fazer como os suínos. Dizer sempre Sim, isso só os asnos e os de sua espécie aprendem.

O que meu gosto deseja é o amarelo intenso e o roxo quente, mistura de sangue com todas as cores. Mas aquele que caia de branco revela ter uma alma caiada de branco.

Uns, enamorados de música, outros de fantasmas e todos igualmente inimigos da carne e do sangue. Como todos esses me repugnam! É de sangue que eu gosto.

Não quero estar ou morar onde toda a gente escuta. Este é agora meu gosto: prefiro viver entre perjuros e ladrões. Ninguém tem boca de ouro.

Mas ainda me repugnam mais os lambedores de escarros. O animal mais repugnante que tenho visto entre os homens chamei-o de parasita. Não queria amar e queria viver do amor.

Chamo desgraçados aquele que só podem escolher entre duas coisas: tornar-se animais ferozes ou ferozes domadores de animais. Não gostaria de erguer minha tenda ao lado deles.

Chamo desgraçados todos aqueles que tem que estar sempre à espera. São contra meu gosto, todos esses aduaneiros, lojistas, reis e demais guardiões de países e lojas.

Aprendi profundamente a esperar, mas a esperar a mim. E aprendi a me manter em pé, a andar, a correr, a saltar, a subir e a dançar.

Esta é a minha doutrina. Aquele que um dia deseja aprender a voar, deve aprender manter-se de pé, a andar, a correr, a saltar, a subir e a dançar. Não se aprende a voar logo à primeira tentativa!

Com escadas de corda aprendi a escalar mais de uma janela. Com pernas ágeis galguei elevados mastros. Não me parecia pequena ventura encontrar-me no cimo dos altos mastros do conhecimento, oscilando como pequena labareda. Uma pequena luz sem dúvida, mas um grande consolo, todavia, para navegadores perdidos e para os náufragos.

Cheguei a minha verdade por muitos caminhos e por muitas maneiras.

Não subi somente por uma escada até a altura de onde meu olhar se perde nas distâncias.

E nunca perguntei o caminho sem me sentir contrariado. Sempre fui contrário a isso. Sempre preferi interrogar e submeter à prova os meus próprios caminhos.

Provando e interrogando, foi assim que caminhei e naturalmente é preciso aprender também a responder semelhantes perguntas.

Este é meu gosto. Não é um gosto bom nem mau, mas é meu gosto e não tenho que ocultá-lo nem me envergonhar dele.

"Este é agora o meu caminho, onde está o vosso?" Era assim que eu respondia aos que me perguntavam "o caminho". O caminho, de fato, o caminho não existe!"

Assim falava Zaratustra.

LVI. DAS ANTIGAS E DAS NOVAS TÁBUAS

I

"Aqui devo sentar e esperar, velhas tábuas quebradas ao meu redor e também novas tábuas escritas pela metade.

Quando chegará a minha hora?

A hora da minha descida, do meu declínio: porque mais uma vez irei aos homens.

Por essa hora espero agora: porque primeiro devem vir a mim os sinais de que é a minha hora, ou seja, o leão risonho com o rebanho de pombas.

Enquanto isso, falo comigo mesmo como quem tem tempo. Ninguém me diz nada de novo, então conto a mim mesmo minha própria história."

II

Quando vim para junto dos homens, então os encontrei descansando em uma antiga paixão: todos achavam que já sabiam há muito o que era bom e ruim para o homem.

Um velho assunto enfadonho parecia a todos um discurso sobre a virtude; e aquele que desejou dormir tranquilamente falava de "bem" e do "mal" antes de se retirar para descansar.

Essa sonolência perturbei quando ensinei que: ninguém ainda sabe o que é bom e mal... a menos que seja o criador!

É ele, no entanto, quem cria a meta do homem e dá à terra seu significado e seu futuro, só esse cria o bem e o mal de todas as coisas.

Ordenei-lhes que derrubassem suas velhas cadeiras acadêmicas, e onde quer que aquela velha paixão tivesse sentada. Mandei-os rir de seus grandes moralistas, seus santos, seus poetas e seus salvadores do mundo.

Diante de seus sábios sombrios, fiz com que rissem, e quem quer que tenha ficado admoestando como um negro espantalho na árvore da vida.

Sentei-me à beira de sua grande sepultura, e mesmo ao lado da carniça e dos abutres, e ri de todo o seu passado e de sua glória decadente e suave.

Na verdade, como pregadores penitenciais e tolos, chorei de ira e vergonha por toda a sua grandeza e pequenez. Oh, o melhor deles é tão pequeno! Oh, e igualmente pequeno o pior! Assim eu ria.

E frequentemente meu desejo me levou muto longe, mais além, para o alto, levava-me com o riso. Então eu voava, vibrando como uma flecha através dos êxtases ébrios de sol, voava para remotos futuros que nenhum sonho viu, para meios-dias mais cálidos dos que jamais pôde sonhar a fantasia, para além, onde os deuses se envergonham de todos os vestidos, para falar em parábolas, balbuciar e coxear como os poetas e, na verdade, envergonho-me de ser ainda poeta!

Onde todo devir me parecia uma dança de deuses, e devassidão de deuses, e o mundo descontrolado e desenfreado e fugindo para si mesmo.

Como numerosos deuses que eternamente fogem e se procuram, como numerosos deuses que beatamente se contradizem, uns ouvindo os outros e de novo uns aos outros se pertencem.

Onde todo o tempo me parecia uma bendita zombaria de momentos, onde a necessidade era a própria liberdade, que brincava alegremente com o aguilhão da liberdade.

Onde também encontrei novamente meu velho demônio e inimigo inato, o espírito de peso e tudo mais que ele criou: restrição, lei, necessidade e consequência, propósito e vontade, bem e mal.

Pois não deve haver coisa sobre a qual se possa dançar e passear dançando? Não é necessário que haja, por causa dos leve e dos mais leves, míopes e pesados anões?"

III

"Foi lá também que peguei no caminho a palavra "Super-homem", e esse homem é algo que deve ser superado.

Esse homem é uma ponte e não um objetivo, regozijando-se com o meio-dia e as noites, como avanços para novas auroras.

A palavra de Zaratustra sobre o grande meio-dia e também sobre o homem, suspendi aos ombros como um segundo manto de púrpura.

Na verdade, também novas estrelas os fiz ver, junto com novas noites; e sobre a nuvem e o dia e noite, espalhei o riso como um dossel de cor alegre.

Ensinei a eles toda a minha poetização e aspiração; compor e reunir na unidade o que é fragmento no homem, e enigma e cruel acaso.

Como poeta, leitor de adivinhações e redentor do acaso, ensinei-os a criar o futuro e, criando, resgatar tudo o que foi.

Salvar o passado do homem e transformar "o que foi" até a vontade de dizer: "Mas eu queria que fosse assim! Assim o hei de querer!"

A isso chamei a salvação para eles. Só a isso lhes ensinei a chamar salvação.

Agora espero a minha para voltar pela última vez para junto deles.

Porque mais uma vez quero voltar para junto dos homens. Quero desaparecer entre eles e oferecer-lhes, ao morrer, o mais rico dos dons.

Essa lição aprendi do sol, desse opulento sol de inesgotável riqueza que, ao pôr-se, derrama seu ouro pelo mar. Por isso até os mais pobres pescadores remam com dourados remos! Vi isso uma vez e, enquanto o via, minhas lágrimas não se cansavam de correr.

Como declina o sol, assim também quer declinar Zaratustra. Agora ele se senta aqui e espera, rodeado de antigas tábuas quebradas e de tábuas novas meio escritas."

IV

"Eis uma nova tábua; mas onde estão meus irmãos para a levarem comigo ao vale e aos corações de carne?

Assim exige meu grande amor aos mais remotos. Não poupe seu próximo! O homem é algo que deve ser superada.

Existem muitas maneiras e modos de superação: Cabe a ti escolher! Mas apenas um bufão pensa: "o homem também pode ser superado".

Supere a ti mesmo no teu próximo, não permita que te deem um direito que pode conquistar,

O que tu fazes ninguém o poderá devolver a ti. Fica sabendo, não há recompensa.

Aquele que não pode mandar a si mesmo deve obedecer. E há quem saiba mandar, mas ainda está muito longe de saber obedecer."

V

Tal é a condição das almas nobres: não querem ter nada gratuitamente e, menos que tudo, a vida.

Quem faz parte do povão quer viver gratuitamente, mas nós, a quem a vida se deu, pensamos sempre no melhor que poderíamos dar em troca.

E, na verdade, é um ditado nobre que diz: "O que a vida nos prometeu, nós queremos, em função da vida, cumprir!"

Não se deve procurar o prazer onde não se contribui para isso. E não se deve no geral procurar o prazer!

Pois prazer e inocência são as coisas mais pudicas. Não gostam de ser procuradas.

Deve-se possuí-las, mas, antes, deve-se procurar a culpa e a dor!"

VI

"Meus irmãos, aquele que nasce primeiro é sempre sacrificado. Ora nós somos os primeiros que nascemos.

Todos sangramos no altar dos sacrifícios, todos ardemos e nos assamos em honra aos velhos ídolos.

O melhor de nós ainda é novo. Isso excita velhos paladares. Nossa carne é tenra, nossa pele não é mais do que uma pele de cordeiro. Como haveríamos de tentar velhos sacerdotes idolatras?

Em nós mesmos habita ele ainda, o velho ídolo-sacerdote, que assa o nosso melhor para o seu banquete. Ah, meus irmãos, como poderiam as primícias deixar de ser sacrifícios!

Mas assim deseja nosso tipo; e amo aqueles que não desejam se preservar, amo os decaídos com todo o meu amor: pois eles vão além."

VII

"Ser verdadeiro, poucos sabem! E aquele que sabe não quer ser! E menos que ninguém, os homens de bem.

Oh, esses bons! Bons homens nunca falam a verdade. Para o espírito, ser bom assim, é uma doença.

Esses homens de bem cedem, rendem-se. Sua memória repete como um eco e sua razão obedece. Não se ouve a si mesma!

Tudo o que é chamado de mau pelo bem deve estar unido para que nasça uma verdade. Ó meus irmãos, sois também maus o suficiente para esta verdade?

A aventura ousada, a desconfiança prolongada, a cruel recusa, o tédio, a vontade de cortar no vivo, quão raramente estes vêm juntos! Fora dessa semente, no entanto, é a verdade produzida!

E ao lado da má consciência que cresceu todo o saber de hoje! Quebrai, quebrai as antigas tábuas, vós que aspiras ao conhecimento!"

VIII

"Quando há madeiras estendidas sobre a água, quando há pontes e passarelas sobre o rio, não se dá credito a ninguém que diga: "Tudo corre."

Mas mesmo os imbecis o contradizem. "O quê?", dizem os imbecis, "tudo em fluxo? As madeiras e as passarelas ainda estão sobre o rio?"

Sobre o rio, tudo é estável, todos os valores das coisas, os conceitos, todo o bem e mal, tudo isso é estável.

E quando chega o inverno, o domador dos rios, os mais maliciosos aprendem a desconfiar. E não são só os imbecis que dizem então: "Não estaria tudo imóvel?"

"Fundamentalmente tudo permanece parado", essa é uma doutrina de inverno apropriada, uma boa coisa para um período improdutivo, um grande conforto para o inverno, hibernantes e sedentários.

"Fundamentalmente tudo está parado", mas contrário a isso, protesta o vento do degelo!

O vento do degelo, um touro que não lavra, um touro furioso e destruidor que quebra o gelo com hastes coléricas! O gelo, por sua parte, quebra as pontes!

Ó meus irmãos, não está tudo atualmente em fluxo? Não caíram na água todas passarelas e pontes? Quem ainda se apegaria ao "bem" e ao "mal"?

"Infelizes que somos! Salve-nos! O vento de degelo sopra!". Pregai isso, meus irmãos, por todas as ruas!"

IX

"Existe uma velha ilusão, chama-se bem e mal. Perto de adivinhos e astrólogos girou até agora a órbita dessa ilusão.

Outrora acreditou-se em adivinhos e astrólogos; e por isso se passou a acreditar: "Tudo é destino: tu deves porque é necessário!"

Então, novamente, desconfiou-se de todos os adivinhos e astrólogos; e por isso se passou a acreditar: "Tudo é liberdade: tu podes, porque tu queres!"

Ó meus irmãos, a respeito das estrelas e do futuro, até agora existe apenas uma ilusão, e não conhecimento; e por isso, a respeito do bem e do mal, até agora tem havido apenas ilusão e não conhecimento!"

X

""Não roubarás! Não matarás!" tais preceitos já foram chamados de santos. Perante eles antes dobrava o joelho e a cabeça e tirava os sapatos.

Mas vos pergunto: onde se viu jamais no mundo melhores salteadores e assassinos que essas palavras? Não há na mesma vida roubo e morte? E para que tais preceitos sejam chamados de santos, a própria verdade não foi assassinada?

Ou seria pregar a morte proclamar santo tudo o que estava em contradição e em choque com a vida? Ó meus irmãos! Quebrai, quebrai essas antigas tábuas!"

XI

"Para tudo o que é passado, sinto pena em vê-lo abandonado, abandonado ao arbítrio, ao espírito e a loucura de cada geração que chega e olha tudo o que existiu como ponto de si mesma.

Um grande déspota poderia surgir, um prodígio astuto, que com aprovação e desaprovação poderia forçar e restringir todo o passado, até chegar a ser para ele uma ponte, um prognóstico, um arauto e um canto de galo.

Mas aqui está outro perigo e a outra razão de pena: a memória do homem comum chega até o avô e com o avô, cessa o tempo.

Por isso todo o passado fica ao abandono porque um dia poderia acontecer que o homem comum se tornasse senhor e todo o tempo se afogaria em águas superficiais.

Por isso, meus irmãos, é preciso uma nova nobreza adversária de todo o homem comum e de todo o despotismo, e que escreva novamente, em novas tábuas, a palavra nobre.

Porque são necessários muitos nobres e de todas as espécies para que exista nobreza! Ou como um dia em parábola disse:

"A divindade consiste precisamente em haver deuses, mas que Deus não exista!"."

XII

"Ó meus irmãos! Consagro e edifico em vós uma nova nobreza. Tornai-vos, portanto, criadores e educadores, semeadores do futuro, não, na verdade, nobreza que possais comprar como lojistas e com ouro de lojistas, porque tudo quanto tem preço, pouco valor tem.

O que vos honrará para o futuro não será o local de onde vierdes, mas o lugar para onde ireis! Vossa vontade e vosso passado que querem ir mais longe do que vós. Que isso se torne vossa nova honra!

Não, na verdade, em terdes servido um príncipe. Que significado têm agora os príncipes? Ou em vos terdes tornado, para o consolidar, bastiões dos existentes.

Não em ter-se vossa linhagem estabelecido nas cortes e terdes aprendido, como coloridos flamingos, a permanecer longas horas à beira do lago.

Porque saber ficar de pé por muito tempo é um mérito nos cortesãos e todos os cortesãos julgam que ter a autorização de sentar-se faz parte da felicidade depois da morte.

Nem mesmo que um espírito chamado Santo tenha conduzido seus antepassados às terras prometidas, que eu não elogio, porque no país onde brotou a pior das árvores, a cruz, nada há a elogiar!

E, na verdade, onde quer que esse "Espírito Santo" conduza seus cavaleiros, tais cortejos são sempre precedidos de cabras, gansos, loucos e tresloucados.

Ó meus irmãos! Não é para trás que vossa nobreza deve olhar, mas para frente! Deveis ser expulsos de todas as pátrias e de todos os países de vossos antepassados.

Deveis amar o país de vossos filhos. Que esse amor seja a vossa nobreza, país inexplorado, no oceano mais distante! é a esse país que digo a vossas velas de procurar e tornar a procurar!

Deveis redimir-vos em vossos filhos de ser filhos de vossos pais. Assim libertareis todo o passado! Ponho para cima de vós esta nova tábua."

XIII

"Por que alguém deveria viver? Tudo é vão! Viver, isso é esmurrar palha; viver, isso é queimar a si mesmo e ainda não se aquecer."

"Essa cantilena antiga ainda passa por "sabedoria". Quanto mais velhas, quanto mais cheiram a ranço, mas honradas são. Também a podridão enobrece.

As crianças podem falar assim: Elas apagam o fogo que já as queimou! Há muita infantilidade nos velhos livros de sabedoria.

E aquele que sempre trilha a palha, como teria o direito de zombar da trilha do trigo, como se permitiria isso? Seria preciso amordaçar tais loucos!

Essas pessoas se sentam à mesa e não trazem nada consigo, nem mesmo um bom apetite: e então eles gritam: "Tudo é vão!"

Mas comer e beber bem, meus irmãos, em verdade não é uma arte vã! Quebrai, quebrai as tábuas dos eternamente descontentes."

XIV

"Para os limpos todas as coisas são limpas" assim dizem as pessoas. "No entanto, digo-vos: Para os porcos, tudo é porco!

Por isso os fanáticos e os tristonhos, que também tem o coração malévolo, pregam dessa forma: "O próprio mundo é um monstro imundo!"

Pois todos esses são espíritos imundos; especialmente aqueles, no entanto, que não têm paz ou descanso, a menos que vejam o mundo por detrás. São aqueles dos além-mundos!

A esses lhes digo na cara, conquanto não soe muito bem: o mundo se parece com o homem por ter também traseiro. Quer queira, quer não, é verdade.

Há muita lama no mundo. Quer queira, quer não, isso é verdade! Mas nem por isso o mundo é um monstro imundo.

É sensato haver no mundo muitas coisas que cheirem mal. O próprio asco dá asas e forças para pressentir fontes disso!

Até nos melhores há qualquer coisa repugnante, até o melhor é coisa que ainda deve se superar!

Ó meus irmãos! É a própria sabedoria que quer tanta imundície neste mundo!"

XV

"Ouvi tais ditos homens do mundo posterior falarem às suas consciências, e verdadeiramente sem maldade ou astúcia, embora não haja nada mais astuto no mundo, ou mais perverso.

"Que o mundo seja como é! Não levante um dedo contra isso!"

"Que não levante um dedo contra todo aquele que sufocar, esfaquear, esfolar e arranhar o povo. Assim eles aprenderão a renunciar ao mundo".

"E deverias abater e estrangular tua própria razão, porque essa razão é deste mundo. Assim aprenderás tu mesmo a renunciar ao mundo".

Quebrai, meus irmãos, quebrai essas velhas tábuas dos devotos! Aniquilai as palavras dos caluniadores do mundo!"

XVI

"Aquele que aprende muito esquece todos os desejos violentos". "Assim se murmura hoje em todas as ruas escuras.

"A sabedoria cansa. Nada vale a pena. Tu não deves cobiçar". Também encontrei essa nova tábua suspensa nas praças públicas.

Quebrai, meus irmãos, quebrai também essa nova tábua! Penduraram-na os cansados do mundo, os pregadores da morte e os carcereiros. Porque ela é também um apelo ao servilismo.

Porque aprenderam o mal e não as coisas melhores, e tudo muito cedo e também depressa; porque comeram mal e seu estômago arruinou; um estômago arruinado, é o espírito deles. Ele persuade até a morte! Pois, na verdade, meus irmãos, o espírito é um estômago!

A vida é uma fonte de alegria! Mas para aquele que deixa falar o estômago sobrecarregado, o pai da tristeza, todas as fontes estão envenenadas.

Conhecer é um prazer para quem tem a vontade de leão. Mas o que se fatigou é tão somente "querido" e todas as ondas brincam com ele.

E essa é sempre a natureza dos homens fracos: perdem-se no caminho. E enfim indagam seu cansaço: "Por que sempre seguimos o caminho? Tudo é indiferente!"

A seus ouvidos é que soa bem essa pregação: "Nada vale a pena! Não deveis querer!" Mas isso, todavia é um apelo ao servilismo.

Ó meus irmãos! Zaratustra chega como uma rajada de vento fresco para todos os que estão cansados do seu caminho. Ainda há de fazer espirrar muitos narizes!

Meu hálito livre sopra através das paredes, penetrando nas prisões e nos espíritos presos!

A vontade liberta porque a liberdade é criadora. Assim é que eu ensino. E só para criar precisais aprender!

E só de mim necessitais aprender, aprender o bom aprendizado. Quem tiver ouvidos que ouça."

XVII

"A barca está pronta. Ela talvez conduza para o grande nada. Mas quem quererá embarcar para esse "talvez"?

Nenhum de vós quer embarcar na barca da morte? Como quereis então estar cansados do mundo?

Cansados do mundo e nem sequer estais desprendidos da terra! Sempre vos vi desejosos da terra, enamorados de vosso próprio cansaço da terra!

Não é em vão que tendes o lábio descaído. Ainda pesa nele um desejo terrestre! E em vosso olhar não flutua uma nuvem, de alegria terrestre que ainda não esquecestes?

Há na terra muitas boas invenções, umas inúteis, outras agradáveis. Por isso é preciso amar a terra.

E algumas invenções são tão boas que, como o seio da mulher, são úteis e agradáveis ao mesmo tempo.

Vós, cansados do mundo, entretanto! Vós, preguiçosos da terra! Deveis bater com chicote! É necessário tornar ligeira vossas pernas com chicotadas.

Porque, se não sois enfermos e pobres diabos a golpe de chibatadas, de quem a terra está cansada, sois preguiçosos ladinos ou gatos gulosos e delicados que só buscam seu prazer. E se não quereis tornar a correr alegremente, o melhor é desaparecerdes.

Não é preciso querer ser médicos dos incuráveis, assim ensina Zaratustra. Desaparecei, pois!"

XVIII

Ó irmãos, há tábuas moldadas pela fadiga e há tábuas moldadas pela preguiça, preguiça corrupta: embora falem de modo similar, devem ser ouvidas de modo diferente.

Vejam este homem morrendo de sede! Está a apenas um passo de seu objetivo, e por conta própria, não dará mais um passo adiante — este bravo!

Agora brilha o sol sobre ele, e os cães lambem seu suor: mas lá ele está, obstinado, e prefere a morte.

A um palmo de seu objetivo, fracassar! Certamente o carregarão até seu paraíso pelos cabelos — este herói!

Seria melhor deixá-lo estar onde se deitou, que o sono caia sobre ele e o console, refrescado pelo tamborilar da chuva.

Deixem-no estar, até que ele desperte por conta própria — até que por conta própria repudie toda a fadiga e tudo que a fadiga ensinou através dele!

Irmãos, apenas afastem os cães dele, os sorrateiros malfeitores e toda a infestação de vermes:

Toda a infestação de vermes dos "cultos" que se deliciam com o suor de cada herói!

XIX

"Formo círculos ao meu redor e limites sagrados. Cada vez menos são os que sobem comigo por montanhas mais elevadas. Construo uma cordilheira a partir de montanhas cada vez mais sagradas.

Mas onde quer que desejais subir comigo, meus irmãos, olhai que não haja parasitas que subam convosco!

Um parasita é um verme rasteiro e insinuante que quer engordar com todas as vossas intimidades enfermas e feridas.

É esta sua arte. Adivinhar onde estão, cansadas as almas que sobem. Em vossa aflição, em vosso descontentamento, em vosso frágil pudor constrói seu repugnante ninho.

Onde o forte é fraco, onde o nobre é demasiado indulgente, é ali que constrói seu repugnante ninho. O parasita habita onde o grande tem recantos doentes.

Qual é a mais elevada de todas as espécies de seres e qual é a mais baixa? O parasita é a espécie mais baixa, ele, entretanto, o que é da espécie mais elevada, é que alimenta a maioria dos parasitas.

Porque a alma que possui a escada mais longa e pode descer mais baixo, como não haveria de transportar sobre si o maior número de parasitas?

A alma mais abrangente, que pode correr e vagar e vagar mais longe em si mesma; a alma mais necessária, que de alegria se lança ao acaso. A alma que é a que mergulha no devir. A alma que possui e que no querer e no desejo quer mergulhar.

A alma que foge de si mesma, na qual todas as coisas têm sua ascensão e seu declínio, seu fluxo e seu refluxo. Oh! Como a alma mais elevada não haveria de ter os seus parasitas?"

XX

"Ó meus irmãos, sou então cruel? Mas eu digo: O que cai, esse também empurrará!

Tudo que é de hoje cai e se desconcerta. Quem iria preservá-lo! Mas eu, também desejo o empurrar!

Conheceis a voluptuosidade que precipitas as pedras em profundidades? Vede os homens de hoje, olhai como rondam por minhas profundidades!

Sou um prelúdio para melhores tocadores, ó meus irmãos! Um exemplo! Faça de acordo com o meu exemplo!

E a quem não ensinardes a voar, ensinai-lhe a cair mais depressa!"

XXI

"Amo o bravo. Mas não é o suficiente para ser um espadachim, é preciso também saber onde usar a esgrima!

E muitas vezes revela mais valentia em se abster e passar adiante, a fim de se preservar para um inimigo mais digno.

Tereis apenas inimigos a serem odiados; mas não inimigos a serem desprezados. Vós deveis se orgulhar de seus inimigos. Assim, já ensinei.

Para o inimigo mais digno, ó meus irmãos, devereis reservar-vos. Portanto, há muitos diante dos quais deveis passar. Especialmente muitos da ralé, que fazem barulho aos seus ouvidos falando-vos dos povos e das nações.

Livrai vossos olhos do seu "pró" e de seu "contra"! Há ali muita justiça e injustiça. Ver isso revolta!

Lançar aí o olhar, investir com a espada, é tudo a mesma coisa.

Portanto, partam para as florestas e daí paz a vossa espada!

Segui vossos caminhos! E deixai os povos e nações seguir os seus! Caminhos escuros, na verdade, onde já não brilha nenhuma esperança.

Reine o lojista onde tudo quanto brilha é só ouro dos lojistas! Já não é mais tempo de reis. O que hoje se chama povo já não merece rei.

Senão, olhai como as nações imitam agora os lojistas. Aproveitem as menores utilidades em todas as varreduras.

Espiam-se, espreitam-se, é a isso que chamam "boa vizinhança". Ditosos tempos aqueles em que o povo dizia: "Sobre nações, quero tornar-me soberano!"

Porque, meus irmãos, o melhor quer também reinar. E onde se ouve outra doutrina, é que falta o melhor."

XXII

"Se esses tivessem o pão de graça, infelizmente! pelo que eles gritariam? Sua subsistência esse é o seu verdadeiro entretenimento, e eles terão uma vida difícil!

Animais predadores, são eles, em seu "trabalho" há também pilhagem; em seus "ganhos" há até mesmo exagero! Portanto, eles terão uma vida difícil!

Bestas predadoras se tornarão assim, mais sutis, mais inteligentes, mais semelhantes ao homem, pois para o homem é o melhor animal predador.

O homem já arrebatou suas virtudes a todos os animais, é por isso que de todos os animais foi o mais difícil para o homem.

Apenas as aves ainda estão além dele. E se o homem também aprendesse a voar, infelizmente! A que altura sua rapacidade voaria!"

XXIII

"Eis como quero o homem e a mulher: Um apto para a guerra, a outra, apta para dar à luz. Mas os dois aptos para dançar com cabeças e pernas.

E que todo o dia em que não se tenha dançado, pelo menos uma vez, seja perdido para nós! E toda a verdade que não traga ao menos um riso nos pareça verdade falsa."

XXIV

"Seu casamento arranjado, tomara que não seja um arranjo ruim! Atastes apressadamente? Pois disso resulta o casamento rompido!

E ainda é melhor romper o vínculo do que sujeitar-se a mentir. Assim me falava uma mulher: "É verdade que rompi os laços do matrimônio, mas antes os laços do matrimônio é que me quebraram".

Sempre vi os maridos mal sucedidos sedentos da pior vingança. Vingam-se contra todos por não poderem já andar separados.

Por isso quero que os honestos, digam uns aos outros: "Nós nos amamos. Vamos ver o que mantemos do nosso amor! Ou nossa promessa seria um equívoco?"

"Dai-nos um prazo, uma breve união para vermos se somos capazes de uma longa união! Difícil é estar sempre a dois!"

Assim, aconselho todos os honestos. E a que se reduziria meu amor ao super-homem e a tudo o que deve vir, se aconselhasse e falasse de outro modo?

Não vos deveis contentar somente em procriar, mas em produzir par além de vós mesmos. Ó meus irmãos! Ajude-vos nisso o jardim do matrimônio!"

XXV

"Aquele que se tornou sábio a respeito das origens antigas, eis que, por fim, buscará as fontes do futuro e novas origens.

Ó meus irmãos, não demorará muito até que surjam novos povos e novas fontes atinjam novas profundidades.

Porque o terremoto fecha muitas fontes e causa a morte de muitos homens, mas ele traz à luz forças interiores e intimidades.

O tremor da terra revela novos mananciais. Do cataclismo dos povos antigos surgem novas fontes.

E quem clama: "Eis aqui um poço para muitos sedentos, um só coração para muitos desejosos, uma vontade que encontrará muitos instrumentos", em torno desse alguém se reúne o povo, quer dizer, muitos homens que tentam a prova.

O que ali se ensaia é quem sabe mandar e quem deve obedecer. Ai! À custa de quantas demoradas pesquisas, de deliberações, de falhas, de aprendizagem e de quanto recomeço.

A sociedade humana é uma tentativa, assim ensino, uma longa investigação, mas uma investigação de quem manda.

Uma tentativa, meus irmãos, e não um contrato. Rompei, rompei com tais palavras dos corações covardes e de gente de meia medida!"

XXVI

"Ó meus irmãos! Onde reside o maior perigo do futuro humano? Não é nos homens de bem e nos justos?

Nos que dizem e sentem em seu coração: "Nós sabemos já o que é bom e justo e os possuímos. Infelizes daquele que ainda querem procurar por aqui!"

E por muito mal que os maus possam fazer, o que fazem os bons é o mais nocivo de tudo!

E por muito mal que os caluniadores do mundo possam fazer, o que fazem os bons é o mais nocivo de tudo!

Meus irmãos, alguém olhou uma vez o coração dos homens de bem e dos justos, e disse: "São os fariseus". Ninguém, porém, o entendeu.

Os homens de bem e os próprios justos não deviam compreender isso. O espírito deles é um prisioneiro de sua consciência. A loucura dos homens de bem é de uma insondável prudência.

A verdade, porém, é esta: é forçoso os homens de bem serem fariseus. Não tem escolha! É forçoso os bons crucificarem o que inventa sua própria virtude! Essa é a verdade!

Mas aquele que chegou em segundo para explorar esse país, o país, o coração e o reino dos bons e dos justos, foi aquele que perguntou: "A quem odeiam mais?"

O criador é quem eles mais odeiam, aquele que quebra as tábuas e os velhos valores, o quebrador, a ele chamam de violador da lei.

Porque os homens do bem não podem criar. São sempre o princípio do fim.

Crucificam aqueles que escrevem novos valores em tábuas novas. Sacrificam em próprio benefício o futuro, crucificam o futuro inteiro dos homens!

Os homens de bem sempre foram o princípio do fim."

XXVII

"Ó meus irmãos, vós também compreendestes esta palavra? E o que eu disse uma vez do "último homem"?

Com quem reside o maior perigo para todo o futuro humano? Não é com os homens de bem e justos?

Quebrai, acabai com as palavras de bem e os justos! Meus irmãos, compreendestes também estas palavras?"

XXVIII

"Fugis de mim? Assustai-vos? Tremeis ante estas palavras?

Meus irmãos quando vos disse para quebrar os bons e as tábuas dos bons, foi nesse dia que lancei o homem para o seu alto-mar.

Só agora é que passou a conhecer o grande terror, o grande olhar inquieto, a grande enfermidade, a grande náusea, o grande enjoo.

Os bons ensinaram-vos coisas enganadoras e falsa segurança: tínheis nascido e sido criados entre as mentiras dos bons. Os bons falsearam e desnaturalizaram radicalmente as coisas.

Mas aquele que descobriu o país do "homem", descobriu também o país "futuro dos homens". Agora deveis ser para mim bravos e pacientes marinheiros!

Avançai direito, meus irmãos! Aprendei a avançar direito! O mar está agitado; há muitos que necessitam de vós para se manterem firmes.

O mar brama. Tudo cai no mar! Coragem, coragem! Velhos corações de marinheiros!

Que importa o país de nossos pais? Nós queremos governar lá onde está o país de nossos filhos! Para lá, para ele se lança nosso desejo, mais fogoso que o mar, mais impetuoso que o mar."

XXIX

"Porque é tão difícil!", disse um dia o diamante ao carvão. "Então não somos parentes próximos?"

"Por que sois tão brandos? Ó meus irmãos; assim vos pergunto: não sois, pois, meus irmãos?

Por que sois tão brandos, tão pegajosos, tão frouxos? Por que há tanta renúncia, tanta abdicação em vossos corações? Tão pouco destino em vosso olhar?

E se não quereis ser destinos, não quereis ser inexoráveis, como poderíeis um dia vencer comigo?

E se nossa dureza não quer cintilar e cortar, como poderíeis um dia criar comigo?

Porque os criadores são duros. E deve-nos parecer beatitude imprimir vossa mão em séculos como em cera branda, e escrever sobre a vontade de milênios como sobre bronze, mais duros que o bronze, mais nobres que o bronze. Só é perfeitamente duro aquele que é mais nobre.

Meus irmãos coloco sobre vós esta nova tábua: Tornai-vos duros!"

XXX

"Ó minha vontade, vértice de todas as necessidades, necessidade minha, livrai-me de todas as vitórias pequenas!

Ó sorte de minha alma, a que chamo destino! Tu que está em mim e sobre mim, livra-me e reserva-me para um grande destino!

E tu, última grandeza, vontade minha, conserva-a para um fim, para que sejas implacável em tua vitória! Ai! Quem não sucumbirá à sua vitória?

Ah, que olhos não escureceram neste crepúsculo embriagado! Ah, que pé não tem tropeçado e perdido sua firmeza na vitória?

Que um dia eu possa estar pronto e maduro quando chegar o grande meio-dia. Pronto e maduro como o minério brilhante, a nuvem portadora de raios e o úbere de leite inchado.

Preparado para mim mesmo e para minha vontade mais oculta. Um arco anelante de sua flecha, uma flecha anelante de sua estrela.

Uma estrela, pronta e madura ao meio-dia, brilhando, ardente e trespassada, satisfeita de flecha celeste que a destrói.

Sol e implacável vontade inexorável de sol, pronta a destruir na vitória.

Ó vontade, vértice de toda a necessidade, ó minha necessidade! Reserva-me para uma só grande vitória."

Assim falava Zaratustra.

LVII. O CONVALESCENTE

I

Certa manhã, não muito depois de seu retorno à caverna, Zaratustra saltou de seu leito como um louco, gritando com uma voz assustadora e agindo como se alguém estivesse deitado e não queria se levantar.

A voz de Zaratustra também ressoou de tal maneira que seus animais vieram a ele assustados, e as criaturas de todas as cavernas próximas a dele escaparam, voando, vibrando, rastejando ou saltando, de acordo com sua variedade de pé ou asa. Zaratustra, porém, pronunciou estas palavras:

"Sobe, pensamento abissal, sai de minha profundidade! Sou teu galo e teu crepúsculo matutino, adormecido verme! Levanta-te! Minha voz acabará por te despertar!

Tira os tampões de teus ouvidos e escuta! Porque quero te ouvir! Levanta-te! De pé! Há muitas trovoadas suficientes para que os túmulos também ouçam!

Varre de teus olhos o sono e tudo o que é míope e cego! Escuta-me também com os teus olhos. Minha voz é um remédio até para os cegos de nascença.

E uma vez que estiveres acordado, então permanecerás sempre acordado. Não é meu costume despertar dorminhocos de seu sono para que tornem a dormir!

Tu te moves, espreguiças, suspiras? Levanta-te! Tens e me falar! É Zaratustra que te chama, Zaratustra, o ímpio!

Eu, Zaratustra, o defensor da vida, o defensor do sofrimento, o defensor do círculo, chamo a ti, meu pensamento mais abismal!

Ditoso de mim! Estás vindo, eu te ouço! Meu abismo fala. Trouxe para a luz minha última profundidade!

Ditoso de mim! Coragem! Dá-me a mão! Ah! Deixa! Ah! Ah! Horror, horror, horror! Infeliz de mim!"

II

Mal, porém, Zaratustra disse essas palavras, quando caiu como um morto, e assim permaneceu por um longo tempo. Quando, no entanto, voltou a si, estava pálido e tremendo, e permaneceu deitado; e por muito tempo não quis comer nem beber. Esta condição continuou por sete dias; seus animais, no entanto, não o deixaram nem de dia nem de noite, exceto quando a águia voava para buscar comida. E a ave depositava tudo o que buscava no leito de Zaratustra: de modo que Zaratustra finalmente se deitou entre bagas amarelas e vermelhas, uvas, maçãs rosadas, ervas de cheiro doce e pinhas. A seus pés, no entanto, dois cordeiros estavam estendidos, que a águia teve dificuldade de arrancar de seus pastores.

Por fim, depois de sete dias, Zaratustra se ergueu em seu leito, pegou uma maçã rosada em sua mão, cheirou-o e achou seu cheiro agradável. Então seus animais julgaram chegado o momento de lhe falar.

"Ó Zaratustra", disseram eles, "agora estás assim por sete dias com os olhos pesados. Não queres novamente caminhar um pouco?

Sai da tua caverna; o mundo espera por ti como um jardim. O vento joga forte fragrância que busca por ti; e todos os riachos gostariam de correr atrás de ti.

Todas as coisas anseiam por ti, visto que ficaste sozinho por sete dias saia da tua caverna! Todas as coisas querem ser seus médicos!

Talvez um novo conhecimento tenha vindo a ti, um conhecimento amargo e doloroso? Como fermento, tua alma se ergueu e inchou além de todos os seus limites."

"Ó meus animais, respondeu Zaratustra, falem assim e deixem-me ouvir! Ouvir vossa conversa me reanima: onde há conversa, há o mundo como um jardim para mim. Como é encantador que existam palavras e sons; não serão as palavras e os sons arco-íris e aparentes pontes entre as coisas eternamente separadas?

A cada alma pertence um mundo diferente. Para cada alma, toda outra alma é além-mundo.

Entre os mais semelhantes, a aparência engana mais deliciosamente: pois a menor lacuna é mais difícil de transpor.

Para mim, como poderia haver qualquer coisa fora de mim? Não há exterior! Todos os sons, porém, fazem-nos esquecer isso. Como é agradável poder esquecer!

Não foram os nomes e os sons dados às coisas para o homem se divertir? Falar é uma bela loucura. Falando o homem dança sobre todas as coisas.

Quão amável é toda fala e toda falsidade de sons! Com sons dançam nosso amor em variado arco-íris."

"Ó Zaratustra", disseram então seus animais, "para aqueles que pensam como nós, todas as coisas dançam. Vão, estendem a mão, riem, fogem e voltam.

Tudo vai, tudo torna. A roda da existência gira eternamente. Tudo morre, tudo torna a florescer, correm eternamente as estações da existência.

Tudo se quebra, tudo se integra de novo; eternamente se constrói da mesma maneira a casa de existência. Todas as coisas se separam, todas as coisas novamente se saúdam; eternamente fiel a si permanece o anel da existência.

A todos os momentos a existência principia. Em torno de cada aqui, gira a bola acolá. O centro está em toda a parte. A senda da eternidade é tortuosa."

"Ah! Meus astutos, meus espertinhos!", respondeu Zaratustra, tornando a sorrir. "Como sabíeis bem o que se devia cumprir em sete dias!"

E como aquele monstro que introduziu na garganta a fim de me afogar! Mas de uma dentada cortei-lhe a cabeça e a cuspi para longe de mim!

E vós já tínheis tirado disso um refrão! Eu, contudo, estou aqui estendido, cansado de ter mordido e cuspido, ainda doente da minha própria libertação.

E vós fostes espectadores de tudo isso! Ó meus animais! Também vos serieis cruéis? Quisestes contemplar minha grande dor, como fazem os homens? Porque o homem é o mais cruel de todos os animais.

Até agora, como se tem sentido mais satisfeito na terra, é assistindo a tragédias, as brigas de touros e crucificações. E quando inventou o inferno, foi esse seu céu na terra.

Quando o grande homem clama, logo ocorre o pequeno com a língua pendente de libido. A isso, porém, ele chama de sua compaixão.

Vede o homem pequeno, especialmente o poeta. O ardor com que suas palavras acusam a vida! Escutai-o, mas não vos esqueceis de ouvir o prazer que há em toda a acusação.

Desses acusadores da vida triunfa a vida num abrir e fechar de olhos.

"Tu me amas?" pergunta o impertinente. "Espera um pouco, ainda não tenho tempo para ti."

O homem é o animal mais cruel para consigo e sempre que ouvirdes alguém chamar-se "pecador" ou "penitente", ou falar de sua "cruz", não vos esqueçais de ouvir a voluptuosidade que transpiram essas queixas e essas acusações.

E eu mesmo acaso vou me tornar acusador do homem? Ai! Meus animais! O maior mal é necessário para o maior bem do homem. É a única coisa que até agora tenho aprendido.

O maior mal é a melhor força do homem, a pedra mais dura para o mais alto criador. É preciso que o homem se torne melhor e mais mau.

Não só não me vi cravado nessa cruz, saber que o homem é mau, mas também gritei como ninguém gritou ainda: "Ah como é pequeno o pior dele! Ah! como é pequeno o melhor dele."

O que me asfixiava e se atravessava em minha garganta era o grande desgosto que o homem causa. O adivinho já predissera: "Tudo é igual. Nada vale a pena. O saber asfixia."

Um longo crepúsculo se arrastava diante de mim, uma tristeza mortal que falava bocejando.

"O homem de que estás cansado torna eternamente o pequeno homem!" Assim bocejava minha tristeza, arrastando os pés sem poder adormecer.

A terra humana transformava-se para mim em caverna. Meu peito fundia-se. Tudo quanto vivia era para mim podridão, ossos humanos e passado ruinoso.

Meus suspiros repousavam em todas as sepulturas humanas e não podiam tornar-se a erguer-se. Meus suspiros e minhas perguntas gemiam, afogavam-se, consumiam-se e lamentavam-se noite o dia.

"Ai! O homem torna eternamente! O homem pequeno torna eternamente!"

Noutro tempo os vi nus, o maior e o menor dos homens. Demasiado parecidos um com o outro! Demasiado humanos, mesmo o maior!

É demasiado pequeno, o maior! Era esse meu desgosto pelo homem! E o eterno regresso e ainda do menor! Isso então era o desgosto de minha existência inteira!

Ah, Desgosto! Tédio! Repugnância!", disse Zaratustra, suspirando e estremecendo. Pois se lembrou de sua doença. Então seus animais o impediram de falar mais.

"Não fales mais, convalescente!", assim responderam os seus animais, "mas sai daqui para onde o mundo espera por ti como um jardim.

Vá até as rosas, as abelhas e os bandos de pombas! Especialmente, no entanto, até os pássaros cantores, para aprender a cantar com eles!

Pois cantar é para os convalescentes; os sãos podem falar. E se os homens sadios querem músicas, deverão ser diferentes daquelas dos convalescentes."

"Ó! Meus astutos, meus espertinhos, fiquem em silêncio!" respondeu Zaratustra, e sorriu para seus animais. "Quão bem sabíeis o consolo que planejei para mim mesmo em sete dias!

Ter que cantar mais uma vez. Esse consolo criei para mim mesmo, e essa convalescença. Queres também fazer outra lira?"

"Olha, Zaratustra, para tuas novas canções é preciso uma nova lira. Canta e distrai-te, ó Zaratustra, cura tua alma com novas canções para que possas suportar teu grande destino, que ainda não foi o destino de ninguém!

Pois os teus animais bem sabem, ó Zaratustra, quem tu és e deves tornar-te: eis que tu és o professor do retorno eterno, este é agora o teu destino!

Que tu deves ser o primeiro a ensinar essa doutrina como poderia este grande destino não ser teu maior perigo e enfermidade!

Olha, nós sabemos o que ensinas: que todas as coisas tornam eternamente e nós com elas, que nós já temos existido uma infinidade de vezes, e todas as coisas conosco.

Tu ensinas que há um grande ano do devir, um prodígio de um grande ano; deve, como uma ampulheta, sempre subir novamente, para que possa novamente escorrer e se escoar.

Para que todos esses anos sejam iguais em ponto grande e também pequeno, então que nós mesmos, em cada grande ano, somos como nós em pontos grande e também nos pequenos.

E se agora quisesses morrer, ó Zaratustra, eis que também sabemos como falarias a ti mesmo. Mas teus animais te imploram que não morras ainda!

Falarias sem tremer e antes respirarias alegria, porque tu, o mais paciente, irias ver-te livre de um grande peso.

"Agora eu morro e desapareço", dirias, "e em um momento eu não sou nada. Almas são tão mortais quanto corpos."

Mas o nó das causas a qual estou entrelaçado, ele me criará novamente! Eu mesmo pertenço às causas do eterno retorno.

Regressarei com este sol, com esta terra, com esta águia, com esta serpente, não para uma vida nova ou para uma vida melhor ou análoga.

Volto eternamente a esta vida idêntica, igual em ponto maior e menor, para ensinar novamente o eterno retorno de todas as coisas, para falar novamente a palavra do grande meio-dia, da terra e do homem, para anunciar novamente o homem, o super-homem.

Disse a minha palavra e por ela sucumbo. Assim deseja meu destino eterno, sucumbir como locutor!

Chegou a hora do abatido abençoar a si mesmo. Assim acaba o declínio de Zaratustra."

Depois de pronunciar essas palavras os animais, ficaram em silêncio e aguardaram, para que Zaratustra pudesse dizer-lhes algo. Mas Zaratustra já não se importava com o silêncio.

Pelo contrário, estava deitado quieto com os olhos fechados como uma pessoa dormindo, embora não dormisse; pois comungou naquele momento com sua alma.

A serpente e a águia, quando o perceberam em silêncio dessa forma, respeitaram a grande quietude ao seu redor, e com prudência se retiraram.

LVIII. A GRANDE NOSTALGIA

"Ó minha alma, ensinei-te a dizer "hoje" como "uma vez" e "anteriormente" e dançar por cima de tudo aqui ,acolá e além.

Ó minha alma, livrei-te de todos os recantos, afastei de ti o pó, as aranhas e a penumbra.

Ó minha alma, lavei-te do mesquinho pudor e da virtude meticulosa e te habituei a ficar nua diante dos olhos do sol.

Com a tempestade que se chama espírito, e soprei sobre teu mar revolto e expulsei dele todas as nuvens e até estrangulei o estrangulador que se chama pecado.

Ó minha alma, dei-te o direito de dizer "não" como a tempestade e de dizer "sim" como o céu límpido. Agora estás serena como a luz e passa através das tempestades.

Ó minha alma, te restituí a liberdade sobre o que está criado e por criar e quem como tu conhece a voluptuosidade do futuro?

Ó minha alma, ensinei-te o desprezo que não vem às escondidas, como o caruncho, o grande desprezo amante que quanto mais despreza mais ama.

Ó minha alma, ensinei-te a arte de persuadir até as próprias razões, como o sol convence até o mar a subir até suas alturas.

Ó minha alma, afastei de ti toda a obediência, toda a genuflexão de dizer "Meu senhor!" Eu mesmo te dei o nome "mudança da necessidade" e de "destino."

Ó minha alma, dei-te nomes novos e brinquedos vistosos, chamei-te de "destino" e "circunferência das circunferências", e "umbigo do tempo" e "abobada azul".

Ó minha alma, dei de beber a teu terreno todas as sabedorias, todos os vinhos novos, todos os mais raros e fortes na sabedoria, todos os antigos vinhos da sabedoria.

Ó minha alma, derramei em ti todo o sol e toda a noite, todos os silêncios e todos os anseios. Cresceste então para mim como uma vida.

Ó minha alma, agora está aí, rica em excesso e pesada, como a videira de cachos úberes, de cachos dourados e exuberantes. Exuberante e oprimida de ventura, esperando entre a abundância e ainda envergonhada da tua espera.

Ó minha alma, agora já não há em parte alguma alma mais amante, mais vasta e compreensiva! Onde estariam o futuro e o passado, mais perto um do outro do que em ti?

Ó minha alma, dei-te tudo, por ti esvaziei as mãos e agora! Agora me dizes sorrindo, cheia de melancolia: "Qual de nós dois deve agradecer?"

Não é o doador que deve estar agradecido àquele que houve por bem aceitar? Não será uma necessidade o dar? Aceitar não será ter pena?

Ó minha alma, compreendo o sorriso de tua melancolia. Teu excesso de riquezas é que agora estende mãos ávidas!

Tua plenitude dirige seus olhares para os mares rugidores, busca e aguarda. O desejo infinito de plenitude lança um através do céu sorridente de teus olhos!

E na verdade, ó minha alma, quem te veria o sorriso sem se desfazer em lágrimas? Os próprios anjos prorrompem em pranto vendo a excessiva bondade de teu sorriso.

Tua bondade, tua bondade demasiado grandes, não quer se lastimar nem chorar e, contudo, ó minha alma teu sorriso deseja as lágrimas e tua trêmula boca os soluços.

Não será todo o pranto uma queixa e toda a queixa uma acusação? Assim dizes contigo e por isso preferes sorrir, ó minha alma, a derramar tua pena, e derramar em torrentes de lágrimas toda a pena que te causa a tua plenitude e toda a ansiedade que faz que a vinha suspire pelo vindimador e pelo podão do vindimador.

Se não queres chorar, porém, chorar até o fim tua purpúrea melancolia, precisas cantar ó minha alma. Já vês que eu mesmo prego isso, eu mesmo sorrio. Precisas cantar com voz dolente, até os mares ficarem silenciosos para escutar teu grande anseio.

Até que em anelantes e silenciosos mares se balance o barco, a dourada maravilha, em torno de cujo ouro se agitam todas as coisas boas, más e maravilhosas, e muitos animais grandes e pequenos, e tudo o que possui pernas leves e maravilhosas para poder correr por caminhos de violetas até a áurea maravilha, até a barca voluntária e até o seu dono.

Ele é, porém, o grande vindimador que espera com seu podão de diamante, teu grande libertador ,ó minha alma, o inominado, para quem só os cantos do futuro, já ardes e sonhas, já tua sede bebe em todos os potes consoladores de graves ecos, já tua melancolia descansa na beatitude dos cantos do futuro!

Ó minha alma, dei-te tudo, até meu último bem e minhas mão por ti se esvaziaram. Dizer-te para que cantasses foi meu último dom.

Disse-te que cantasses. Fala, portanto, fala! Qual de nós deve agora agradecer? Mas não! Canta para mim, canta, ó minha alma! E deixa-me agradecer-te!"

Assim falava Zaratustra.

LIX. A SEGUNDA CANÇÃO PARA DANÇAR

I

"Há pouco olhei para os teus olhos, ó Vida. O ouro vi brilhar em teus olhos noturnos, meu coração ficou parado de alegria.

Vi cintilar uma barca de ouro que submergia em águas noturnas, uma barca de ouro que submergia e reaparecia fazendo sinais!

Ao meu pé frenético de dança, lançavas um olhar acariciador, terno, risonho e interrogador.

Duas vezes apenas agitaste com a mãos tuas castanholas e já os pés pulavam, ébrios.

Os calcanhares erguiam-se, os dedos escutavam para te compreender. Não tem o dançarino os ouvidos nos dedos dos pés?

Saltei a teu encontro. Tu retrocedeste a meu impulso e até em mim serpeava tua voadora e fugidia cabeleira.

Num pulo me afastei de ti e de tuas serpentes. Já te erguias com os olhos cheios de desejos.

Com lânguidos olhares me mostras sendas tortuosas. Por tortuosas sendas aprende astucias meu pé.

Receio-te quando te aproximas, amo-te quando está longe. Tua fuga me atrai, tuas diligências me detém. Sofro, mas não haveria de sofrer por ti?

Tu, cuja frieza incendeia, cujo ódio seduz, cuja fuga prende, cujos enganos comovem!

Quem não te odiaria, grande carcereira, tentadora, sedutora, ó tu que procura e encontras?

Quem não te amaria, inocente pecadora, impaciente, veloz e com olhos infantis!

Para onde me arrastas agora, indômito prodígio? E já me tornas a fugir, doce esquiva, doce ingrata!

Dançando, sigo tuas menores pegadas. Onde estás? Dá-me a mão! Ou um dedo somente!

Há por aí cavernas e bosques, onde haveremos de nos extraviar. Para! Detém-te! Não vês corujas e morcegos batendo as asas?

Coruja, tu mesma! Morcego! Quereis brincar comigo? Onde estamos? Com os cães aprendestes a rosnar e a uivar.

Com pequenas mãos brancas me fazes gestos estranhos e gentis e teus malvados olhos se fixam em mim por entre suas madeixas encaracoladas.

É uma dança por montes e vales! Eu sou o caçador. Queres ser meu cão ou a camurça perseguida?

Agora, a meu lado! E depressa, maldosa saltadora! Acima agora! Desgraça! Ao saltar, eu mesmo caí.

Oh, veja-me estendido e implorando teu socorro! Com prazer andaria contigo em algum lugar mais adorável! Nos caminhos do amor, por entre arbustos matizados, calmos, enfeitados! Ou ali ao longo do lago, onde peixes dourados dançam e nadam!

Estás cansada agora? Lá em cima estão ovelhas e crepúsculos vermelhos. Não é bom adormecer ao som da flauta dos pastores?

Então, estás assim cansada? Vou levar-te, deixa somente pender os braços. E tens sede? Poderia dar-te alguma coisa, mas tua boca não quer beber.

Oh, aquela maldita serpente, ágil, flexível e feiticeira! Para onde fostes? Sinto em meu rosto dois sinais de tua mão, dois sinais vermelhos!

Estou realmente cansado de te seguir sempre com ingênuo cordeirinho! Feiticeira, até agora cantei pra ti. Agora, para mim, tu deves gritar! Deves dançar e gritar ao ritmo de meu chicote! Acaso, esqueci do chicote? Não!"

II

"Então a vida me respondeu, tapando os graciosos ouvidos:

"Ó Zaratustra! Não vibres tão espantosamente o chicote! Bem sabes que o ruído assassina os pensamentos e assaltam-me agora pensamentos tão ternos!

Nos não somos bons nem maus para nada! Além do bem e do mal, encontramos nossa ilha e nosso verde prado. Só nós dois o encontramos! Por isso nós devemos amar um ao outro!

E embora não nos amemos de todo o coração, será caso para nos irritarmos? As Pessoas se irritam por não se amarem de todo o coração?

É que te amo, amo-te muitas vezes com excesso, tu o sabes muito bem. A razão é que estou ciosa de tua sabedoria. Ah! Que velha louca é a sabedoria!

Se alguma vez a tua sabedoria te deixasse. também logo meu amor te deixaria."

Então a vida olhou para trás e em torno de si, e disse em voz baixa: "Ó! Zaratustra, Não é bastante fiel a mim!

Ainda falta muito para me teres o amor que dizes. Sei que pensa em deixar-me em breve.

Há um velho cajado pesado, tão pesado que ressoa de noite até lá em cima em sua caverna. Quando ouves esse sino dar meia--noite, pensas, bem sei, Zaratustra, pensas deixar-me em breve.

"Sim", respondi, hesitante, "mas tu também o sabes..." E eu disse algo para ela em seus ouvidos, colado a sua emaranhada cabeleira, as suas douradas e revoltas madeixas.

"Sabes isso, Zaratustra? Ninguém sabe isso..."

Olhamo-nos, e olhamos para o prado verde sobre o qual a noite fria estava passando, e choramos juntos. Então, no entanto, a vida era mais cara para mim do que toda minha sabedoria."

III

"Um!
Toma cuidado, homem!
Dois!
Que diz a meia-noite, profunda?
Três!
Eu dormia, eu dormia...
Quatro!
De um profundo sono despertei.
Cinco!
O mundo é profundo...
Seis!
E mais profundo do que o dia julgava.
Sete!
Profunda é sua dor...
Oito!
E a alegria...bem mais profunda que a aflição.
Nove!
Assim diz a dor: Desapareça!
Dez!
Mas toda a alegria quer a eternidade...
Onze!
Quer profunda, profunda eternidade!
Doze!"

LX. OS SETE SELOS
(OU O CANTO DO SIM E DO AMÉM)

I

"Se eu for um adivinho e cheio do espírito adivinho que vagueia nas altas montanhas, entre dois mares, vagueia entre o passado e o futuro como uma nuvem pesada, hostil às planícies abafadas e a tudo o que está cansado e não pode morrer nem viver. Disposta a rasgar seu tenebroso seio, como o relâmpago, disposta a fulminar o raio de claridade redentora, cheia de relâmpagos que dizem sim! Que riem dizendo sim! Pronto com raios adivinhadores, mas ditoso aquele que repleto desses raios! E, na verdade, muito tempo necessita, como pesada tempestade, para descer ao flanco da montanha aquele que está destinado a acender o facho do futuro!

Oh! Como não hei de estar ansioso pela eternidade, ansioso pelo nupcial anel dos anéis, o anel do regresso das coisas?

Ainda não encontrei mulher de que quisesse ter filhos, a não ser esta mulher a quem amo, porque te amo, ó eternidade!

Porque te amo, ó eternidade!"

II

"Se alguma vez minha ira explodiu túmulos, mudou pontos de referência ou rolou velhas tábuas quebradas em profundidades precipitadas. Se alguma vez meu desprezo espalhou palavras desfiguradas aos ventos, e se vim como uma vassoura para expulsar as aranhas, e como um vento purificador para velhas cavernas mortuárias. Se alguma vez já me sentei regozijando onde velhos deuses jazem enterrados, bênçãos do mundo, amantes do mundo ao lado dos monumentos dos malignos do velho mundo.

Pois até mesmo igrejas e túmulos de Deus eu amo, se apenas o céu olhar através de seus telhados em ruínas com olhos puros; felizmente me sinto como grama e papoulas vermelhas em igrejas arruinadas. Oh, como poderia não ser ardente pela eternidade, e pelo anel de casamento, o anel do retorno?

Nunca encontrei mulher de que quisesse ter filhos, a não ser esta mulher a quem amo, porque te amo, ó eternidade!

Porque te amo, ó eternidade!"

III

"Se alguma vez chegou até mim um sopro criador e dessa necessidade divina que até os acasos obriga a dançar as danças das estrelas; se alguma vez me ri com o riso do relâmpago criador, ao qual se segue resmungando, mas obediente, o prolongado troar da ação; se alguma vez joguei dados com deuses, na mesa divina da terra, fazendo com que a terra tremesse e se rasgasse, despedindo rios de chamas, porque a terra é uma mesa divina que treme com novas palavras criadoras e com um ruído de dados divinos, como não hei de estar ansioso pela eternidade, ansioso pelo nupcial anel dos anéis, o anel do regresso?

Nunca encontrei mulher de quem quisesse ter filhos, a não ser esta mulher a quem amo, porque te amo, ó eternidade!

Porque te amo, ó eternidade!"

IV

"Se alguma vez bebi um longo trago desse cântaro espumoso de espécies e misturas, onde estão bem misturadas todas as coisas; se minha mão alguma vez misturou o mais remoto com o mais próximo e o fogo com o espírito e a alegria com a pena e as coisas piores com as melhores; se eu mesmo sou um grão desse sal dissolvente que faz com que todas as coisas se misturem bem no cântaro das misturas, porque é o sal que liga o bem e o mal e até o pior merece servir de condimento e fazer transbordar a última espuma do cântaro.

Oh! Como não hei de estar ansioso pela eternidade, ansioso pelo nupcial anel dos anéis, o anel do regresso?

Nunca encontrei mulher de quem quisesse ter filhos, a não ser esta mulher a quem amo, porque te amo, ó eternidade!

Porque te amo, ó eternidade!"

V

"Se amo o mar, e tudo quanto ao mar se assemelha e sobretudo quando me contradiz fogoso; se existe em mim essa paixão investigadora que impele a vela para o desconhecido; se há em minha paixão um tanto de paixão do navegante; se alguma vez minha alegria exclamou: "Desapareceram as costas; caiu agora minha última cadeia; é o infinito que me rodeia com seu mugido; longe de mim cintilam o tempo e o espaço. Vamos! A caminho, velho coração!"

Oh! Como não hei de estar ansioso pela eternidade, ansioso pelo nupcial anel dos anéis, o anel do regresso?

Nunca encontrei mulher de quem quisesse ter filhos, a não ser esta mulher a quem amo, porque te amo, ó eternidade!

Porque te amo, ó eternidade!"

VI

"Se minha virtude, é virtude de bailarino, se muitas vezes pulei entre arroubos de ouro e de esmeralda; se minha maldade é uma maldade risonha que se acha em seu centro entre ramos de rosas e sebes de açucenas, porque no riso se reúne tudo o que é mau, mas santificado e absolvido por sua própria beatitude; e se meu alfa e ômega é tornar leve tudo quanto é pesado, todo o corpo dançarino, todo o espírito ave e, na verdade, assim é meu alfa e ômega.

Oh! Como não hei de estar ansioso pela eternidade, ansioso pelo nupcial anel dos anéis, o anel do regresso?

Nunca encontrei mulher de quem quisesse ter filhos, a não ser esta mulher a quem amo, porque te amo, ó eternidade!

Porque te amo, ó eternidade!"

VII

"Se alguma vez descobri céus tranquilos sobre mim voando com minhas próprias asas em meu próprio céu; se nadei, brincando em profundos lagos de luz e se minha liberdade conquistou uma sabedoria de ave, mas assim fala a sabedoria da ave: "Olha! Não é alto nem baixo! Lança-te em volta, para diante, para trás, leve como é! Canta! Não fales mais!

Oh! Como não hei de estar ansioso pela eternidade, ansioso pelo nupcial anel dos anéis, o anel do regresso?

Nunca encontrei mulher de quem quisesse ter filhos, a não ser esta mulher a quem amo, porque te amo, ó eternidade!

Porque te amo, ó eternidade!"

PARTE IV

"Ah, onde no mundo houve maiores loucuras do que entre os piedosos? E o que no mundo causou mais sofrimento do que as loucuras dos miseráveis?

Ai de todos os amados que não têm uma elevação que está acima de sua piedade!

Assim falou o diabo a mim, uma vez: "Até Deus tem o seu inferno: é o seu amor pelos homens".

E ultimamente, o ouvi dizer estas palavras: "Deus está morto: foi seu amor pelos homens que o matou."- ZARATUSTRA, II., "Dos Piedosos."

LXI. O SACRIFÍCIO DO MEL

E tornaram a passar luas e anos pela alma de Zaratustra, sem ele se importar com isso; mas os cabelos se tornavam brancos. Estando um dia sentado numa pedra diante da sua caverna, olhando para fora em silêncio, pois daquele ponto se via o mar até muito longe, para o outro lado dos abismos tortuosos, os seus animais, pensativos, andavam em torno dele e acabaram por se sentar em sua frente.

"Zaratustra — lhe disseram — procuras a tua felicidade com os olhos?" "Que importa a felicidade? — respondeu ele. — Há muito tempo que já não aspiro à felicidade; aspiro à minha obra." "Zaratustra — replicaram os animais. — diz isso como quem está saturado de coisas boas. Não estás deitado num lago azulado de ventura?". "Velhacos! — respondeu Zaratustra, sorrindo. — Como escolhestes bem a parábola! Também sabem, porém, que a minha felicidade é pesada, e que não é líquida como a onda: me força e não me quer deixar, aderindo-se como asfalto derretido."

Os animais tornaram a rodear Zaratustra, pensativos, e novamente se sentaram em sua frente. "Zaratustra — disseram —, então é isso que explica por que estás tão sombrio e amareleces posto que os teus cabelos aparentam ser brancos?" "Que dizeis — exclamou Zaratustra rindo. — Fiz mal em me lembrar da desgraça. O que me sucedeu, sucede a todos os frutos que amadurecem. O mel que tenho nas veias é que torna mais espesso o meu sangue e torna mais silenciosa a minha alma." "Assim deve ser Zaratustra — afirmaram os animais, encostando-se a ele –, mas não queres subir hoje a uma alta montanha? Hoje vê-se o mundo melhor que nunca". "Sim, animais meus — respondeu Zaratustra —, aconselhais à maravilha e de acordo com meu desejo. Quero subir hoje a uma alta montanha! Se certifiquem, porém, que haja mel ao meu alcance, mel de douradas colmeias, amarelo, bom e fresco. Ficai sabendo que quero já em cima fazer o sacrifício do mel."

Quando Zaratustra chegou ao cume, despediu-se dos animais que o haviam acompanhado, e viu que se encontrava só; riu-se então com toda a alma, olhou em redor, e disse assim:

"Falei de oferendas e de ofertas de mel; mas isto não passava de um ardil do meu discurso e uma útil loucura. Aqui em cima já posso falar mais livremente do que diante dos refúgios dos ermitões e dos animais domésticos dos ermitões.

Falava de oferendas e sacrifícios? Eu, que dissipo quando se me dá às mãos cheias, como me atreveria ainda a chamar a isso de sacrifício?

E quando pedi mel o que pedia era uma isca, doce mucilagem de que são gulosos os ursos rosnadores e as aves prodigiosas e altivas.

A melhor isca como a necessitam caçadores e pescadores. Que se o mundo é um como sombrio bosque povoado de animais de delícias de todos os ferozes caçadores, ainda me parece assemelhar-se mais a um mar sem fundo.

Um mar cheio de peixes e caranguejos que os próprios deuses cobiçariam a ponto de se tornarem pescadores e lançarem suas redes: tão rico é o mundo em prodígios grandes e pequenos!

Principalmente o mundo dos homens; o mar dos homens: a ele lanço meu dourado anzol, dizendo: "Abre-te, abismo humano.

Abre-te e traz-me peixes e reluzentes caranguejos! Com a minha maior isca pesco hoje para mim os mais prodigiosos peixes humanos!"

Lanço ao longe a minha felicidade, arrojo-a a todas as paragens, entre o Oriente, o Meio-dia e o Ocidente, a ver se não haverá muitos peixes humanos que aprendam a puxar por esta isca.

Até que, mordendo o meu agudo e oculto anzol, tenham que subir à minha altura, até o mais malicioso dos pescadores de homens, os mais vistosos monstros abissais.

Porque sou, originária e fundamentalmente, força que puxa, que atrai, que levanta, que eleva: um guia, um corretor e educador que não foi em vão que disse a si próprio noutro tempo: "Se torne aquilo que és!"

Por conseguinte, subam agora os homens ao meu lado; porque ainda espero os sinais que me digam ter chegado o momento do meu declinar; ainda não desapareço dentre os homens.

Por isso, astuto e zombeteiro, espero aqui nas altas montanhas, nem impaciente nem paciente, mas apenas como quem esqueceu a paciência... visto que já não "sofre!".

Ao meu destino me entregou o tempo? Me esqueceu? Ou entretém-se a caçar moscas, sentado à sombra, por detrás de uma grande pedra?

E, na verdade, estou grato ao meu destino eterno, que me não fustiga nem empurra e me dá tempo para malícias; tanto que hoje subi a esta alta montanha para apanhar peixes.

Acaso se viu já um homem pescando em altas montanhas? Mas ainda que o que quero lá em cima seja uma loucura, vale mais do que se lá em baixo me tornasse solene e me pusesse verde e amarelo à força de esperar; cheio de cólera à força de esperar uma santa tempestade rugidora que viesse da montanha, como um paciente que gritasse aos vales: "Ouvi, ou vos sacudo com o azorrague de Deus!"

Não é que a mim me irritem tais coléricos; unicamente me fazem rir. Compreendo que estejam impacientes esses tambores ruidosos que hão de ter a palavra hoje ou nunca!

Eu e o meu destino, porém, não falamos ao "hoje" e tampouco ao "nunca"; temos paciência para falar, e tempo, muito tempo, para isso. Porque ele há de chegar um dia, e não de passagem.

Quem terá de vir um dia, e não de passagem? O nosso grande acaso: é esse o nosso grande e longínquo Reinado do Homem, o reinado de Zaratustra, que dura mil anos.

Se esse "hoje" está ainda longe, que me importa? Nem por isso é menos sólido para mim... Confiadamente me firmo com os dois pés nesta base.

Sobre uma base eterna, sobre duas rochas primitivas, sobre estes antigos montes, os mais altos e rijos, de que todos os ventos se aproximam como de um limite meteorológico para se informarem dos pontos de origem e destino.

Ri-te aqui, ri luminosa e saudável malícia minha! Atira das altas montanhas o teu cintilante riso trocista! Atrai com o teu cintilar os mais formosos peixes humanos!

E tudo o que pertencer a mim em todos os mares, tudo o que for meu em todas as coisas, pesca-o para mim, tragá-o aqui acima: é o que espera o pior de todos os pescadores.

Ao longe, ao longe, meu anzol!... Desce, vai ao fundo, isca da minha ventura! Esparge o teu mais doce orvalho, mal do meu coração! Morde, anzol, no ventre de toda a negra aflição.

Ao longe, ao longe, olhos meus! Quantos mares em torno de mim, quanto futuro humano na aurora! E por cima de mim... que risonho silêncio! Que silêncio sem nuvens!"

LXII. DO GRITO DE AFLIÇÃO

No dia seguinte estava Zaratustra sentado na sua pedra diante da caverna, enquanto os animais andavam à busca de alimento... e de novo mel; porque Zaratustra tinha consumido todo o mel antigo. Estando ali sentado com um pedaço de pau na mão, seguindo o contorno da sombra que o seu corpo projetava no solo, meditando — mas não em si mesmo nem na sua sombra — estremeceu de repente e ficou tomado de terror: porque vira outra sombra ao lado da sua. E levantando e voltando-se rapidamente, viu em pé a seu lado o adivinho, o mesmo a quem uma vez dera alimento à sua mesa, o proclamador do grande cansaço, que dizia: "Tudo é igual; nada merece a pena; o mundo não tem sentido; o saber asfixia". O seu semblante, porém, mudara desde então; e Zaratustra temorizou-se de novo, ao ver-lhe os olhos, a tal ponto se lhe lia neles funestas predições.

O adivinho, que logo compreendeu o que agitava a alma de Zaratustra, passou a mão pela face como se quisesse apagar o que havia nela. Zaratustra, por sua parte, fez o mesmo. Quando desta forma serenaram e recobraram o ânimo, deram-se as mãos em sinal de que se queriam reconhecer.

"Sê bem-vindo, adivinho da grande lassidão — disse Zaratustra —; não foste em vão meu hóspede e comensal. Come e bebe hoje também na minha morada, e deixa que se sente à tua mesa um velho alegre." "Um velho alegre? — respondeu o adivinho, meneando a cabeça. — Quem quer que sejas ou desejes ser, Zaratustra, já não o serás por muito tempo cá em cima; dentro em pouco a tua barca já não estará ao abrigo." "Acaso estou eu ao abrigo? – perguntou, rindo, Zaratustra." O adivinho respondeu: "Em torno da tua montanha sobem mais e mais as ondas da imensa miséria e da aflição: não tarda a erguer a tua barca e arrastar-te com ela." Zaratustra calou-se, admirado. "Não ouves, ainda? — continuou o adivinho. Não sobe o abismo um zumbido, um rumor surdo?" Zaratustra permaneceu calado e escutou. Ouviu então um grito prolongado, vindo de uns para os outros abismos, pois nenhum deles o queria reter, tão funesto era o seu som.

"Sinistro — disse afinal, Zaratustra —, isto é um grito de angústia, e grito de um homem; provavelmente sai de um mar negro. Que me importa, porém, a angústia dos homens! O último pecado que me está reservado... sabes como se chama?"

"Compaixão! — respondeu o adivinho, cujo coração transbordava, erguendo as mãos. — Ó! Zaratustra! Venho aqui fazer-te cometer o último pecado!"

Logo que pronunciou estas palavras, tornou o grito, mais prolongado e angustioso do que dantes, e já muito mais próximo. "Ouves, ouves, Zaratustra? — exclamou o adivinho. — A ti se dirige o grito, é por ti que chama: vem, vem, vem; já é tempo; não podemos perder mais tempo!"

Zaratustra, entretanto, calou-se, perturbado e alterado. Por fim perguntou, como quem hesita interiormente: "E quem me chama lá de baixo?"

"Sabes, certamente — respondeu vivamente o adivinho. — Por que te preocupas? É o homem superior que te chama."

"O homem superior? — gritou Zaratustra, admirado. — E que quer ele? Que quer o homem superior? O que que quer ele aqui?" E o corpo passou a transpirar.

O adivinho não respondeu à angústia de Zaratustra: escutava e tornava a escutar, inclinado para o abismo. Mas como o silêncio se prolongasse muito olhou para trás e viu Zaratustra de pé e a tremer.

"Zaratustra — começou a dizer em voz triste —, não aparentes brincar de alegria.

Embora quisesses dançar diante de mim e dar todos os teus saltos, ninguém me poderia dizer: "Olha, aí tens o baile do último homem alegre!"

Em vão subirá a esta altura quem procurar aqui esse homem: encontraria cavernas e grutas, esconderijos para a gente que se precisa ocultar, mas não poços de felicidade nem tesouros, nem novos filões áureos de alegria.

Alegria! — como encontrá-la entre semelhantes sepultados, entre tais eremitas! Hei de buscar ainda a última felicidade nas Ilhas Afortunadas e ao longe entre esquecidos mares?

Mas tudo é igual, nada merece a pena, são inúteis todas as pesquisas; também já não há ilhas de alegria?"

Assim suspirou o adivinho, mas ao ouvir o seu último suspiro, Zaratustra recuperou a serenidade e presença de espírito, como uma pessoa que regressa à luz saindo de um antro profundo. "Não! Não! Mil vezes não! — exclamou com voz firme, cofiando a barba. — Isso sei-o muito melhor que tu. Ainda há ilhas de alegria! Não fale mais nada, saco de tristezas!

Cessa de cair, nuvem chuvosa do amanhã! Não me vês já molhado pela tua tristeza e orvalhado como um cão?

Agora sacudo-me e fujo para longe de ti, para me secar: não te admires! Pareço-te indelicado? Mas a minha corte está aqui!

Pelo que respeita ao teu homem superior, seja! Vou a correr procurá-lo por esses bosques: foi donde partiu o seu grito. Talvez o ameace alguma fera maligna.

Está no meu domínio; não quero que lhe suceda nenhuma desgraça. E, na verdade, no meu domínio há muitas feras!"

Com estas palavras, Zaratustra se despediu. Então o adivinho exclamou: "És um velhaco, Zaratustra!

Bem sei: o que queres é livrar-te de mim! Preferes fugir para os bosques a perseguir feras malignas!

De que te servirá isso, porém? À noite tornarás a encontrar-me: estarei sentado na tua própria caverna, com a paciência e o peso de um madeiro: ali sentado, esperando por ti."

"Pois seja! — exclamou Zaratustra, afastando-se. — E o que me pertence na caverna, pertence-te também a ti, que és meu hóspede.

Se ainda lá encontrares mel, lambe-o todo, urso rabugento, e adoça a tua alma. E à noite estaremos alegres:

Alegres e contentes por ter terminado este dia! E tu mesmo deves acompanhar os meus cantos com as tuas danças, como se fosse o meu urso dançante.

Não acredita? Balança a cabeça? Vai-te daí, velho urso! Também eu sou adivinho!"

Assim falava Zaratustra.

LXIII. CONVERSA COM OS REIS

I

Quase uma hora se passou desde que Zaratustra andava caminhando pelas suas montanhas e bosques, quando de súbito viu um cortejo singular. Ao centro do caminho que queria seguir, passavam dois reis adornados de coroas e de púrpuras multicores como flamengos; diante deles ia um jumento carregado. "Que querem estes reis no meu reino?", disse assombrado Zaratustra, e escondeu-se atrás de uma moita. Quando os reis estavam muito perto, acrescentou a meia voz como se falasse consigo mesmo: "Caso raro! raríssimo! Como compreender isto? Vejo dois reis... e um asno!"

Nisto os dois reis fizeram uma pausa, sorriram e dirigiram o olhar para o lugar donde partira a voz; depois entreolharam-se: "estas coisas — manifestou o rei da direita — também se pensam lá entre nós, mas não se dizem."

O rei da esquerda respondeu, encolhendo os ombros: "Deve ser algum ermitão que tem vivido demais entre as árvores. Que a absoluta ausência da sociedade também prejudica os bons costumes."

"Os bons costumes! — replicou o outro rei com enfado e amargura. — Pois de que queremos nos livrar senão dos "bons costumes" da nossa "boa sociedade"?

Antes viver com ermitões e pastores do que com a nossa plebe dourada, falsa e polida, embora se chame boa sociedade.

Ali tudo é falso e corrompido, a começar pelo sangue, graças a estranhas e malignas enfermidades e a piores curandeiros.

O melhor para mim, e o que hoje prefiro, é um camponês sadio, tosco, astuto, tenaz e resistente: é hoje a espécie mais nobre.

O camponês é hoje o melhor; e a espécie camponesa devia ser soberana. Vivemos, porém, no reinado da populaça; já me não deixo ofuscar. Populaça quer dizer amontoado.

Amontoamento populacional: ali tudo está misturado: o santo e o bandido, o fidalgo e o judeu e todos os animais da arca de Noé.

Os bons costumes! Entre nós tudo é falso e corrupto! Já ninguém sabe reverenciar. Disso, justamente, é que nos devemos livrar. São sabujos importunos: douram as palmas.

O desgosto que me sufoca é termo-nos nós mesmos, reis, tornado falsos, e cobrimo-nos e disfarçamo-nos com o passado fausto dos nossos ascendentes: sermos medalhas para os mais tolos e os mais astutos e para todos os que hoje traficam com o poder!

Nós não somos os primeiros e necessitamos aparentar que somos: por fim estamos desgostosos dessa impostura.

Apartamo-nos da canalha, de todos esses moscões que vociferam e esperneiam, da rixa, da ambição, e do hálito pestilento... Nada de viver entre a canalha! nada de passar pelos primeiros entre a canalha! Horror! horror! horror! Que valemos já nós outros reis?"

"Torna a afligir-te a tua estranha dolência — disse neste ponto o rei da esquerda —; tornam as tuas repugnâncias, pobre irmão! Já sabes, contudo, que alguém nos escuta."

Imediatamente Zaratustra, que fora todo olhos e ouvidos, se ergueu do esconderijo e dirigindo-se aos reis começou a dizer:

"Aquele que vos escuta, aquele que gosta de vos escutar, a vós, reis, chama-se Zaratustra. Eu sou Zaratustra que um dia disse: "Que importam já os reis?" Perdoai-me: mas rejubilei quando dissestes um para o outro: "Que valemos já nós outros, reis?" Aqui, porém, estais no meu reino e sob o meu domínio: que podeis procurar no meu reino? Talvez, contudo encontrásseis no caminho o que procuro: busco o homem superior."

Ao ouvir isto os reis bateram no peito e disseram ao mesmo tempo: "Conheceste-nos".

"Com a espada dessa palavra cortas a mais profunda obscuridade dos nossos corações. Descobristes a nossa angústia; porque, olha, nós vamos em busca do homem superior — O homem superior a nós outros, conquanto sejamos reis. — Para ele trazemos este jumento.

Que o homem superior deve ser também na terra o mais alto senhor.

Não há calamidade mais dura em todos os destinos humanos do que quando os poderosos da terra não são ao mesmo tempo os primeiros homens. Então tudo se torna falso e monstruoso, tudo anda ao invés.

E quando são os últimos, e antes animais do que homens, então sobe de preço a populaça, e pela continuação acaba por dizer: "Já vedes: só eu sou virtude!"."

"Que ouço?! — respondeu Zaratustra. — Que sabedoria em reis! Estou entusiasmado e já me apetece fazer sobre isto uns versos; talvez sejam uns versos que não possam servir para os ouvidos de toda a gente.

Já há muito que esqueci as considerações com as orelhas compridas. Vamos! Adiante!"

(Mas nesse momento também o asno tomou a palavra: disse claramente e com mau intuito: I. A.).

"Noutros tempos — creio que no ano um — disse Ébria a Sibila (sem ter provado vinho): "Ai isto vai mal! Decadência! Decadência! Nunca o mundo caiu tão baixo! Roma degenerou em rameira e habitação de rameiras. O César de Roma degenerou em besta; até Deus tornou-se judeu!"."

II

Os reis deleitaram-se com os versos de Zaratustra, e o da direita disse: "Zaratustra, como compartilhar bem em nos pormos a caminho para te ver!

Que os teus inimigos vejam a tua imagem num espelho: vimos a estampa de um demônio de riso sarcástico: de forma que nos amedrontaste.

De que servia, porém? Sempre tomavas a penetrar com as tuas máximas nos nossos ouvidos e nos nossos corações. De forma que acabamos por dizer: que nos importa a cara dele?

É preciso ouvir aquele que ensina: "Deveis amar a paz como meios de novas guerras, e a breve paz mais do que a prolongada!"

Nunca ninguém pronunciou tão guerreiras palavras: "Que é que é bom? Bom é ser valente. Uma boa guerra santifica todas as coisas."

Ó! Zaratustra! A estas palavras ferveu nos nossos corpos o sangue dos nossos pais: foram como as palavras da primavera a tonéis de vinhos.

Quando as espadas se cruzavam como serpentes tingidas de vermelho, os nossos pais amavam a vida; o sol da paz parecia-lhes brando e tíbio, mas a paz prolongada envergonhava-os.

Como os nossos pais suspiravam quando viam na parede espadas lustrosas e enxutas! Tinham sede de guerra, à semelhança dessas espadas. Que uma espada quer beber sangue e cintila com o seu ardente desejo."

Quando os reis falaram tão calorosamente da felicidade de seus pais, Zaratustra inspiram grandes tentações de zombar daquele ardor: porque evidentemente eram reis muito pacíficos os que via diante de si, com seus velhos e finos semblantes. Dominou-se, porém. "Vamos! Um caminho! — disse — Estais no caminho; lá em cima encontra-se uma caverna de Zaratustra; e este dia deve ter uma grande tarde. Agora, porém, chama-me para longe de vós um grito de angústia.

A minha caverna ficará honrada se nela se sentarem reis e se dignarem esperar; a verdade é que tereis que esperar muito!

Que importa? Onde se aprende hoje a esperar melhor do que nas cortes? E toda a virtude dos reis, uma única que conservaram, não se chama saber esperar?"

Assim falava Zaratustra.

LXIV. SANGUESSUGA

Zaratustra continuava pensativo no seu caminho, descendo cada vez mais, atravessando bosques e passando por lagoas; mas, como sucede a todos que meditam em coisas difíceis, pisou por equívoco em um homem. No mesmo instante escutou um grito de dor, duas maldições, e vinte injúrias terríveis; assustado, ergueu o bordão e bateu outra vez à pessoa pisada. No mesmo instante, porém, caiu em si, e no seu íntimo pôs-se a rir daquela loucura.

"Desculpe-me — disse ao homem que havia pisado, o qual se acabava de erguer irritado, para se tornar a sentar em seguida — desculpe-me e ouve primeiro uma parábola.

Assim como um viajante, que sonha em coisas longínquas por um caminho solitário, tropeça por descuido em um cão que dorme, com um cão procurando ao sol, e ambos se erguem e se encaram repentinamente como mortais inimigos, mortalmente assustados, assim nos sucedeu a nós.

E, todavia... todavia... como faltou pouco para esse solitário e esse cão se afagarem! Não serão ambos solitários!"

"Quem quer que sejas - respondeu enfadado o pisado — ainda te aproximas muito de mim, não só com o pé, como com a tua parábola.

Olha para mim: sou algum tipo de cão?" E dizendo isto ergueu-se, tirando do pântano o braço nu. Que a princípio estava caído de comprido, oculto e impossível de reconhecer, com quem espreita a caça dos pântanos.

"Mas que estás fazendo? — exclamou Zaratustra assustado, porque lhe via correr muito sangue do braço. — Que te sucedeu? Mordeu-te algum bicho, infeliz?"

O que sangrava ria, ainda cheio de cólera. "Que tens a ver com isto? — exclamou, querendo prosseguir o caminho. — Estou aqui nos meus domínios. Interrogue-me quem quiser, pois a ninguém responderei!"

"Se engana — disse Zaratustra, retendo-o, cheio de compaixão. — Se engana: aqui não estás no teu reino, mas no meu, e aqui não deve suceder a ninguém desgraça alguma.

Chama-me sempre do que quiseres... sou o que devo ser. A mim mesmo me chamo Zaratustra.

Vamos! Lá em cima é o caminho que conduz à caverna de Zaratustra: não está muito longe.

Não queres vir ao meu albergue para curar as feridas?

Não foste feliz neste mundo, desditoso: primeiro mordeu-te o bicho; depois... pisou-te o homem!..."

Quando o homem ouviu, porém, o nome de Zaratustra, transformou-se. "Que me sucedeu? — exclamou. — Quem é que me preocupa ainda na vida senão este homem único, Zaratustra, é o único animal que bebe sangue, uma sanguessuga?

Por causa da sanguessuga estava eu ali estendido, à beira do pântano, como um pescador; e já o meu braço quando se me pôs a morder o outro sangue sanguessuga, o próprio Zaratustra.

Ó! ventura! ó! portento! Bendito seja este dia que me trouxe a este pântano! Bendita seja a melhor ventura, a mais forte que vive hoje! Bendita seja a grande sanguessuga das consciências, Zaratustra!"

Assim falava o pisado, e Zaratustra rejubilou com suas palavras e com a sua aparência fina e respeitosa.

E, estendendo-lhe a mão, perguntou: "Quem és? Entre nós ficam muitas coisas por esclarecer e desabafar, mas já me parece nascer o dia puro e luminoso."

"Sou o espírito consciencioso — respondeu o interrogado — e nas coisas do espírito é difícil alguém conduzir-se de forma mais rigorosa do que eu, exceto aquele de quem a aprendi, o próprio Zaratustra.

Antes não saber, nada do que saber muitas coisas por metade! Antes ser louco por seu próprio critério, que sábio segundo a opinião dos outros! Eu por mim, vou ao fundo.

Que importa que seja pequeno ou grande, que se chame pântano ou céu? Um pedaço de terra do tamanho da mão me basta, contanto que seja independente terra e solo!

Num pedaço de terra do tamanho da mão, pode uma pessoa ter-se de pé. Nenhum verdadeiro sabre consciencioso nada há grande nem pequeno."

"Então és talvez aquele que deseja conhecer a sanguessuga? — perguntou Zaratustra.

Tu, o consciencioso, escutas a sanguessuga em busca dos seus últimos fundamentos?"

"Ó Zaratustra! — respondeu o pisado. — Isto seria uma monstruosidade! Como me atreveria a buscar semelhante coisa?

O que domino e conheço é o cérebro da sanguessuga: é esse o meu universo!

E é também um universo! Perdoa, porém, revela-se a mim aqui o orgulho, porque nesse domínio não tenho semelhante. Por isso disse:

"É este o meu domínio."

Há quanto tempo persigo esta coisa única, o cérebro da sanguessuga, para que eu não escape mais a verdade. É este o meu reino!

Por isso pus de lado tudo o mais; por isso, tudo o mais se me tornou indiferente; e contígua à minha ciência estende-se a minha ignorância.

A minha consciência intelectual exige-me que saiba uma coisa e ignore o restante: estou farto de todas as meia-inteligências, de todos os nebulosos, flutuantes e visionários.

Onde cessa a minha probidade sou cego e quero ser cego. Onde quero saber, todavia, também quero ser probo, isto é, duro, severo, estreito, cruel, implacável.

O que tu disseste um dia, Zaratustra, "que a inteligência é a vida que esclarifica a própria vida" foi o que me conduziu e me atraiu à tua doutrina. E, na verdade, com o meu próprio sangue acrescentei a meu próprio conhecimento."

"Como indicam as evidências", interrompeu Zaratustra; e o sangue continuava a correr do braço nu do consciencioso, porque se lhe tinham agarrado dez sanguessugas.

"Estanho personagem, que ensinamento me dá este espetáculo, quer dizer, tu mesmo! Eu talvez me não atrevesse a insinuar tudo isso nos teus rigorosos ouvidos.

Vamos! Separemo-nos aqui! Agradar-me-ia, porém, tornar a encontrar-te. Ali em cima está o caminho que conduz à minha caverna. Lá deves ser esta noite bem-vindo entre os meus hóspedes.

Quereria também reparar, no teu corpo, o haver sido pisado por Zaratustra; nisso penso. Chama-me, porém, para longe de ti um grito de angústia."

Assim falava Zaratustra.

LXV. O ENCANTADOR

I

Na volta de umas penhas, Zaratustra viu perto de si e na parte baixa do caminho um homem que acenava como doido furioso e que acabou por se precipitar de bruços no solo. "Alto! — disse então Zaratustra consigo. — Deve ser este o homem superior; dele procedia aquele sinistro grito de angústia. Quero ver se o posso socorrer." Quando chegou, porém, ao local em que o homem estava, deparou com um velho trêmulo de olhar fixo; e apesar de todas as tentativas de Zaratustra para levantá-lo, foram vãos os seus esforços. Ó infeliz parecia não notar que estava alguém junto de si; pelo contrário, não cessava de olhar para um e outro lado, fazendo gestos comovedores, como quem se vê abandonado, e apartado do mundo inteiro. Afinal, depois de muitas tremuras, sobressaltos e contorções, começou a lamentar-se desta forma:

"Quem me dá calor? Quem me ama ainda? Vinde, mãos quentes! Vinde, corações ardentes!

Caído, a tremer, como um moribundo cujos pés são aquecidos, estremecido, ai! por ignoradas febres, tiritando ante as aceradas flechas da geada, acossado por ti, pensamento! inefável! oculto! espantoso! caçador escondido por detrás das nuvens!

Ferido por ti, olho zombeteiro que me contemplas na escuridão! — Assim jazo, me curvo, me contorço, atormentado por todos os mártires eternos, ferido por ti, crudelíssimo, caçador, Deus desconhecido...

Fere mais profundamente! Fere outra vez! Trespassa, arranca este coração! Para que é este martírio com setas rebotadas? Que olhas ainda, não cansado de humanos tormentos, com esses olhos maliciosos de fulgores divinos?

Não queres matar, mas martirizar, martirizar somente? Para que martirizar-me a mim, Deus maldoso, Deus incógnito?

Ah! aproximas-te rastejando em semelhante noite? Que queres? Fala! Persegues e cercas-me.

Aproxima-te demais! Ouves-me respirar, espreitas o meu coração, ciumento! Mas, de quem tens ciúmes?

Deixa-me, afasta-te daí! Para que é essa escada? Queres penetrar no meu coração, penetrar os meus mais secretos pensamentos! Insolente! Desconhecido! Ladrão! Que queres roubar? Que queres ouvir? Que te propõe arrancar com as tuas torturas, Deus verdugo? Ou terei de me arrastar na tua presença como um cão, entregando-te o meu amor, acorrentado e fora de mim?

Em vão! Punge de novo, crudelíssimo aguilhão?

Não sou um cão! apenas sou tua presa, caçador cruel entre os cruéis! O teu mais altivo prisioneiro, salteador, oculto atrás das nuvens!

Fale de uma vez o que se esconde detrás dos relâmpagos! Fale o incógnito! Que queres de mim, postado aí à espreita no caminho?

Que? Um resgate? Que queres de resgate?

"Pede muito" - assim o aconselha o meu orgulho! "E fala pouco" — aconselha o meu outro orgulho!

Ah! A mim mesmo é que tu queres? A mim? A mim todo?

Ah! E martirizas-me, insensato! E me torturas o orgulho? Dá-me o amor, — quem me aquece ainda? Quem me tem amor ainda? Dá-me mãos quentes, dá-me corações ardentes, dá-te tu, crudelíssimo inimigo; sim, entrega-te a mim, ao mais solitário, a quem o gelo faz suspirar sete vezes até pelos mesmos inimigos...

Foi-se. Até ele fugiu, o meu único companheiro, o meu grande inimigo, o meu desconhecido, o meu Deus verdugo!

Não! Torna! Torna com os teus suplícios!

Torna ao último dos solitários! Todas as minhas lágrimas correm em tua procura! E por ti desperta a derradeira chama do meu coração! Ó! torna, Deus incógnito! Minha dor! Última ventura minha!"

II

Neste ponto, porém, conter Zaratustra não se pôde mais tempo, agarrou no bordão e deu com todas as forças não que se lastimava.

"Detém-te! — gritou-lhe com riso colérico — detém-te, histrião, falso moedeiro! Inveterado embusteiro!

Bem te conheço!

Hei de te largar fogo às pernas, sinistro encantador; sei muito bem haver-me com os da tua ralé!"

"Pare! — disse o velho, erguendo-se de repente. — Não me batas mais, Zaratustra!

Tudo isto não passou de um gracejo forte!

Estas coisas participam da minha arte: quis pôr-te à prova a ti mesmo. E, verdade é que me penetraste bem os pensamentos!

Mas também... não é pequena a prova que te impuseste a ti mesmo. És rigoroso, sábio Zaratustra! Feres duramente com as tuas "verdades"; o teu nodoso bordão obriga-me a confessar... esta verdade!"

"Não me adules, histrião! — respondeu Zaratustra, sempre irritado e com semblante sombrio. — És falso; para que falas... de verdade?

Pavão, oceano de vaidade, que é que tu representavas diante de mim, sinistro encantador? Em quem devia eu crer quando te lamentavas assim?"

"Eu representava o redentor do espírito — disse o velho. — Tu mesmo inventaste noutro tempo esta expressão: O poeta e o encantador que acaba por tornar o espírito contra si mesmo, o transformado, aquele a quem gelam a sua falsa ciência e a sua má consciência.

E, confessa francamente, Zaratustra: demoraste-te a descobrir os meus artifícios e mentiras! Acreditavas na minha miséria, quando me amparavas a cabeça; ouvi-te gemer: "Amaram-no pouco, muito pouco!"

Haver-te enganado a tal ponto era o que intimamente me regozijava a maldade."

Zaratustra respondeu com dureza:

"A outros mais finos do que eu deves ter enganado. Não estou em guarda contra os enganadores; não tenho que tomar precauções: assim o quer a minha sorte.

Tu, porém... tens que enganar: conheço-te de sobra para o saber. Como tuas palavras hão de ter sempre duplo, triplo, quádruplo sentido. O que me confessaste não era bastante verdadeiro nem bastante falso para mim.

Vil moedeiro falso, como havias de fazer outra coisa? Até a tua enfermidade encobririas, se te apresentasses nu ante o médico.

E acabavas de dourar a tua mentira diante de mim quando disseste: "Só o fiz por gracejo!" Também nisso havia seriedade; tu és até certo ponto como um redentor do espírito.

Sei perfeitamente calar-te: fizeste-te de encantador de toda a gente; mas, quanto a ti, já não te resta mentira nem astúcia; não que te diz respeito estás desencantado.

Alcançaste a desilusão como única verdade. Nenhuma palavra é verdadeira em ti, a não ser a desilusão pegada à tua boca."

"Mas quem és tu? — exclamou o velho, já agora com voz altaneira. — Quem tem o direito de me falar assim, a mim, que sou o maior dos viventes de hoje?" E os olhos faiscaram ao encarar Zaratustra. No mesmo instante, porém, se transformou e disse com tristeza:

"Zaratustra, estou farto; cansam-me como minhas artes; não sou grande! Para que fingir? Mas tu bem o sabes: procurei a grandeza.

Queria simular de grande homem, e a muita gente convenci; mas esta mentira foi superior às minhas.

Zaratustra, em mim tudo é mentira; mas que sucumbo... isto é positivo!"

"Honra-te — respondeu Zaratustra, sombrio e desviando o olhar para o chão — honra-te o teres procurado a grandeza, mas deprime-te também. Tu não és grande.

Sinistro encantador, o melhor e mais honroso para ti é teres enfastiado de ti mesmo e haveres exclamado:

"Não sou grande".

Em atenção a isso, honro-te como um redentor do espírito: conquanto fosse por um instante, nesse instante foste verídico.

Diz-me, porém; que procuras tu aqui nos meus bosques e entre as minhas brenhas? E se te havias atravessado no meu caminho para me espreitar, que prova querias de mim? Em que me querias tentar?"

Assim falava Zaratustra, e os olhos faiscavam. O velho encantador fez uma pausa e disse depois: "Acaso te tentei? Eu não faço mais do que... procurar.

Zaratustra, procuro alguém que seja sincero, reto, simples, alheio ao fingimento, um homem de toda a probidade, um vaso de sabedoria, um santo de conhecimento, um grande homem! Porventura o ignoras, Zaratustra? Procuro Zaratustra!"

Então fez-se um silêncio entre os dois. Zaratustra, concentrando-se profundamente, cerrou os olhos; depois, virando-se para o encantador pegou-lhe na mão, disse-lhe delicada e astuciosamente:

"Está bem! Ali em cima encontra-se o caminho que conduz à caverna de Zaratustra. Na minha caverna podes procurar o que desejas encontrar.

E tenha com os meus animais, a minha águia e a minha serpente: eles te ajudarão a procurar. A minha caverna é grande, entretanto.

Verdade é que eu mesmo... ainda não vi nenhum grande homem. Para o grande, ainda o olho do mais lince é demasiado grosseiro. Este é o reinado da população.

Já tenho visto tantos esticarem e inflarem enquanto o povo gritava: "Vede: este é um grande homem!" Mas, para que servem os foles? Deles apenas sai vento.

O sapo que incha demasiado acaba rebentando. Furar o ventre de um inchado é uma honesta distração. Ouvi isto, meus filhos!

O nosso hoje pertence à população: quem pode saber ainda o que é grande ou pequeno?

Quem procuraria ainda com êxito a grandeza? Um louco, quando muito; e os loucos são afortunados.

Procuras os grandes homens, estranho louco! Quem te ensinou tal coisa? Será hoje tempo oportuno para ISSO? Ó! investigador malicioso! Porque me tentas?"

Assim falava Zaratustra, com o coração consolado; e rindo, prosseguiu o seu caminho.

LXVI. SEM SERVIÇO

Pouco depois de se livrar do encantador, Zaratustra viu outra pessoa sentada à beira do caminho que ele seguia, um homem alto, de semblante pálido e afilado; este contrariou-se extraordinariamente. "Mal vai! — disse consigo. — Vejo aflição mascarada, parece coisa de sacerdotes. Que querem estes no meu reino?

Mal me livrei daquele encantador e já passa pelo meu caminho outro nigromante, um mago que impõe as mãos, um sombrio milagreiro por amor de Deus, um compungido difamador do mundo: leve-o o demônio!

O demônio, porém, nunca se acha onde desviar; sempre chega tarde esse maldito anão, esse pateta!"

Assim praguejava Zaratustra, impaciente e pensando na maneira de passar diante do homem negro olhando para outro lado. As coisas, porém, sucederam a forma doutra: porque no mesmo instante o viu aquele que estava sentado; e como quem tem uma sorte inesperada, pôs-se de pé de um salto e encaminhou-se para Zaratustra.

"Quem quer que sejas — disse — viajante errante, auxilia um extraviado a quem poderia suceder alguma desgraça! Isto aqui é para mim um mundo estranho e longínquo; também ouvi rugidos de feras; e quem poderia me dar guarida, já não existe.

Procurei o último homem piedoso, um santo e um ermitão, único que no seu bosque ainda não ouvira dizer o que toda a gente hoje sabe."

"Que é que toda a gente sabe hoje? — perguntou Zaratustra. — Talvez já não esteja vivo o Deus antigo, o Deus em quem dantes acreditava toda a gente?"

"Assim o dizes — respondeu tristemente o velho. — E servi esse Deus antigo até a sua última hora. Agora, porém, estou fora de serviço; encontro-me sem amo, e, apesar disso, não sou livre; por isso só eu comprazo nas minhas recordações.

Por isso subi a estas montanhas, para tornar a celebrar aqui uma festa, como convém a um antigo Papa e padre da Igreja, — porque fica sabendo que sou o último Papa! — uma festa e piedosa lembrança e culto a Deus.

Mas agora morreu o mais piedoso dos homens, esse santo do bosque que continuamente louvava Deus com cantos e preces.

Já o não encontrei quando descobri a choça; mas vi lá dois lobos que uivavam por causa da sua morte — porque todos os animais o queriam. — Ao ver aquilo fugi.

Vim, depois, debalde a estes bosques e a estas montanhas! Por consequência o meu coração decidiu-se a procurar outro, o mais piedoso de todos os que não acredita em Deus: Zaratustra!"

Assim falou o velho, e fixou um olhar penetrante no que estava de pé diante dele. Zaratustra pegou na mão do antigo Papa e contemplou-a largo tempo com admiração.

"Olha, então, venerando — disse-lhe logo — que mão estendida tão bela! É a mão de quem deu sempre a bênção. Agora, porém, estreita aquele a que tu procuras, a mim, Zaratustra.

Eu sou Zaratustra, o ímpio que diz: "Quem há mais ímpio do que eu, para me regozijar com o seu ensinamento?"

Assim falava Zaratustra, penetrando com o seu olhar nos pensamentos mais íntimos do velho Papa. Por fim este principiou a dizer:

"Aquele que mais o amava e o possuía foi também o que mais o perdeu. Olha: creio que agora o mais ímpio de nós sou eu. Mas que se poderia regozijar disso?"

"Serviste-o até o fim? — perguntou Zaratustra pensativo, depois de longo e profundo silêncio.

Sabes como morreu? É certo o que se diz, que o asfixiou a compaixão? O ver o homem suspenso na cruz e não poder aguentar que o amor pelos homens viesse a ser o seu inferno e afinal a sua morte?"

O antigo Papa não respondeu, mas olhou de soslaio com espanto e expressão dolorosa e sombria.

"Deixa-o ir — acrescentou Zaratustra, depois de longa reflexão, cravando sempre os seus olhos nos do velho.

Deixa-o ir — findou. — E embora te honre dizer só bem desse morto, tu sabes como eu quem ele era, e que seguia caminhos singulares."

"Aqui, de três olhos — disse tranquilizado o Papa, que de um olho era cego — estou mais ao corrente das coisas de Deus que o próprio Zaratustra, e tenho direito de o estar.

Longos anos o serviu o meu amor, a minha vontade seguia a sua por toda parte. Um bom servidor, porém, sabe tudo e até certas coisas que o seu senhor oculta a si mesmo.

Era um Deus oculto, cheio de mistérios. Nem sequer alcançou um filho, senão por caminhos escusados. Como portas da sua indexação encontra-se o adultério.

O que o louva como Deus do amor, não forma juízes bastante elevado do amor em si.

Esse Deus não queria ser juiz também? Pois o que ama, ama acima do castigo e da recompensa.

Quando moço, esse Deus do Oriente era ríspido e estava sedento de vingança: criou um inferno para deleite dos seus prediletos.

Por fim fez-se velho e brando e terno e compassivo, assemelhando-se mais a um avô do que a um pai, e até mais a uma avó decrépita.

Para ali estava murcho, sentado ao calor do lume, preocupado com a fraqueza das pernas, cansado do mundo, cansado de querer, e um dia acabou por se afogar em excessiva piedade."

"Antigo Papa — interrompeu Zaratustra — viste isso com os teus olhos próprios? Pode muito bem ter sido assim; assim e também doutra maneira. Quando os deuses morrem, é sempre de várias espécies de mortes.

Mas desta ou doutra maneira, desta ou daquela, já não existe! Era ao gosto dos meus olhos e dos meus ouvidos: eu nada pior queria imputar-lhe.

A mim agrada-me tudo o que tem o olhar claro e fala francamente. Ele, porém, bem o sabes antigo sacerdote, tinha coisa da tua raça, dos sacerdotes: era contraditório.

Também era confuso. Quanto nos lançamentos em cara esse colérico, por má compreensão!

Mas por que não falava ele mais claro?

E se a culpa era de nossos ouvidos, para que nos deu ouvidos que o ouvissem mal? Se nos nossos ouvidos havia lama, quem pôs lá?

Saíram mal demasiadas coisas a esse oleiro que não concluirá a aprendizagem. Mas vingava-se nos seus cacos e nas suas vasilhas porque lhe tinha saído más, foi um pecado contra o bom gosto.

Também há um bom gosto na piedade; esse bom gosto acabou por dizer: "Levai-nos tal deus! Vale mais não ter nenhum, vale cada qual criar os destinos ao seu capricho, vale mais ser doido, vale mais ser Deus uma pessoa mesma!"

"Que ouço? — disse neste ponto o Papa, apurando o ouvido. — Zaratustra, com essa incredulidade és mais piedoso do que julgas. Deve ter havido algum deus que te converteu à tua impiedade.

Não é a tua própria impiedade que te impede de crer em um Deus? E a tua excessiva lealdade ainda te há de conduzir mais além do bem e do mal.

Vês o que te está reservado! Tens olhos, mão e boca que estão predestinados a abençoar toda a eternidade.

Não se abençoa só com a mão.

A teu lado, embora queiras seja o mais ímpio, percebe-se um secreto aroma de dilatadas bênçãos, um odor benéfico e ao mesmo tempo doloroso para mim.

Permite-me ser teu hóspede uma só noite, Zaratustra! Em nenhuma parte da terra me sentirei melhor que a teu lado!"

"Amém! Assim seja! — exclamou Zaratustra, admiradíssimo. — Ali em cima está o caminho que conduz à caverna de Zaratustra venerando, de boa vontade te levaria eu mesmo porque estimo todos os homens piedosos. Agora, porém, chama-me para longe de ti um grito de angústia.

Nos meus domínios não deve suceder nada mau a ninguém: a minha caverna é um bom porto. E quereria, sobretudo, pôr em terra firme e com o pé direito todos os tristes.

Quem pode, contudo, arrancar-te dos ombros essa melancolia? Sou demasiado débil para isso. Na verdade, muito teríamos que esperar para que alguém ressuscitasse o teu deus.

Que esse Deus antigo já não é vivo; está morto e bem morto."

Assim falava Zaratustra.

LXVII. O HOMEM MAIS FEIO

E Zaratustra continuou a correr pelas montanhas e pelas selvas, e os seus olhos esquadrinhavam sem cessar; mas em nenhuma parte via aquele que queria ver, o que clamava por socorro, atormentado por profunda angústia. Caminhava, todavia, muito satisfeito e cheio de gratidão. "Que boas coisas — disse — este dia me tem dado, para me indenizar de o ter começado tão mal! Que singulares interlocutores encontrei!

Hei de ruminar muito tempo suas palavras como se fossem bons grãos; os meus dentes devem triturá-las e moê-las muitas vezes, até me correrem pela alma como leite."

Mas quando deu volta a outro penhasco do caminho, mudou de súbito a paisagem, e Zaratustra entrou no reino da Morte. Surgiam ali negros e vermelhos penhascos, e não havia ervas, árvores, nem canto de pássaros. Que era um vale que todos os animais se desprezavam, até as feras; só uma espécie muito feia de grandes cobras verdes ia ali morar, quando envelhecia. Por isso os pastores chamavam aquele vale de "Morte das serpentes."

Zaratustra abismou-se em obscuras recordações, porque lhe parecia ter-se já encontrado naquele vale. E preocupava o seu espírito coisas tão pesadas que foi demorando, demorando o passo até que acabou por parar e fechar os olhos. Quando os abriu, viu qualquer coisa sentada à beira do caminho, qualquer coisa onde com muito esforço se podia reconhecer a forma de um homem, qualquer coisa inexprimível. E Zaratustra sentiu enorme vergonha de seus olhos terem visto semelhante coisa. Ruborizando-se até a raiz dos cabelos, afastou os olhos e ergueu o pé para se retirar daquele local nefasto. Mas então se povoou de ruídos o tétrico deserto: porque se elevou do solo um gorgolejo como o que faz a água de noite em campos tapados; esse ruído acabou por se tornar voz humana e humana palavra. A voz dizia:

"Zaratustra! Zaratustra! Adivinha o meu enigma! Fala! Qual é a vingança contra a testemunha?

Atraio-te para trás; aqui há gelo resvaladiço. Cuidado, cuidado, não se quebra como pernas de orgulho!

Julga-se sábio, orgulhoso Zaratustra!

Pois adivinha o enigma, adivinha o enigma que eu sou. Fala pois: quem sou eu?"

Mas quando Zaratustra ouviu essas palavras, que pensais se lhe passou na alma?

Viu-se dominado pela compaixão, e abateu-se de súbito como um carvalho que, depois de resistir muito tempo aos lenhadores, cai de repente e pesadamente com espanto dos próprios que queriam abatê-lo. Logo, porém, se ergueu do solo e o semblante se modificou.

"Conheço-te bem, és o assassino de Deus. Deixa-me ir embora. Não suportaste aquele que te via sempre e até ao mais íntimo teu, mais feio dos homens! Vingaste-te dessa Testemunha!"

Assim falava Zaratustra, e quis ir-se embora; mas o inexprimível segurou-o pela roupa e começou a gorgolejar de novo e a procurar as suas expressões: "Detém-te!", disse por fim.

"Detém-te! Não passes de largo! Compreendi qual foi o machado que te derrubou! Glória a ti, Zaratustra, que estás outra vez de pé!

Adivinhaste — sei-o perfeitamente — quais eram os sentimentos do que matou Deus — do assassino de Deus — Fica. Senta-te aqui ao meu lado; não será em vão.

A quem queria eu encontrar senão a ti? Fica e senta-te. Mas não olhes para mim. Respeita assim... a minha fealdade!

Perseguem-me: agora tu és o meu último refugio. Não é que me persigam com o seu ódio ou seus esbirros. Ó! Zombaria então de tais perseguições! Estaria orgulhoso e satisfeito.

Todo o triunfo não tem sido até aqui dos que foram bem perseguidos? E o que persegue bem facilmente aprende a seguir — não vai já... atrás? Trata-se, porém, da sua compaixão...

Da compaixão deles é que fujo ao vir me refugiar em ti. Defende-me, Zaratustra, último refúgio meu, único ser que me adivinhou.

Adivinhaste os sentimentos daquele que matou Deus.

Fica! E se és tão impaciente que te queiras ir embora, não tomes o caminho por onde vim. Esse caminho é mau.

Tens-me rancor porque há muito tempo que te falo imprudentemente? Porque te dou conselhos? Fica sabendo que eu, o mais feio dos homens, sou também o que tem o pé maior e mais pesado. Todo o caminho que pisei se tornou mau. Eu esmago e destruo todos os caminhos.

Bem vi, porém, que passavas por diante de mim em silêncio, e que te envergonhavas: nisso conheci Zaratustra.

Outro qualquer atirar-me-ia uma esmola, a sua compaixão com o olhar e a palavra. Eu, porém, não sou bastante mendigo para isso: adivinhaste.

Sou demasiado rico para isso, rico em coisas grandes, e formidáveis, as mais feias e inexprimíveis! A tua vergonha honra-me, Zaratustra!

Difícil me foi sair da multidão dos compassivos para encontrar o único que ensina hoje que "a compaixão é importuna" — para encontrar a ti, Zaratustra.

Seja piedade de um Deus ou piedade dos homens, a compaixão é contrária ao pudor. E não querer auxiliar pode ser mais nobre do que essa virtude que assalta pressurosa e solícita.

Mas a isso mesmo é que toda a gente pequena chama hoje virtude, a compaixão; tal gente não guarda respeito à grande desgraça, nem à grande felicidade, nem à grande queda.

Deito o meu olhar por cima dos pequenos, como o de um cão por cima dos buliçosos rebanhos de ovelhas. É gentinha de boa vontade, parda e peluda.

Tempo demais se deu razão a essa gentinha, e assim se acabou por se lhes dar igualmente o poder. Agora pregam: "Só o que a gentinha acha bom, é que é bom".

E hoje chama-se "verdade" ao que dizia o pregador, que saiu das fileiras dessa gente, aquele santo raro, aquele advogado dos pequenos que afirmava por si só "eu sou a verdade".

E aquele homem imodesto que ao dizer "eu sou a verdade", pregou um erro mais que mediano, foi a causa de se pavonearem há muito as pessoas pequeninas.

Acaso se respondeu alguma vez mais cortesmente a uma pessoa falha de modéstia?

E tu, Zaratustra, todavia, passaste por diante dele dizendo: "Não! Não! Mil vezes não!"

Tu deste a voz de alarme contra o seu erro; foste o primeiro a dar a voz de alarme contra a compaixão; não a todos, nem a nenhum, mas a ti e à tua espécie.

Envergonhas-te da vergonha dos grandes sofrimentos: e quando dizes: "Da compaixão vem uma grande nuvem, alerta humanos". E quando ensinas: "Todos os criadores são duros, todo o grande amor está por cima da sua compaixão", parece-me conheceres bem os sinais do tempo, Zaratustra!

Mas tu mesmo... livra-te também da tua própria piedade. Que há muitos que se encaminham para ti, muito dos que sofrem, dos que duvidam, dos que desesperam, dos que se afogam e gelam...

Ponho-te também em guarda contra mim. Adivinhas o meu melhor e o meu pior enigma, adivinhaste-me a mim mesmo e o que tenho feito. Conheço o machado que te derruba.

Foi preciso, contudo, ele morrer: via com olhos que tudo viam; via as profundidades e os abismos do homem, toda a sua oculta ignomínia e fealdade.

A sua compaixão não conhecia a vergonha; introduzia-se-me nos mais sórdidos recantos. Foi mister morrer o mais curioso, o mais importuno, o mais compassivo.

Sempre me via; quis vingar-me de tal testemunha ou deixar de viver.

O Deus que via tudo, até o homem, esse Deus devia morrer! O homem não suporta a vida de semelhante testemunha."

Assim falava o homem mais feio. E Zaratustra levantou-se e dispôs-se a partir, porque estava gelado até à medula, e disse:

"Tu, inexprimível, puseste-me em guarda contra o teu caminho. Para te recompensar recomendo-te o meu. Olha: ali em cima fica a caverna de Zaratustra.

A minha caverna é grande e profunda e tem muitos recantos; o mais escondido encontra lá o seu esconderijo. E perto há cem rodeios e cem fugas para os animais que se arrastam, revolteiam e saltam.

Tu, que te vês repelido e que te repeliste a ti mesmo, não queres viver mais entre os homens e da compaixão dos homens? Pois bem! Faz como eu! Assim aprenderás também comigo, só o que procede aprende.

E fala logo e em primeiro lugar aos meus animais! Sejam para nós dois os verdadeiros conselheiros o animal mais ativo e o animal mais astuto!"

Assim falava Zaratustra, e prosseguiu o seu caminho ainda mais meditabundo e vagaroso do que dantes, porque se interrogava sobre muitas coisas a que lhe era difícil responder.

"Como o homem é mesquinho! — pensava interiormente. — Que feio, que agonizante e quão cheio de oculta vergonha!

Dizem que o homem se ama a si mesmo! Ai! Como deve ser grande esse amor próprio! Quanto desprezo tem contra si!

Também aquele se ama desprezando-se: é para mim um grande enamorado e um grande desprezador.

Nunca tropecei com ninguém que se desprezasse mais profundamente. Isto também é elevação. Ó! infortúnio! Talvez fosse aquele o homem superior cujo grito ouvi!

Amo os grandes desprezadores. Mas o homem é uma coisa que deve ser superada."

Assim falava Zaratustra.

LXVIII. O MENDIGO POR ESCOLHA

Quando Zaratustra se apartou do mais feio dos homens, teve frio, sentiu-se só: tantas coisas geladas e solitárias lhe cruzaram o espírito que até os membros se lhe arrefeceram.

Subindo, porém, cada vez mais por montes e vales, e ao atravessar áridos pedregais, que provavelmente tinham sido noutras épocas leito de um rio impetuoso, sentiu-se de repente mais vivo e animado.

"Que me sucedeu? — perguntou a si mesmo.

— O que quer que seja cálido e vivo me reconforta; deve andar próximo de mim.

Já estou menos só; companheiros e irmãos rondam inconscientemente em torno de mim; o seu quente hálito agita a minha alma."

Mas quando olhou em roda procurando os consoladores da sua soledade, viu que eram vacas, que estavam umas ao lado das outras numa elevação; fora a proximidade e o bafo desses animais que lhe haviam reanimado o coração. As vacas, entretanto, pareciam escutar atentamente alguém que falasse, e não faziam caso de quem se aproximava.

Já muito perto delas, Zaratustra ouviu sair do centro claramente uma voz de homem, e era visível, pois todas viravam a cabeça para o seu interlocutor.

Então Zaratustra correu para o montículo e dispersou os animais, porque receava que houvesse sucedido alguma desgraça a alguém, coisa que dificilmente poderia remediar a compaixão das vacas. Enganava-se, porém; o que viu foi um homem sentado no solo, que parecia exortar os animais a não terem medo dele. Era um homem agradável; um pregador das montanhas, cujos olhos predicavam a própria bondade. "Que procuras aqui?", exclamou Zaratustra, admirado.

"Que procuro aqui! — respondeu o homem. — O mesmo que tu, curioso! Isto é, a felicidade na terra.

Por isso queria aprender com estas vacas. Que, fica sabendo, há meia manhã que lhes estou falando, e iam me responder. Por que as espantaste?

Se não tornarmos para trás e não fizermos como as vacas, não poderemos entrar no reino dos céus. Que há uma coisa que deveríamos aprender delas: é ruminar.

E, claro, de que serviria o homem alcançar o mundo inteiro, se não aprendesse uma coisa, se não aprendesse a ruminar?

Não perderia a sua grande aflição.

Essa grande aflição que hoje se chama tédio. Quem não terá hoje o coração, a boca e os olhos cheios de tédio? Também tu. Também tu. Mas olha para estas vacas!"

Assim falou o pregador da montanha; depois virou os olhos para Zaratustra — porque até então os fixara amorosamente nos animais.

Logo se transformou, porém, "Com quem estou falando? — exclamou, assustado, saltando do solo.

Este é o homem sem tédio, Zaratustra em pessoa, o que triunfou do grande tédio; são os seus olhos, a sua boca, e o próprio coração de Zaratustra."

E assim falando beijou as mãos daquele a quem falava, com olhar afetuoso, e em tudo se comportava como uma pessoa a quem cai do céu inopinadamente um precioso dom ou algum tesouro. Entretanto as vacas contemplavam tudo aquilo com admiração.

"Não fales de mim, homem singular e atraente! — respondeu Zaratustra, esquivando-se aos afagos. — Primeiro que tudo falai-me de ti. Não serás tu o mendigo voluntário que noutro tempo repudiou uma grande riqueza?

Não serás aquele que, envergonhado da riqueza e dos ricos, fugiu para junto dos mais pobres a dar-lhes a sua abundância e o seu coração? Mas eles nada disso te aceitaram."

"Não me aceitaram — disse o mendigo voluntário –, já o sabes. Por isso acabei por vir ter com os animais e com estas vacas."

"Assim aprendeste — interrompeu Zaratustra — que é muito mais difícil dar o bem do que aceitar o bem; que dar o bem é uma arte, é a última e a mais astuta mestria da bondade."

"Especialmente em nossos dias — respondeu o mendigo voluntário —, especialmente hoje que tudo quanto é baixo se ergue altivamente orgulhoso da sua raça; a raça plebeia.

Já deves saber que chegou a hora da grande insurreição da populaça e dos escravos, a funesta insurreição, vasta e lenta, que cresce continuamente.

Agora os pequenos revoltam-se contra todos os benefícios e os dons mesquinhos; acautelam-se os que são demasiados ricos!

Há frascos bojudos que gotejam pouco por estreitos gargalos... a frascos assim é que se quer hoje cortar a cabeça.

Cobiça ansiosa, inveja acerba, vingança reconcentrada, orgulho plebeu; tudo isso me assaltou à cara. Não é já verdade os pobres serem bem-aventurados. O reino do céu está entre as vacas."

"E por que não entre ricos?", perguntou tentadoramente Zaratustra, impedindo que as vacas acariciassem com o seu hálito o homem agradável.

"Por que me tentas? — respondeu este. — Tu mesmo o sabes muito melhor que eu. Que foi que me impeliu para os mais pobres,

Zaratustra? Não era a aversão que sentia pelos mais ricos dos nossos? pelos forçados da riqueza que aproveitam os seus lucros em todas as varreduras, com olhos frios e olhares concupiscentes? por essa chusma que exala mau cheiro até o céu? Por essa dourada e falsa populaça, cujos ascendentes eram gente de unhas compridas, aves carnívoras, ou trapaceiros, com mulheres complacentes, lascivas e esquecediças, pouco diferente de rameiras?

Populaça acima! Populaça abaixo! Que significam já hoje os "pobres", os "ricos"! Esqueci essa diferença e acabei por fugir para longe, cada vez mais longe, até vir ter com estas vacas."

Assim falou o homem agradável, e ao pronunciar aquelas palavras respirava ruidosamente, banhado em suor: tanto que as vacas tornaram a admirar-se. Zaratustra, porém, enquanto o homem falava assim duramente, fitava nele os olhos, sorrindo e movendo silenciosamente a cabeça.

"Pregador da montanha, estás-te violentando ao empregar expressões tão duras. A tua boca e os teus olhos não nasceram para tais durezas.

E o teu estômago tampouco, segundo me parece, resistem-lhe essa cólera, esse ódio e essa efervescência. O teu estômago precisa de coisas mais brandas: não és carnívoro.

Antes me pareces herbívoro. Talvez mastigues grão. Em todo caso não és feito para os gozos carnívoros, e agrada-te o mel."

"Adivinhaste-me perfeitamente — respondeu o mendigo voluntário, com o coração aliviado. — Agrada-me o mel e também môo grão, porque procurei o que tem bom gosto e purifica o hálito; também uma tarefa diária e uma ocupação para a boca.

Estas vacas de certo foram muito mais longe: inventaram o ruminar e cair no contrário. Assim se livram de todos os pensamentos pesados que incham as entranhas."

Zaratustra disse: "Pois então deverias ver também os meus animais, a minha águia e a minha serpente que não têm rival na terra.

Olha: aquele é o caminho que conduz à minha caverna: sê meu hóspede por esta noite. E fala com os meus animais da felicidade dos animais... até que eu regresse.

Agora, porém, chama-me apressado para longe de ti um grito de angústia. Também hás de encontrar na minha morada mel fresco, favos de dourado mel de glacial frescura: coma-o!

Agora despede-te pressuroso das tuas vacas, homem singular e atraente, embora te custe; pois são os teus melhores amigos e mestres!"

"À exceção de um só, a quem prefiro — respondeu o mendigo voluntário. — Tu és bom, e ainda melhor que uma vaca, Zaratustra!"

"Foge daqui! Vil adulador! – exclamou, colérico, Zaratustra. — Por que me lisonjeias com tal mel de elogios e de lisonjas?"

"Foge, foge para longe de mim!", gritou outra vez, brandindo o bordão na direção do mendigo adulador. Este, porém, fugiu com presteza.

LXIX. A ESCURIDÃO

Após o mendigo voluntário fugir, Zaratustra, outra vez consigo mesmo, ouviu uma voz desconhecida gritar: "Para, Zaratustra! Espere! Sou eu, Zaratustra; eu, a tua sombra!" Zaratustra, porém, não esperou, porque o invadiu um grande desgosto ao ver a multidão que se amontoava nas montanhas. "Que foi feito da minha soledade?", disse.

"É demais; estas montanhas formigam; o meu reino já não é deste mundo; preciso de novas montanhas. Chama-me a minha sombra? Que me importa a minha sombra? Corra atrás de mim... e eu adiante dela!"

Assim dizia consigo Zaratustra, fugindo; mas o que estava atrás dele seguia-o, de forma que eram três a correr um atrás do outro: primeiro o mendigo voluntário, a seguir Zaratustra, e em último lugar a sua sombra.

Não corriam há muito ainda quando Zaratustra caiu em si, reparou na sua loucura, e de uma sacudidela expulsou para longe de si todo o despeito e aborrecimento.

"Que! – exclamou. — Não têm acontecido sempre entre nós outros, santos e eremitas, as coisas mais risíveis? Na verdade, a minha loucura cresceu nas montanhas! Agora ouço soar, umas atrás das outras, seis velhas pernas de loucos!

Terá Zaratustra o direito de se assustar com uma sombra? E acabo por acreditar que ela tem as pernas mais compridas que as minhas."

Assim falava Zaratustra rindo com vontade.

Deteve-se, virou-se repentinamente e quase atirou ao chão a sombra que o perseguia: tão agarrada ia aos seus tacões e tão fraca era. Ao examiná-la admirou-se como se de repente lhe houvesse aparecido um fantasma: tão fraco, negro e anão era o seu perseguidor, e tão arruinado lhe parecia.

"Quem és? — perguntou impetuosamente Zaratustra. — Que fazes aqui? E por que te chamas minha sombra? Não me agradas."

"Perdoa-me — respondeu a sombra — ser eu, e não te agradar, felizmente, Zaratustra! Isso diz muito em teu abono e a favor do teu bom gosto.

Sou um viajante que já há muito tempo te segue as pegadas: sempre a caminhar, mas sem destino nem lugar; de forma que pouco me falta para ser judeu errante, salvo não ser judeu nem eterno.

Que? hei de caminhar sempre? Hei de me ver arrastado sem trégua pelo remoinho de todos os ventos? Ó! terra, tornaste-te demasiado redonda! Já me coloquei em todas as superfícies; à semelhança do cansado pó; adormeci nos espelhos e nas vidraças.

Tudo recebe de mim; ninguém me dá; eu diminuo, quase pareço uma sombra.

Mas a quem tenho seguido e perseguido mais tempo tem sido a ti, Zaratustra; e conquanto me tenha ocultado de ti, fui, todavia, a tua melhor sombra; onde quer que parasses, parava eu também.

Contigo vaguei pelos mais longínquos e frios mundos, como um fantasma que se compraz em correr por caminhos invernais e de gelo. Contigo aspirei a todo o proibido, a todo o pior e mais longínquo; e se alguma virtude há em mim, é não temer nenhuma proibição.

Contigo aniquilei quanto o meu coração adorou, derribei todas as barreiras e todas as imagens, correndo após os mais perigosos desejos: realmente, passei uma vez por todos os crimes.

Contigo esqueci a fé nas palavras, os valores, e os grandes nomes. Quando o demônio muda de pele, não muda ao mesmo tempo de nome? Que esse nome é apenas pele. Talvez mesmo o demônio não seja mais... que uma pele.

Nada é verdade; tudo é permitido; assim me consolei a mim mesmo. Lancei-me nas águas mais frias, de coração e de cabeça. Ai! Quantas vezes me vi nu e encarnado em caranguejo!

Ai! Para onde foi tudo o que é bom, e toda a fé nos bons? Ai! para onde fugiu aquela inocência enganadora que dantes possuí, a inocência dos bons e das suas nobres mentiras?

Com demasiada frequência pisei a verdade, e ela então saltou-me ao rosto. As vezes julgava mentir, e o caso é que só então aflorava a verdade.

Demasiadas coisas se me tornaram claras; agora já não me importam. Já nada vive do que eu amo. Como poderia amar-me ainda a mim mesmo?

Viver como me agrade, ou não viver de modo nenhum, eis o que quero, eis o que quer também o mais santo. Mas, ó! desventura! Como poderia eu satisfazer-me ainda? Acaso tenho... um fim? Um porto para onde encaminhe a minha vela?

Um bom vento? Ai! Só o que sabe onde vai sabe também qual é o seu vento, qual é o seu vento próspero.

Que me resta? Um coração fatigado e impertinente, uma vontade instável, asas trêmulas, uma espinha quebrada. Esse afã de correr em busca da minha morada, sabes Zaratustra? Esse afã foi a minha obsessão: devora-me.

Aonde está... a minha morada? Eis o que pergunto, o que procuro, o que procurei e não encontrei. Ó! eterno "em toda a parte!", ó! eterno em "parte nenhuma", ó! eterno... "em vão!"

Assim falava a sombra, e o semblante de Zaratustra dilatava-se ao ouvi-la. "És a minha sombra! — disse afinal, com tristeza.

Não é pequeno o teu perigo, espírito livre e vagabundo! Tiveste mau dia: cuidado não se lhe siga uma noite pior.

Vagabundos como tu acabam por se encontrar bem até num cárcere. Já alguma vez viste como dormem os criminosos presos? Dormem tranquilamente: fruem nova segurança.

Olha, não acabe por se apoderar de ti uma fé acanhada, uma ilusão dura e severa! Que atualmente tenta e te reduz o que é estreito e sólido. Perdeste o alvo, desgraçado! Como te poderias consolar dessa perda? Por isso perdeste também o caminho!

Pobre vagabundo, espírito volúvel, mariposa fatigada! Queres ter esta noite descanso e asilo? Vai para a minha caverna! Por ali acima é o caminho que conduz à minha caverna. E agora quero tornar a fugir de ti. Já pesa sobre mim uma como sombra.

Quero correr sozinho para tudo aclarar em torno de mim. Por isso tenho ainda que mover alegremente as pernas durante muito tempo. Esta noite... com certeza... há de haver baile na minha habitação!"

Assim falava Zaratustra.

LXX. MEIO-DIA

E Zaratustra correu e correu sem parar, e não tropeçou com pessoa nenhuma. Ia só, tornando a encontrar-se sempre consigo mesmo, gozando ai sua soledade e pensando em boas coisas durante horas inteiras. Ao meio-dia, contudo, quando o sol se encontrava exatamente sobre a sua cabeça, Zaratustra passou por diante de uma idosa árvore retorcida e nodosa, tão envolvida pelo rico amor de uma vinha que de todo a ocultava: dessa árvore caíam, abundantes, maduros cachos que convidavam o viandante. Zaratustra teve desejos de acalmar a sede que sentia, arrancando um cacho de uvas, e já estendia a mão para isso, quando o acometeu outro desejo ainda mais violento: o desejo de se deitar ao pé da árvore, em pleno meio dia, para dormir.

E assim fez; e enquanto esteve estendido no meio do silêncio e do mistério da esmaltada erva, esqueceu a sede e adormeceu. Que, como diz o provérbio de Zaratustra, vasa maior tira menor. Os olhos, contudo, conservavam-se-lhe abertos; é que se não cansavam de olhar e gabar a árvore e o amor da vinha. Entre os seus devaneios, Zaratustra falou assim ao seu coração.

"Silêncio! Silêncio! Não acaba de se consumar o mundo? Que é que me sucede?

Como um vento delicioso passa invisível sobre a superfície do mar, tão leve, tão ligeiro como uma pena, assim o sono passa por mim.

Não me cerra os olhos, deixa a minha alma acordada. Na verdade, é leve, leve como uma pena.

Persuade-me, não sei como: afaga-me interiormente com mão carinhosa; domina-me. Sim; domina-me a ponto da alma se me dilatar.

Como se deita ao comprido a minha alma singular!

Chegaria para ela, em plena metade do dia, a noite de um sétimo dia? Vagueou já, feliz, demasiado tempo pelas coisas boas e maduras?

Deita-se ao comprido, mas cada vez mais ao comprido. Está tranquilamente deitada a minha alma singular. Já saboreou demasiadas coisas boas, esta dourada tristeza oprime-a.

Como barca que entrou na sua mais serena baía, se encosta agora à terra, fatigada das longas viagens e dos mares incertos. Não é a terra mais fiel?

Como uma barca se encosta e arrima à terra; basta então que uma aranha estenda o seu fio da terra até ela. Não é preciso cabo mais forte.

Como uma dessas barcas fatigadas, na mais tranquila baía assim agora eu repouso também perto da terra, fiel, confiado, esperando, preso à terra pelos mais tênues fios.

Ó ventura! Ó ventura! Queres cantar, minha alma?

Está deitada na erva. Esta, porém, é a hora secreta e solene em que nenhum pastor sopra flauta. Acautela-te! O calor do meio-dia repousa nos prados. Não cantes! Silêncio! O mundo consumou-se.

Não cantes, ave dos prados, minha alma! Nem sequer murmures! Olha bem... Silêncio! O velho dormita; mexe a boca: não beberá neste instante uma gota de felicidade? Uma rasa gota de felicidade dourada, de dourado vinho? A felicidade desliza por ele e sorri.

Assim sorri um deus! Silêncio!

"Como é preciso pouco para a felicidade!", assim dizia eu noutras épocas, julgando-me sábio. Era, porém, uma blasfêmia: isto foi o que aprendi agora. Os doidos sábios dizem coisas melhores.

O mínimo, precisamente, o mais tênue, o mais leve, um roçar de lagarto, um sopro, um abrir e fechar de olhos, o pouco é o característico da melhor felicidade. Silêncio!

Que me sucede? Escuta. Acaso me feriu o tempo? Não cairei... não caí — escuta! — no poço da eternidade?

Que me sucede? Silêncio. Estou ferido — desditoso de mim! — no coração? No coração! Ó! solta-te, meu coração, depois de tal felicidade, depois de semelhante ferida!

Que! Não se acabará de consumar o mundo redondo e sazonado? Ó! redonda e dourada maturação! Aonde voará? Correrei em seu seguimento?

Silêncio!..." Neste ponto, Zaratustra estirou-se e sentiu que dormia.

"Levanta-te, dorminhoco, preguiçoso! — disse consigo mesmo. — Vamos, velhas pernas! É tempo e mais que tempo: ainda nos falta andar uma boa parte do caminho. Entregaste-te ao sono. Durante quanto tempo? Meia eternidade! Vamos, levanta-te tu agora velho coração. Depois de tal sono, quanto tempo precisará para despertar? (Já outra vez, porém, adormecia, e a alma resistia-lhe e defendia-se e tornava a deitar-se ao comprido). Deixa-me! Silêncio! Não se acabou de consumar o mundo? Ó! essa bola "redonda e dourada!"

Levanta-te, preguiçosa! — disse Zaratustra. — Que é isso de estares sempre a esticar-te, bocejando, suspirando, caindo no fundo dos poços profundos?

Quem és tu, então? Ó! alma minha!"

E nesse momento assustou-se porque do céu lhe caía um raio de sol sobre o semblante.

"Ó! céu! — disse com um suspiro tornando a si. — Contemplas-me? Escutas a minha alma singular? Poço da eternidade, alegre abismo do meio-dia que faz estremecer... quando absorverás em ti a minha alma?"

Assim falava Zaratustra ao pé da árvore, e ergueu-se como se saísse de estranha embriaguez; entretanto o sol achava-se exatamente por cima da cabeça dele, do que se podia inferir com razão que Zaratustra pouco dormira.

LXXI. DO CUMPRIMENTO

Ia já a tarde muito alta quando Zaratustra, depois de inúteis correrias tornou à sua caverna. No momento, porém, em que apenas se encontrava a vinte passos da entrada sucedeu o que menos se podia esperar: tornou a ouvir o grande grito de angústia. E, coisa assombrosa, naquele instante o grito saía mesmo da sua caverna; mas era um grito prolongado, estranho e múltiplo, e Zaratustra distinguia nele perfeitamente muitas vozes, conquanto à distância parecesse provir de uma só boca.

Zaratustra precipitou-se para a caverna. Que espetáculo o esperava a seguir! Estavam ali reunidos todos os que encontrara durante o dia: o rei da direita e o rei da esquerda, o velho encantador, o Papa, o mendigo voluntário, a sombra, o conscencioso, o lúgubre adivinho e o jumento; o homem mais feio colocara uma coroa e cingira duas faixas de púrpura — porque gostava de se disfarçar e adornar como todos os feios. No meio daquela triste reunião, a águia de Zaratustra estava de pé inquieta e com as penas eriçadas, porque tinha de responder a demasiadas coisas para que o seu orgulho não tinha resposta; e a astuta serpente enroscara-se-lhe em torno do pescoço.

Zaratustra olhou tudo aquilo com grande assombro; depois examinou cada um dos hóspedes de per si, com benévola curiosidade, lendo nas suas almas e tornando a assombrar-se. Enquanto ele assim fazia, os que estavam reunidos levantaram-se, aguardando respeitosamente que Zaratustra tomasse a palavra.

E Zaratustra falou assim:

"Homens singulares que desesperais! Foi pois o vosso grito de angústia que ouvi? E sei agora aonde hei de ir buscar o que hoje procurei em vão, o homem superior.

Está sentado na minha própria caverna! Para que me hei de admirar? Fui eu mesmo que o atrai com os meus oferecimentos de mel e com a maliciosa tentação da minha felicidade.

Mas vós, proferis gritos de angústia, parece-me que andais muito em desacordo; os vossos corações entristecem-se uns aos outros ao ver-vos aqui reunidos. Primeiro de tudo devia ter estado aqui alguém: que vos fizesse rir outra vez, um chistoso, um dançarino, um cata-vento, uma ventoinha, algum velho louco: que vos parece isto?

Perdoem-me os que desesperam empregar eu tão frívolas palavras, indignas, na verdade, de tais hóspedes! Mas não adivinhais o que me enche de petulância o coração.

Desculpai-me! Sois vós mesmos, e o espetáculo que me ofereceis. Que todo o que contempla um desesperado cobra ânimo. Para consolar um desesperado... qualquer se julga forte bastante.

A mim destes-me vós essa força — um dom precioso, hóspedes ilustres, um verdadeiro presente de hóspedes! Pois bem; não vos enfadeis se por minha vez vos ofereço o meu.

Este é o meu reino e o meu domínio; mas o que me pertence deve ser vosso durante esta tarde e esta noite. Sirvam-vos os meus animais, e seja a minha caverna o vosso lugar de repouso!

Aqui albergados, nenhum de vós deve desesperar; protejo toda a gente contra os animais selvagens dos meus domínios. Segurança: eis a primeira coisa que vos ofereço!

A segunda é o meu dedo mínimo. E se vos dou o dedo mínimo, tomareis a mão inteira e o coração ao mesmo tempo. Sede bem-vindos aqui; saúde, hóspedes meus!"

Assim falava Zaratustra, com amável e malicioso sorriso. Depois daquela saudação os hóspedes tornaram a inclinar-se guardando respeitoso silêncio; mas o rei da direita respondeu em nome de todos:

"Na maneira de nos ofereceres a mão, e na tua saudação, Zaratustra, conhecemos quem és: Curvaste-te ante nós.

Mas quem, como tu, saberia curvar-se com tal orgulho? Isto ergue-nos a nós, reconfortando-nos.

Só para contemplar tal coisa subiríamos de bom grado a montanhas mais altas do que esta. Porque viemos ávidos do espetáculo: queríamos ver o que aclara olhos turvos.

E agora acabaram-se todos os nossos gritos de angústia. Já estão abertos e extasiados os nossos sentidos e os nossos corações. Um pouco mais, e o nosso ânimo brilhará desenfadado.

Zaratustra, na terra nada cresce mais satisfatório do que uma elevada e firme vontade. Uma elevada e firme vontade é a planta mais bela da terra. Semelhante árvore anima uma paisagem inteira.

Comparo a um pinheiro Zaratustra aquele que, como tu, cresce esbelto, silencioso, duro, solitário, feito da maneira mais flexível, soberbo, querendo enfim tocar o seu senhorio com verdes e vigorosos ramos, dirigindo enérgicas perguntas aos ventos, às tempestades, a quanto é familiar às alturas, e respondendo mais energicamente ainda imperativo e vitorioso. Ah! Quem não subiria às alturas para contemplar semelhantes plantas?

A vista da tua árvore, Zaratustra, anima o triste e abatido e também serena o inquieto e cura o seu coração.

E, certamente, para a tua montanha e para a tua árvore dirigem-se hoje muitos olhares; há muitos que aprenderam a perguntar: "Quem é Zaratustra?"

E todos aqueles em cujos ouvidos chegaste a destilar o teu mel e as tuas canções, todos os ocultos, todos os solitários disseram de repente ao seu coração:

"Ainda vive Zaratustra? Já não vale a pena viver; tudo é igual, tudo é vão, se não vivemos com Zaratustra!"

"Porque não chega o que se anunciou há tanto tempo? — assim pergunta um grande número — devorá-lo-ia a soledade? Ou nós é que teremos que o ir buscar?"

Agora até a própria soledade abranda e se quebra, como túmulo que se abre e já não pode reter os seus mortos. Por toda parte se vêm ressuscitados.

Agora as ondas sobem cada vez mais em torno da tua montanha, Zaratustra. E apesar da elevação da tua altura, é mister que muitas subam até ti; a tua barca já não deve permanecer muito tempo abrigada.

E termos vindo à tua caverna, nós, os que desesperamos, e já não desesperamos, não é senão um sinal e um presságio de que vêm a caminho outros melhores do que nós.

Porque a caminho para ti se encontra também o último resto de Deus entre os homens; quer dizer, todos os homens de grande anelo, do grande tédio, da grande sociedade. Todos os que não querem viver sem poder aprender a esperar novamente; a aprender contigo, Zaratustra, a grande esperança!"

Assim falou o rei da direita e pegou na mão de Zaratustra para lhe beijar, mas Zaratustra subtraiu-se à sua veneração e retrocedeu assombrado, silencioso e sumindo-se de repente, como muito ao longe. Passados instantes, todavia, voltou para o pé dos seus hóspedes, e olhando-os com olhos límpidos e perscrutadores, disse:

"Hóspedes meus, homens superiores, quero-vos falar em alemão e claramente; não era a vós que eu esperava nas montanhas."

"Em alemão e claramente? Deus nos acuda! — disse então à parte o rei da esquerda. — Bem se vê que este sábio do Oriente não conhece estes bons alemães! Quererá dizer "em alemão e barbaramente". Bom! Hoje ainda não é este o pior dos gostos!"

Zaratustra continuou:

"Pode ser que todos vós sejais superiores, mas para mim não sois bastante altos nem bastante fortes.

"Para mim" significa o implacável que reside em mim, mas que não residirá sempre. E se me pertenceis, não é, todavia como meu braço direito.

Que o que anda com pernas doentes e fracas, como vós, primeiro que tudo quer — conscientemente ou não — que o contemplem.

Eu, porém, não guardo contemplações com os meus braços e as minhas pernas, não guardo contemplações com os meus guerreiros.

Como poderíeis ser bons para a minha guerra?

Convosco perderia todas as vitórias, e há alguns de vós que cairiam só ao ouvir o rufar dos meus tambores.

Também para mim não sois bastante belos nem bem nascidos. Para as minhas doutrinas preciso espelhos límpidos e polidos; na vossa superfície desnaturar-se-ia a minha própria imagem.

Sobre os vossos ombros pesam muitas cargas, muitas recordações; nos vossos recônditos estão sentados muitos anões maldosos. Também em vós há populaça escondida.

E embora sejais elevados e de espécie superior, em vós encerram-se muitas coisas torcidas e disformes. Não há ferreiro no mundo capaz de vos reformar e endireitar.

Apenas sois pontes; passe sobre vós para o outro lado gente mais elevada! Representais degraus; não vos enfadeis, portanto, com aquele que suba por cima de vós até a sua altura.

Talvez da vossa semente nasça um dia para mim um verdadeiro filho, um herdeiro completo; mas esse ainda está afastado.

Vós, porém, não sois os seres a quem pertencem o meu nome e os meus bens deste mundo.

Não é a vós que espero nestas montanhas, não é convosco que tenho o direito de descer pela última vez.

Vós apenas sois sinais precursores, anúncios de que se encaminham para mim outros mais elevados; e não os homens do grande anelo, do grande tédio, da grande sociedade e aquilo a que chamastes "resto de Deus sobre a terra".

Não, não! Mil vezes não! A outros espero nestas montanhas e sem eles não me arredo daqui; espero outros mais altos, mais fortes, mais vitoriosos, mais alegres, retangulares de corpo e alma. É preciso chegarem os leões risonhos!

Hóspedes meus, homens singulares, ainda não ouvistes falar dos meus filhos? Não ouvistes dizer que se encaminham para cá?

Falai dos meus jardins, das minhas Ilhas Afortunadas, da minha bela e nova espécie. Por que me não falais disso?

Da vossa estima imploro esta fineza: falai-me de meus filhos. Para isso sou rico, para isso me empobreci. Quanto dei!

E quanto daria para ter uma coisa: esses filhos, essas plantações vivas, essas árvores da vida da minha vontade e da minha mais alta esperança!"

Assim falava Zaratustra, mas interrompeu de súbito o discurso porque o assaltou o seu grande desejo, e cerrou os olhos e a boca, tal era a agitação do seu peito.

E todos os hóspedes guardaram silêncio também e permaneceram imóveis e confusos, a não ser o velho feiticeiro, que acenava com as mãos e contraía o semblante.

LXXII. A REFEIÇÃO

Que neste ponto o feiticeiro interrompeu a saudação de Zaratustra e dos hóspedes, adiantou-se pressuroso como quem não tem tempo a perder, pegou na mão de Zaratustra e exclamou: "Mas, Zaratustra!, Umas coisas são mais necessárias do que outras, segundo tu mesmo dizes. Pois bem! Agora, há uma coisa que para mim é mais necessária de que todas as outras.

O prometido é devido; não me convidaste para uma refeição? Estão aqui muitos que deram longas caminhadas, e é de supor que os não queiras satisfazer com palavras.

Já a todos falaste demasiado de morrer de frio, de se afogarem, asfixiarem e de outras fraquezas do corpo; mas ainda ninguém se lembrou da minha fraqueza: o receio de morrer de fome."

Assim falou o adivinho; mas ao ouvir estas palavras, os animais de Zaratustra fugiram espantados, pois viram que o que tinham trazido durante o dia não chegava nem para o adivinho só.

"Ninguém se lembra do receio de morrer de fome — prosseguiu o adivinho. — E conquanto ouça correr a água abundante e infatigavelmente, como os discursos da sabedoria, eu, pela minha parte, quero vinho!

Nem todos são, como Zaratustra, bebedores natos de água, a água também não é boa para gente cansada e prostrada; nós precisamos de vinho, só o vinho cura rapidamente e dá saúde repentina!"

Neste somenos, enquanto o adivinho pedia vinho, o rei da esquerda, o silencioso, tomou também a palavra dizendo: "Do vinho nos encarregaremos nós, eu e o meu irmão, o rei da direita;

vinho temos bastante — uma carga completa de burro. — Não falta, portanto, senão pão."

"Pão — exclamou Zaratustra, rindo. — Pão positivamente, não têm os solitários. Mas o homem não se alimenta só de pão, mas também de boa carne de cordeiros, e eu tenho dois.

É esquartejá-los depressa e aromatizá-los com sálvia, que é assim que me agrada a carne de cordeiro. E não nos faltam raízes nem frutos que até contentariam gastrônomos e paladares delicados, nem nozes e outros enigmas que partir.

Vamos, pois, fazer já boa refeição. Mas quem quiser comer conosco tem que deitar mãos à obra, inclusive os reis.

Que nos domínios de Zaratustra até um rei pode ser cozinheiro."

A proposta agradava a todos; o mendigo voluntário era o único que se opunha à carne, ao vinho e às espécies.

"Olhem o glutão do Zaratustra! — disse em ar de zombaria. — Vêm-se então para as cavernas e para as altas montanhas a fim de celebrar semelhantes festins?

Agora compreendo o que ele nos predicou noutra ocasião: "Bendita seja a pequena pobreza!" É porque quer suprimir os mendigos."

"Tem bom humor como eu — respondeu Zaratustra. — Conserva os teus hábitos, bom homem! Mastiga o teu grão, bebe a tua água, gaba a tua cozinha, de forma que te contentes.

Eu apenas sou lei para os meus, não sou uma lei para toda gente. Mas aquele que pertencer ao número dos meus tem que ter ossos fortes e pernas ágeis; há de ser animado para as guerras e festins; nem sombrio nem sonhador; disposto para as coisas mais difíceis como para uma festa; são e robusto.

O melhor que existe pertence-nos, a mim e aos meus, e se não no-lo derem, tomamo-lo: o melhor alimento, o céu mais puro, os pensamentos mais fortes, as mulheres mais formosas!"

Assim falava Zaratustra; e o rei da direita respondeu: "É singular! Nunca se ouviram coisas tão judiciosas na boca de um sábio.

E ainda mais singular por se tratar de um sábio que é, todavia, inteligente, nada tem de asno." Assim falou admirado o rei da direita, e o jumento concluiu maliciosamente com um I. A.

E foi este o princípio da longa refeição que se chama "a ceia" nos livros de histórias. Durante essa refeição só se falou do homem superior.

LXXIII.
O HOMEM SUPERIOR

I

"Quando vim aos homens pela primeira vez, cometi uma grande loucura: Fui à praça pública.

E quando falava a todos, não o fazia a ninguém. À noite, no entanto, dançarinos de corda eram meus companheiros e cadáveres; e eu mesmo quase um cadáver.

Com a nova manhã, porém, veio a mim uma nova verdade: então aprendi a dizer: "Para mim, de que interessa a praça pública e a população e o barulho da população e os grandes ouvidos da população?"

Homens superiores, aprendam ISTO de mim: No povo, ninguém acredita em homens superiores.

Mas se falares aí, muito bem! A população, no entanto, diz: "Somos todos iguais."

"Vós, homens superiores," assim diz a população, "não há homens superiores, somos todos iguais; o homem é homem, diante de Deus - somos todos iguais! "

Diante de Deus! Agora, porém, esse Deus morreu. Não iremos ser iguais. Ó homens superiores, longe da praça pública!"

II

"Diante de Deus! Agora, porém, esse Deus morreu! Homens superiores, este Deus era seu maior perigo.

Somente depois que ele jaz na sepultura, vós ressuscitastes. Agora só vem o grande meio-dia, agora, apenas o homem superior se torna mestre!

Compreendeis esta palavra, meus irmãos? Estais com medo: seus corações se apertam? O abismo aqui boceja para vós? O cão do inferno aqui grita com vós?

Nós vamos! Anime-se! vós, homens superiores! Agora apenas está com dores de parto na montanha do futuro humano.

Deus morreu: agora NÓS desejamos que o Super-homem viva."

III

"Os mais cuidadosos perguntam hoje: "Como o homem deve ser mantido?" Zaratustra, no entanto, pergunta, como o primeiro e único: "Como o homem deve ser SUPERADO?"

O Super-homem, eu tenho no coração; ISSO é a primeira e única coisa para mim e NÃO para o homem: nem o vizinho, nem o mais pobre, nem o mais triste, nem o melhor.

Ó meus irmãos, o que posso amar no homem é que ele é um avassalador e um decadente. E também em vós há muito que me faz amor e esperança.

Nisso desprezastes, vós, homens superiores, isso me dá esperança. Pois os grandes desprezadores são os grandes reverenciadores.

Nisso desesperastes, há muito a honrar. Porque não aprendestes a submeter-se a vós mesmos, não aprendestes políticas mesquinhas.

Pois hoje os mesquinhos se tornaram mestres: todos pregam submissão e humildade e política e diligência e consideração e o longo et cetera de virtudes mesquinhas.

Tudo o que se origina do tipo servil, e especialmente o populacho — deseja agora ser o mestre de todos os destinos humanos — ó desgosto! Nojo! Nojo!

AQUELE pede e pergunta e nunca se cansa: "Como o homem se manterá melhor, por mais tempo, mais agradavelmente?" Assim, eles são os mestres de hoje.

Esses mestres de hoje — os ultrapassam, ó meus irmãos — essas pessoas mesquinhas: ELES são o maior perigo do Super-homem!

Supere, ó homens superiores, as virtudes mesquinhas, a política mesquinha, a consideração do grão de areia, o formigueiro, o conforto lamentável, a "felicidade do maior número"!

E antes desesperar do que se submeter. E, em verdade, eu te amo, porque não sabeis hoje como viver, ó homens superiores! Pois assim vivemos melhor!"

IV

"Tendes coragem, meus irmãos? Tende vós um coração forte? NÃO a coragem em frente testemunhas, mas âncora e coragem de águia, que nem mesmo se vê em mais nenhum Deus?

Almas frias, mulas, cegos e bêbados, não chamo de corajosos. Ele tem o coração que conhece o medo, mas o corajoso vê o abismo, com ORGULHO.

Aquele que vê o abismo, mas com olhos de águia aquele que com garras de águia agarra o abismo: ele tem coragem."

V

""O homem é mau" assim me disse para consolo, todos os mais sábios. Ah, se ainda fosse verdade hoje! Pois o mal é a melhor força do homem.

"O homem deve se tornar melhor e mais mau", eu também ensino. O mau é necessário para o melhor do Super-homem.

Pode ter sido bom para o pregador das pessoas mesquinhas sofrer e ser oprimido pelo pecado dos homens. Eu, no entanto, regozijo-me no grande pecado como minha grande CONSOLAÇÃO.

Essas coisas, entretanto, não são ditas para orelhas compridas. Cada palavra, também, não é adequada para cada boca. Estas são coisas muito distantes: nelas as garras das ovelhas não agarrarão!"

VI

"Ó homens superiores, pensam que estou aqui para consertar o que erraram?

Ou que eu desejava de agora em diante fazer sofás confortáveis para vós, sofredores? Ou mostrar-vos inquietos, errantes, escalando mal, caminhos novos e mais fáceis?

Não! Não! Três vezes Não! Sempre mais, sempre melhores do seu tipo sucumbirão.

Porque vós sempre tereis o pior e mais difícil. Portanto, apenas assim cresce o homem até a altura onde o raio atinge e estilhaça: alto o suficiente para o relâmpago!

Para os poucos, os longos, os remotos saem minha alma e minha busca: de que conta para mim são suas muitas pequenas e curtas misérias!

Vós ainda não sofrestes o suficiente por mim! Porque sofrestes por vós mesmos, ainda não tendes o sofrer DE HOMEM. Mentirias se falasse o contrário! Nenhum de vós sofrestes do que eu sofri."

VII

"Não é suficiente para mim que o raio não faça mais mal. Não desejo conduzi-lo para longe: ele deve aprender a trabalhar para mim.

Minha sabedoria acumulou-se por muito tempo como uma nuvem, tornou-se mais silenciosa e escura. Assim faz toda a sabedoria que um dia produzirá LUZES.

Para estes homens de hoje não serei LEVE, nem serei chamado de luz. ELES, vou cegar: relâmpago da minha sabedoria! arranque seus olhos!"

VIII

"Não deseje nada além do seu poder: há uma grande falsidade naqueles que desejam além de seu poder.

Especialmente quando farão grandes coisas! Pois despertam desconfiança nas grandes coisas, esses falsos e jogadores.

Até que finalmente são falsos consigo mesmos, olhos vesgos, cancros brancos, glosados acabado com palavras fortes, virtudes de desfile e falsas façanhas brilhantes.

Cuidem bem aí, homens superiores! Pois nada é mais precioso para mim, e mais raro, do que honestidade.

Hoje não é isso da população? A população, no entanto, não sabe o que é grande e o que é pequeno, o que é reto e o que é honesto: é inocentemente torto, sempre mentira."

IX

"Tenham uma boa desconfiança hoje, vós, homens superiores, vós, entes queridos! Vós de coração aberto!

E mantenha seus motivos em segredo! Pois este hoje é o da população.

O que a população uma vez aprendeu a acreditar sem motivos, quem poderia refutá-los por meio de motivos?

E no mercado, convence com gestos. Mas as razões fazem a população desconfiada.

E quando a verdade tiver triunfado ali, perguntem-se com boa desconfiança: "Que erro levou a isso?"

Esteja em guarda também contra os eruditos! Eles te odeiam porque são improdutivos!

Eles têm olhos frios e secos, diante dos quais toda ave não tem plumas.

Essas pessoas se gabam de não mentir: mas a incapacidade de mentir ainda está longe de ser amor à verdade. Esteja em guarda!

A libertação da febre ainda está longe de ser um conhecimento! Aquele que não sabe mentir, não sabe o que é a verdade."

X

"Se quereis subir, use vossas próprias pernas! Não vos deixei CARREGAR; não vos sentei nas costas e cabeças de outras pessoas!

Montastes, no entanto, a cavalo? Cavalgas rapidamente até o vosso objetivo? Nós vamos, meu companheiro! Mas o teu pé coxo também está contigo a cavalo!

Quando alcançares seu objetivo, quando desceres de seu cavalo: precisamente nessa ALTURA, homem superior, então tropeçarás!"

XI

"Vós criais, vós, homens superiores! Uma gravidez apenas do próprio filho.

Não vos deixei impor ou serem prejudicados! Quem então é o VOSSO vizinho? Até se agires "pelo seu próximo", ainda não crieis para ele!

Desaprendei, peço-vos, este "para", vós os criadores: sua própria virtude deseja que tenha nada a ver com "para" e "por conta de" e "porque". Contra tais falsas pequenas palavras deveis tapar vossos ouvidos.

"Para o próximo", é a virtude apenas das pessoas mesquinhas: lá é dito "assim como fizeres assim acharás" e "uma mão lava a outra": eles não têm o direito nem o poder para si mesmos buscar!

No vosso egoísmo, vós criadores, há a previsão e precaução da grávida! O que os olhos de ninguém ainda viram, a saber, o fruto este, protege e salva e nutre todo o seu amor.

Onde está todo o vosso amor, ou seja, com vosso filho, aí está também toda a vossa virtude! Vosso trabalho, a vossa vontade eis o VOSSO "próximo": não vos deixei nenhum valor falso se imponha!"

XII

"Vós criais, vós, homens superiores! Quem tem de dar à luz está doente; quem deu o nascimento, entretanto, é impuro.

Perguntais às mulheres: a pessoa dá à luz, não porque dá prazer. A dor faz cócegas e poetas gargalham. Vós criais, em vós há muita impureza. Isso é porque tivestes que ser mãe.

Uma nova criança: oh, quanta sujeira nova também veio ao mundo! Vá embora! Quem deu à luz lavará sua alma!"

XIII

"Não quereis ser mais virtuoso além de vossos poderes! E não buscais nada de vós o que seja inverossímil!

Segui as pegadas em que a virtude de vossos pais já deixaram rastros! Como quereis subir tanto, se a vontade de vossos pais não subisse convosco?

Ele, porém, que deseja ser primeiro, cuide para que não se torne também último!

E onde estão os vícios de vossos pais, não coloqueis a santidade!

Ele cujos pais gostavam de mulheres e de vinho forte e carne de javali; o que seria se exigisse castidade de si mesmo?

Seria uma loucura! Muito, na verdade, me parece que tal pessoa, se ele fosse o marido de uma ou de duas ou de três mulheres. E se ele fundou mosteiros e inscreveu em seus portais: "O caminho para a santidade", eu ainda deveria dizer: De que adianta! é uma nova loucura!

Ele fundou para si uma casa de penitência e uma casa de refúgio: muito bem pode fazer!

Mas não acredito nisso.

Na solidão cresce o que qualquer um traz para dentro também o bruto em sua natureza. Assim, a solidão é desaconselhável para muitos.

Já houve algo mais sujo na terra do que os santos do deserto?

AO REDOR deles não estava apenas o diabo solto, mas também os porcos."

XIV

"Tímido, envergonhado, desajeitado, como o tigre cuja primavera falhou assim, vós, homens superiores, já vi se esquivarem com frequência. UM FEITIÇO que fizestes falhou.

Mas o que isso vos importa, jogadores de dados! Não aprendestes a brincar e a zombar-vos, como se deve brincar e zombar! Nós nunca nos sentamos em uma grande mesa de zombarias e brincadeiras?

E por se vos haverem falhado grandes coisas, haveis de de ser entes fracassados? E por vós o serdes, o homem, portanto, sê-lo-á um fracasso? Se o homem, entretanto, é um fracasso: bem, então! deixa para lá!"

XV

"Quanto mais elevado for o seu tipo, mais raramente em alguma coisa terá sucesso. Vós, homens superiores aqui, não sois todos fracassados?

Tenha bom ânimo; o que isso importa? Quanto ainda é possível! Aprendei a rir-vos de vós mesmos, como deverias rir!

Que maravilha que tenhais falhado e apenas conseguido pela metade, pois estais metade destruídos!

Não é o FUTURO do homem se esforça e luta em vós?

As questões mais extremas, profundas e mais importantes do homem, seus poderes prodigiosos tudo está em ebulição em vosso interior.

Que maravilha que tantos vasos se estilhaçam! Aprendeis a rir-vos de vós mesmo, como deverias rir! Ó homens superiores, quando ainda é possível!

E, em verdade, quanto já foi bem sucedido! Quão rica é esta terra em pequenas, boas, coisas perfeitas, em coisas bem constituídas!

Coloque ao seu redor coisas pequenas, boas e perfeitas, ó homens superiores. Vossa maturidade dourada cura o coração. O perfeito ensina a ter esperança."

XVI

"Qual foi até agora o maior pecado aqui na terra? Não foi a palavra daquele que disse: "Ai dos que riem agora!"

Ele mesmo não encontrou motivo para rir na terra? Então ele procurou mal. Mesmo uma criança encontra uma causa para isso.

Ele não amou o suficiente: do contrário, também teria nos amado, os que riem!

Mas ele nos odiava e nos assobiava; lamento e ranger de dentes nos prometeu. Deve-se então amaldiçoar imediatamente, quando não se ama? Isso me parece ruim. Assim o fez, porém, este absoluto. Ele surgiu da população.

E ele mesmo simplesmente não amava o suficiente; caso contrário, teria se enfurecido menos porque as pessoas não o amavam. Todo grande amor não PROCURA o amor: busca mais.

Saia do caminho de todos esses seres absolutos! Eles são um tipo pobre e doente, um tipo populacional: olham para esta vida com má vontade, têm um olho mau para esta terra.

Saia do caminho de todos esses seres absolutos! Eles têm pés pesados e corações ardentes: eles não sabem dançar. Como a terra poderia ser luz para eles!"

XVII

"Tortuosamente, todas as coisas boas chegam perto de seu objetivo. Como gatos, eles curvam as costas, ronronam interiormente com sua felicidade que se aproxima todas as coisas boas riem.

Seu passo revela se uma pessoa já anda em SEU PRÓPRIO caminho: apenas me veja andar! Ele, no entanto, que chega perto de seu objetivo, dança.

E, na verdade, uma estátua eu não me tornei, ainda não estou lá rígido, estúpido e pedregoso, como um pilar; adoro corridas rápidas.

E embora haja pântanos na terra e densas aflições, aquele que tem pés leves corre até mesmo através da lama, e dança, como no gelo bem varrido.

Elevem seus corações, meus irmãos, alto, mais alto! E não se esqueça das pernas! Levante também suas pernas, bons dançarinos, e melhor ainda, se ficardes de pé sobre vossas cabeças!"

XVIII

"Esta coroa do riso, esta coroa de guirlanda de rosas: eu mesmo coloquei esta coroa, eu mesmo consagrei minha risada. Ninguém mais achei hoje potente o suficiente para ela.

Zaratustra o dançarino, Zaratustra o leve, que acena com suas penas, pronto para o voo, acenando para todos os pássaros, pronto e preparado, um alegre espírito leve

Zaratustra, o adivinho, Zaratustra, o risonho, nem impaciente, nem intolerante, aquele que ama saltos; eu mesmo coloquei esta coroa!"

XIX

"Elevai vossos corações, meus irmãos, alto, mais alto! E não vos esqueçais das pernas! Alçai também vossas pernas, bons dançarinos, é melhor ainda, se ficardes de pé sobre vossas cabeças!

Também existem animais pesados em estado de felicidade, existem os de pés tortos. Curiosamente, eles se esforçam, como um elefante que se esforça para ficar de pé sobre sua cabeça.

Melhor, porém, ser tolo com a felicidade do que tolo com o infortúnio, melhor dançar desajeitadamente do que andar sem jeito. Portanto, aprendei, peço a vós, minha sabedoria, ó homens superiores: até mesmo a pior coisa tem dois lados reversos bons, Mesmo a pior coisa tem boas pernas para dançar: então aprendei, peço-vos, ó homens superiores, a dançar com vossas próprias pernas!

Portanto, desaprendei, rogo a vós, a melancolia, e toda a tristeza da população! Oh, que triste os bufões da população parecem-me hoje! Hoje, no entanto, é o da população."

XX

"Faça como o vento quando se precipita das cavernas nas montanhas: quer dançar a sua própria vontade; os mares estremecem e saltam sob seus passos.

O que dá asas aos jumentos, o que ordenha as leoas: bendito seja aquele espírito bom e indisciplinado, que vem como um furacão a todos os presentes e a toda a populaça; aquele que é hostil a todas as folhas secas e ervas daninhas, louvado seja este espírito selvagem, bom e livre da tempestade, que dança sobre os pântanos e aflições, como nos prados!

Que odeia a população tuberculosa, cães e toda a ninhada mal constituída e taciturna; louvado seja este espírito de todos os espíritos livres, a tempestade risonha, que lança poeira no olhos de todos os ulcerados e melancólicos!

Ó homens superiores, a pior coisa que tendes é que nenhum de vós aprendeste a dançar como é preciso dançar: a dançar por cima de vossas cabeças! O que importa terdes falhado?

Quantas coisas ainda são possíveis! Portanto, APRENDEI a rir por cima de vós! Elevai os vossos corações, ó bons dançarinos, alto! Elevai! E não esqueçais das boas risadas!

Esta coroa do riso, esta coroa de guirlanda de rosas: a vós, meus irmãos, lanço esta coroa! Consagrei o riso; ó homens superiores, APRENDEI, pois, a rir!"

LXXIV. A CANÇÃO MELANCÓLICA

I

Quando Zaratustra pronunciou estes discursos, encontrava-se junto da entrada da sua caverna; mas, às últimas palavras, desapareceu de diante dos hóspedes e fugiu um instante para o ar livre.

"Ó! aromas puros! — exclamou.

Ó! tranquilidade benéfica! Mas onde estão os meus animais? Vinde, vinde, águia e serpente minhas! Dizei-me, todos aqueles homens superiores... cheiram bem?

Ó! aromas puros! Só agora sei e sinto quanto vos amo, animais meus!"

E Zaratustra tornou a dizer: "Quanto vos amo, animais meus!" A águia e a serpente, por sua vez, juntaram-se-lhe quando ele pronunciou estas palavras, e lá puseram-se a olhá-lo. Ali fora era melhor o ar do que onde estavam os homens superiores.

II

Apenas Zaratustra saiu da caverna, o velho feiticeiro ergueu-se, e, olhando maliciosamente, disse:

"Foi-se. E já, homens superiores, permiti-vos que envaideça com este nome de elogio e lisonja como ele o fez, já de mim se apodera o espírito maligno e falaz, o meu espírito feiticeiro, o demônio da melancolia, que é o adversário de Zaratustra: desculpai-o! Quer agora realizar os seus encantamentos na vossa presença; é positivamente a sua hora. Em vão luto com este espírito mau.

A todos vós, sejam os que querem as honras que vos pretendem adjudicar com palavras, ora vos chameis "os espíritos livres", ora "os verídicos", já "os redentores do espírito", já os "libertos" ou então "os do grande anelo"; a todos os que, como eu estão atacados pelo "grande tédio", para os quais morreu o antigo deus e para quem não existe ainda no berço, envolto em faixas, nenhum deus novo: a todos vós é propício o meu espírito maligno, o meu demônio encantador.

Conheço-vos, homens superiores, e conheço também este duende que estimo a meu pesar, este Zaratustra. As mais das vezes parece-me uma larva de santo.

Parece-me um como novo e estranho artifício, em que se compraz o meu espírito maligno, o demônio da melancolia; amiúde suponho amar Zaratustra por causa do meu espírito maligno.

Mas já se apodera de mim e me domina esse espírito maligno, esse espírito de melancolia, esse demônio do crepúsculo; e ainda o tenta...

Abri os olhos, homens superiores!... Dá-lhe tentações de vir, nu, não sei como homem ou mulher; mas vem, domina-me, infeliz de mim! Abri os vossos sentidos!

Extingue-se o dia para todas as coisas, mesmo para as melhores; chega o crepúsculo! Ouvi e vede, homens superiores, que demônio, homem ou mulher, é este espírito da melancolia do crepúsculo!"

Assim falou o velho feiticeiro; depois olhou maliciosamente ao derredor e pegou na harpa.

III

"*Na serena atmosfera, quando já o consolo do rocio desce à terra, invisível e silencioso — porque o rocio consolador veste delicadamente como todos os meigos consoladores, — então recordas tu, coração ardente, como estavas sedento de lágrimas divinas e gotas de orvalho, quando te sentias abrasado e fatigado, porque nos herbosos caminhos amarelos corriam em torno de ti através das escuras árvores, maliciosos raios de sol poente, ardentes olhares de sol, deslumbrantes e malévolos.*

Pretendente da verdade! tu? — Assim chasqueavam. — Não. Simples poeta. Um animal astuto e rasteiro que mente deliberadamente; um animal ansioso de presa, mascarado de cores vivas, máscara para si próprio, presa para si mesmo. Isto... pretendente da verdade?... Um pobre louco! um simples poeta! um palrador pitoresco que perora por detrás de uma máscara de demente que anda vagueando por enganosas pontes de palavras, por ilusórios arco-íris; que anda errante e bamboleante de cá para lá em ilusórios zelos! Um louco, nada mais!

Isto... é que é ser pretendente da verdade?... Não! Nem silencioso, rígido e frio como uma imagem, como uma estátua divina; nem postado em frente dos templos como guarda dos umbrais de um deus, não! Inimigo destes monumentos de virtude, mais harmonizado com os desertos do que com os templos cheios de arteirices felinas, saltas por todas as janelas para te lançares em todas as aventuras, farejas todos os bosques virgens, e entre as carapintadas feras, rapace, astuto, embusteiro, corres com lábios sensuais fresco, corado e belo como o pecado soberanamente chasqueador, soberanamente infernal, soberanamente cruel.

Ou és como a águia que olha e torna a olhar fixamente o abismo, o seu abismo... ó! como desce, como cai, como se some, girando em profundidades cada vez mais fundas! E depois que maneira de se precipitar de súbito, faminta, ansiosa de cordeiros, cheia de furibunda aversão por tudo quanto tem aparências virtuosas, cortesia humilde, pelo encrespado e aspecto sereno, como a meiga benevolência do cordeiro!

São assim as ânsias do poeta: como de pantera, como de águia. Assim são os teus anelos sob os teus artifícios, louco! poeta!

Tu, que és um homem, viste um Deus como um cordeiro... Separar o Deus do homem como o cordeiro do homem, e rir-se ao separá-lo; esta é que é a tua felicidade! A felicidade de uma pantera e de uma águia, a felicidade de um poeta e um louco!

Assim como na serena atmosfera, quando já a meia luz, inimiga do dia, desliza invejosa verdejante entre rubores purpurinos, empalidecem à sua passagem as rosas celestes até caírem e sumirem-se na noite: assim caí eu mesmo, noutro tempo, da minha loucura de verdade, dos meus anelos do dia, fatigado do dia, enfermo de luz; assim caí para o caso, para as sombras... abrasado pela sede de uma verdade. Recordas-te, coração ardente, como então estavas sedento? Esteja eu desterrado de toda a verdade! Mais do que um louco, não!

Tanto como um poeta!"

LXXV. CIÊNCIA

Assim cantava o feiticeiro, e todos os que estavam ali reunidos caíram como pássaros na rede da sua astuta e melancólica volutuosidade. O único que não se deixou apanhar foi o consciencioso que, arrebatando-lhe a harpa das mãos, gritou:

"Deixa entrar o ar puro! Mandei entrar Zaratustra! Infeccionas esta caverna e tornas a atmosfera sufocante, maligno feiticeiro!

Homem falso e ardiloso, a tua sedução conduz a desejos e a desertos desconhecidos! E, ai de nós, se homens como tu dão em falar da verdade com ares importantes!

Ai de todos os espíritos livres que não estejam precavidos contra semelhantes feiticeiros! Podem despedir-se da sua liberdade, porque tu predicas o regresso às prisões e a elas conduzes!

No teu lamento, demônio melancólico, percebe-se um reclamo: pareces-te com aqueles cujo elogio da castidade impele secretamente à volutuosidade!"

Assim falou o consciencioso, mas o velho feiticeiro olhava em seu derredor, gozando a sua vitória, e devido a isso suportava a cólera do consciencioso.

"Cala-te! — disse com voz modesta. — As boas canções requerem bons ecos; depois de boas canções é preciso haver silêncio durante um bom espaço de tempo.

Assim fazem todos os homens superiores.

Tu, porém, pouco compreendeste do meu canto, provavelmente! Tens pouco espírito encantador."

"Honras-me — tornou o consciencioso — distinguindo-me assim. Mas, que vejo? Vós ainda, continuas aí assentados com olhares ansiosos? Ó! almas livres! que foi feito então da vossa liberdade?

Creio que vos deveis parecer com aqueles que por muito tempo vêm bailar raparigas nuas — até as vossas próprias almas se põem a bailar!

Deve haver em vós, homens superiores, muito mais do que aquilo a que o feiticeiro chama o seu maligno espírito de encantamento e de fraude; de certo somos diferentes.

E na verdade, antes de Zaratustra tornar à sua caverna, falamos e pensamos juntos o suficiente para eu saber que somos diferentes.

Vós e eu buscamos também aqui em cima coisas diferentes. Pois procuro mais certeza: por isso me acerquei de Zaratustra, que é a torre e a vontade mais firme, hoje que tudo vacila e treme na terra.

Quanto a vós, porém, basta-me ver os olhos que fazeis para apostar que procurais ante incertezas, estremecimentos, perigos, tremores de terra.

Parece-me — desculpai-me a presunção, homens superiores — parece-me que desejais a vida mais lastimável e perigosa, a que a mim me inspira temor: a vida dos animais selvagens, os bosques, as cavernas, as montanhas abrutas e os labirintos.

E os que mais vos agradam não são os que conduzem para fora do perigo; mas os que levam para fora de todos os caminhos, os sedutores. Mas se tais anelos são verdadeiros em vós outros, a mim parecem-se-me de toda a maneira impossíveis.

Que o sentimento inato e primordial é o temor; pelo temor se explica tudo; o pecado original e a virtude original.

A minha própria virtude nasceu do temor; chama-se ciência.

E o temor que mais tem logrado no homem é o temor aos animais selvagens, incluso o animal que o homem oculta e receia em si, aquele a que Zaratustra chama "a besta interior".

Este estranho temor, por fim requintado e espiritualizado, parece-me que hoje se chama ciência."

Assim falava o consciencioso; mas Zaratustra, que nesse mesmo instante tornava à caverna, e que ouvira e adivinhara a última parte do discurso, atirou ao consciencioso um punhado de rosas, rindo-se das suas "verdades". "Que? — exclamou — que acabo de ouvir? Parece-me que estás louco deveras, ou então que o estou eu; vou já virar a tua verdade de cima para baixo.

Que o temor é a nossa exceção.

Em compensação, o valor e a paixão pelas aventuras, pelo incerto, pelas coisas ainda não apontadas: o valor parece-me toda a história primitiva do homem.

Invejou e arrebatou aos animais mais selvagens e valorosos todas as suas virtudes: só assim se fez homem.

Esse valor apurado e espiritualizado por fim, esse valor humano com asas de águia e astúcia de serpente, parece-me chamar-se hoje."

"Zaratustra!", exclamaram simultaneamente todos os ali reunidos, soltando uma gargalhada; mas qualquer coisa se elevou deles que se assemelhava a uma nuvem negra. Também o feiticeiro se pôs a rir e disse maliciosamente: "Arre! Foi-se-me o espírito maligno!

Preveni-vos contra ele, quando vos dizia que era um impostor, um espírito mentiroso e fraudulento.

Sobretudo quando se mostra a nu. Que posso fazer, porém, contra seus ardis? Acaso fui eu que o criei e quem criou o mundo?

Vamos! Tornemos a ser bons e joviais! E conquanto Zaratustra franza o sobrolho — olhem-no! tem-me aversão! — antes de chegar a noite aprenderá outra vez amar-me e a elogiar-me: não pode estar muito tempo sem fazer doidices destas...

Este ama os seus inimigos: dos que tenho encontrado é quem melhor conhece tal arte. Mas vinga-se deles... nos amigos!"

Assim falou o velho feiticeiro, e os homens superiores aclamaram-no; de forma que Zaratustra, rodeando, foi estreitando maliciosa e amoravelmente as mãos dos seus amigos, como quem tem de que se desculpar; mas quando chegou à porta da caverna, tornou a ansiar pelo ar puro de fora e a companhia dos seus animais, e quis sair.

LXXVI.
ENTRE AS FILHAS DO DESERTO

I

"Não te retires — disse então o viandante que se dizia a sombra de Zaratustra. — Fica aos nossos pés, quando não poderia tornar a invadir-nos a antiga e esmagadora aflição.

Já o velho feiticeiro nos prodigalizou o melhor da sua colheita; e olha: o Papa, tão piedoso, tem os olhos inundados de lágrimas, e tornou a embarcar no mar da melancolia.

Estes reis ainda podiam mostrar boa cara diante de nós todos; porque são os que melhor aprenderam essa arte. Aposto que, se se não tivessem testemunhas, também lhes chegaria a má peça, a má peça das nuvens passageiras, da úmida melancolia, do céu nublado, dos sóis roubados, dos ventos de outono que zumbem: a má peça do nosso alarido e dos nossos gritos de angústia. Zaratustra, deixa-te estar conosco! Há aqui muita miséria oculta, muita noite, muitas nuvens, muito ar pesado!

Nutriste-nos de fortes alimentos viris e de máximas fortificantes; não permitas que para conclusão nos surpreendam novamente os espíritos da frouxidão, os espíritos efeminados!

Só tu sabes fortificar e purificar o ambiente que te rodeia! Acaso já encontrei na terra ar tão puro como na tua caverna e nos teus domínios?

E contudo, tenho visto muitos países; as minhas narinas aprenderam a examinar e a apreciar ares múltiplos; mas onde elas experimentam o seu maior deleite é a teu lado.

A não ser... a não ser... Ó! Perdoa-me uma antiga recordação! Perdoa-me um antigo canto de sobremesa que compus em tempos às filhas do deserto.

Que lá também havia ar puro e límpido de Oriente; foi onde estive mais longe da velha Europa, nebulosa, úmida e melancólica.

Então amava eu as filhas do Oriente e doutros reinos do céu azulado onde se não chocam nuvens nem pensamentos.

Nem imaginais as feiticeiras que lá se encontravam sentadas, quando não dançavam, profundas, mas sem pensamentos, como segredos, como enigmas engalanados, como nozes de sobremesa, coloridas e verdadeiramente singulares, mas sem nuvens: enigmas que se deixam adivinhar. Em honra dessas donzelas inventei então um salmo de sobremesa."

Assim falou o viandante que se dizia sombra de Zaratustra; e antes que alguém lhe pudesse impedir, pegou na harpa do velho feiticeiro, cruzou as pernas e olhou tranquilamente à sua roda, aspirando o ar pelo nariz com expressão interrogadora, como quem aprecia ar novo em novos países. Depois principiou a cantar com uma voz que parecia um rugido.

II

"Solene! Digno princípio! Princípio de solenidade africana! Digno de um leão ou de um bramador moral... mas não de vós, arrebatadoras amigas, a cujos pés me é dado a mim europeu, sentar-me entre palmeiras.

Maravilhoso! Eis-me agora aqui, próximo do deserto, e já outra vez tão longe do deserto, absorto por este pequenino oásis; porque mesmo agora abriu ele a boca bocejando, a mais perfumada de todas as bocas, e eu lhe caí dentro, profundamente, entre vós, arrebatadoras amigas.

Bendita, bendita aquela baleia, que tão bondosa quis ser para o seu hóspede! Compreendeis a minha douta alusão?... Bendito o seu ventre, se foi tão grato vento de oásis como este! Coisa de que duvido, no entanto; porque venho da Europa, que é a mais incrédula de todas as esposas.

Deus a melhore! Amém!

Eis-me aqui, pois, agora, neste pequenino oásis, como uma tâmara, madura, açucarada, de áureo suco, ansiosa por boca redonda de donzela, mas ainda mais por virginais dentes incisivos acerados, frios como o gelo e brancos como neve, que por eles pena o ardente coração de todas as tâmaras.

Semelhante a esses frutos do Meio-dia, aqui estou cercado de alados insetos que dançam e folgam à roda de mim, assim como os desejos e pensamentos mais pequeninos, mais loucos e ainda mais maliciosos; aqui estou, bichinhas donzelas mudas e cheias de pressentimento. Duda e Zuleika, assediado por vós, — esfingezado, para condensar numa palavra muitas significações (Perdoe-me Deus este pecado linguístico!...); aqui estou aspirando o melhor dos ares, verdadeiro ar de paraíso, ar diáfano e tênue, raiado de ouro, ar tão bom como jamais caiu outro da lua. Seria casualidade ou presunção, como contam os antigos poetas? Eu, porém, cético, duvido, porque venho da Europa que é a mais incrédula de todas as esposas. Deus a melhore. Amém.

Saboreando este belo ar, com as narinas dilatadas, sem futuro, sem recordação assim estou aqui, arrebatadoras amigas, e vejo a palmeira arquear-se, dobrar-se e vergar-se — o que qualquer faz quando a contempla longo tempo — como uma bailarina que, a meu ver, se susteve já muito, muito, com pe-

rigosa insistência, sobre uma perna. Ao que parece, esqueceu a outra. Eu, pelo menos, debalde procurei a gêmea alfaia — quero dizer, a outra perna — nas santas imediações das suas graciosas e arrebatadoras saias, das suas saias enfeitadas, ondulantes como leques. É verdade, belas amigas, perdeu-a... Adeus! Foi-se, foi-se para sempre a outra perna. Ó! pobre perna! Aonde parará, abandonada e triste, essa perna solitária? Talvez prostrada por feroz leão monstruoso de ruivas guedelhas? E já roída, horror! horror! Miseravelmente dilacerada!

Ó! Não me choreis, ternos corações! Não me choreis, corações de tâmaras, seios de leite! Sé homem, Zuleika! Valor! Valor! Não chores mais, pálida Duda.

Ó! ergue-te, dignidade! Sopra, sopra outra vez, fole da verdade! É bramar ainda, bramar moralmente, bramar como leão moral ante as filhas do deserto! Que os alaridos da virtude, arrebatadoras jovens, são, principalmente, a paixão ardente, a fome voraz do europeu. E vede já em mim o europeu: não posso remediá-lo. Deus me valha! Amém!

O deserto cresce. Ai daquele que oculta desertos!"

LXXVII. O DESPERTAR

I

Depois do canto do viandante e da sombra, a caverna encheu-se subitamente de risos e ruídos; e como todos os hóspedes falavam ao mesmo tempo e até o próprio jumento com tal animação não podia estar quieto, Zaratustra experimentou certo enfado e certo prurido zombeteiro contra as suas visitas, embora tal regozijo o satisfizesse por julgá-lo um sinal de cura. Escapou-se pois, para o exterior, para o ar livre, e falou aos seus animais.

"Para onde pararia agora a tua angústia? — disse, e já se lhe dissipava o enfado. – Parece terem esquecido na minha moradia os seus gritos de angústia, conquanto, desgraçadamente, não perdessem o costume de gritar."

E Zaratustra tapou os ouvidos, porque nesse momento os I. A. do jumento e a algazarra dos homens superiores formavam um estranho concerto.

"Estão alegres — prosseguiu — e, quem sabe? Talvez à custa do seu hóspede; conquanto aprendessem a rir de mim, não foi o meu riso, todavia, que eles aprenderam.

Mas, que importa? São velhos; curam-se à sua maneira, riem a seu modo; os meus ouvidos já suportaram coisas piores.

Este dia foi uma vitória. Já retrocede, já foge o espírito do pesadume, meu antigo inimigo mortal. Como quer acabar bem este dia que tão mal e tão maliciosamente principiou!

E quer acabar. Chega o crepúsculo; atravessa a cavalo no mar, o bom corcel. Como se meneia o bem-aventurado, que torna na sua sela de púrpura.

O céu olha sereno; o mundo dilata-se profundamente; homens singulares, que vos aproximastes de mim, vale a pena viver ao pé de mim!"

Assim falava Zaratustra. E nesse somenos tornaram a sair da caverna os gritos e as risadas dos homens superiores. Então Zaratustra continuou:

"Excitam-se; o meu cevo faz o seu defeito; também deles foge o inimigo, o espírito do pesadume. Já aprendem a rir de si mesmos: ouvirei bem?

As minhas saborosas e rigorosas máximas surtem efeito; e, na verdade, não os alimentei com legumes que incham, mas com um alimento de guerreiros, com um alimento de conquistadores: despertei novos desejos.

As suas pernas e os seus braços revelam novas esperanças; o coração dilata-se-lhes. Encontram novas palavras; breve o seu espírito respirará desenfado.

Compreendo que este alimento não seja para crianças, nem para mulheres lânguidas. São precisos outros meios para lhes convencer as entranhas: deles não sou médico nem mestre.

Foge o tédio desses homens superiores: eis a minha vitória. Sentem-se seguros no meu reino, perdem a imbecil vergonha, espraiam-se.

Espraiam os corações; para eles tornam os bons momentos: divertem-se e ruminam: tornam-se agradecidos.

Isso é que eu tenho como melhor sinal; tornam-se agradecidos. Não passará muito tempo que não inventem festas e erijam monumentos comemorativos às suas antigas alegrias. São convalescentes!"

Assim falava Zaratustra com íntimo júbilo e olhando para fora. Os animais encostaram-se a ele, honrando-lhe a felicidade e o silêncio.

II

De súbito, porém, sobressaltou-se o ouvido de Zaratustra, porque a caverna, até ali animada pela bulha e o riso, ficou de repente num silêncio sepulcral. Às narinas de Zaratustra chegou um odor agradável de fumo e de incenso, como se tivessem posto pinhas ao lume.

"Que sucedera? Que estarão à fazer?", perguntou a si mesmo, aproximando-se da entrada para ver os convidados sem ser visto. – Mas, ó! maravilhas das maravilhas! Que viram então os seus olhos?

Tornaram-se todos religiosos! rezam! estão doidos!", disse numa admiração sem limites.

E efetivamente, todos aqueles homens superiores — os dois reis, o ex-papa, o sinistro feiticeiro, o mendigo voluntário, o viandante e a sombra, o velho adivinho, o conscioncioso e o homem mais feio — estavam prostrado de joelhos, como velhas beatas: estavam de joelhos a adorar o jumento!

E o mais feio dos homens começava a soprar, como se dele quisesse sair qualquer coisa inexprimível; mas, quando afinal se pôs a falar, salmodiava uma piedosa e singular ladainha em louvor do adorado e incensado burro. Eis qual era essa ladainha:

"Amém! E honra e estima e gratidão e louvores e forças sejam com o nosso deus, de eternidade em eternidade."

E o burro zurrava: I A.

"Ele leva as nossas cargas; é pacífico e nunca diz não. E o ama o seu deus; castiga-o."

E o burro zurrava. I A.

"Não fala senão para dizer sim ao mundo que criou: assim canta louvores ao seu mundo. A sua astúcia não fala; por isso mesmo rara vez erra."

E o burro zurrava: I A.

"Ignorado passa pelo mundo. A cor do seu corpo, como que envolve a sua virtude, é parda. Se tem talento oculta-o; mas todos lhe veem as compridas orelhas."

E o burro zurrava: I A.

"Que recôndita sabedoria é ter orelhas compridas e dizer sempre sim e nunca não. Não criou ele o mundo à sua imagem? Isto é, o mais burro possível?"

E o burro zurrava: I A.

"Tu segues caminhos direitos e caminhos tortuosos; aquele a que os homens chamam direito ou torto, pouco te importa. O teu reino encontra-se além do bem e do mal. A tua inocência é não saber o que se chama inocência."

E o burro zurrava: I A.

"Vê como tu não repeles ninguém, nem os mendigos, nem os reis. Deixas vir a ti as criancinhas, e se os velhacos te querem tentar dizes simplesmente: I A."

E o burro zurrava: I A.

"Gostas das burras e dos figos frescos, e não és exigente com a comida. Um caldo te satisfaz as entranhas quando tens fome. Nisso reside a sabedoria de um deus."

E o burro zurrava: I A.

LXXVIII.

O FESTIVAL DO BURRO

I

Neste ponto da ladainha, porém, Zaratustra não se pode conter mais. Gritou por sua vez I A, com voz ainda mais roufenha, do que a do jumento, e de um salto postou-se no centro dos seus enlouquecidos hóspedes.

"Mas, que estais aí fazendo, filhos dos homens? — exclamou, erguendo do solo os que rezavam. — Pobres de vós, se outro que não fosse Zaratustra vos visse!

Todos acreditariam que com a vossa nova fé, vos havíeis tornado piores blasfemos, ou as mais insensatas velhas.

E tu, antigo Papa, como podes estar de acordo contigo mesmo, adorando assim um burro como se fosse um deus?"

"Perdoa, Zaratustra — respondeu o Papa —, mas das coisas de Deus ainda eu entendo mais do que tu.

Antes adorar a Deus sob esta forma do que o não adorar de forma nenhuma! Reflete nestas palavras, eminente amigo; breve compreenderás que contém sabedoria.

Aquele que diz: "Deus é espírito" foi o que até hoje deu na terra o passo, o salto maior para a incredulidade! Tais palavras não são fáceis de reparar na terra!

O meu velho coração salta e rejubila ao ver que ainda há que adorar na terra. Perdoa, Zaratustra, ao velho coração de um Papa religioso!"

"E tu — disse Zaratustra ao viandante e à sombra —, dizes-te e imaginas ser um espírito livre? E entregas-te a semelhantes idolatrias e momices?

Antes adorar a Deus sob esta forma do que o não adorar.

Na verdade, fazes ainda aqui coisas piores do que as que fazias ao lado das raparigas morenas e maliciosas, novo e malicioso crente."

Respondeu o viandante e a sombra: "Tens razão; mas que havia eu de fazer? Digas o que disseres, Zaratustra, o Deus antigo revive.

A causa de tudo isto é o mais feio dos homens: foi ele que o ressuscitou. E se diz que em tempos o matou, a morte entre os deuses é tão só um prejuízo."

"E tu maligno velho encantador, que fizeste? — prosseguiu Zaratustrta. — Quem há de crer em ti nestes tempos de liberdade, quando tu crês em tais burricadas divinas?

Como tu, tão astuto, pudeste cometer semelhante sandice!"

"Tens razão, Zaratustra — respondeu o astuto encantador — foi uma sandice e bem cara me custou."

"E tu também — disse Zaratustra ao consciencioso —, reflete e põe o dedo no nariz! Nada vês nisto que te perturbe a consciência? Não será o teu espírito demasiado limpo para tais adorações e para a presunção de semelhantes boatos?"

"Há neste espetáculo — responde o consciencioso levando o dedo ao nariz —, há neste espetáculo qualquer coisa que faz bem à minha consciência.

Talvez eu não tenha o direito de crer em Deus; mas o certo é que, sob esta forma, Deus ainda me parece altamente digno de fé.

Deus deve ser eterno, segundo o testemunho dos mais piedosos: quem tanto tempo tem, tempo toma. De forma que com toda a lentidão e estupidez que queira, pode ir verdadeiramente longe.

E quem tenha inteligência demais podia muito bem suspirar pela estupidez e pela loucura. Quando não, pensa em ti mesmo, Zaratustra!

Tu mesmo, na verdade, te poderias muito bem tornar burro à força de sabedoria.

Um sábio perfeito não gosta de seguir os caminhos mais tortuosos? A aparência o diz, Zaratustra: di-lo a tua aparência!"

"E tu, afinal — disse Zaratustra dirigindo-se ao mais feio dos homens, que caminhava no chão estendendo os braços até ao burro para lhe dar vinho a beber —, fala, inexprimível: que foi que fizeste?

Dize: que fizeste?

É verdade que o ressuscitaste, como estes dizem? E por que? Não estava morto com razão? Como te converteste? Fala inexprimível!"

"Ó! Zaratustra — respondeu o mais feio dos homens. — És um brejeiro!

Se ele ainda vive, ou se revive, ou se morreu completamente, qual de nós o sabe melhor?

Sei, porém, de uma coisa, e contigo a aprendi em tempos, Zaratustra, aquele que quer matar mais completamente põe-se a rir.

"Não é com a cólera, mas com o riso que se mata". Assim falavas tu noutro tempo. Ó! Zaratustra! tu que permaneces oculto destruidor sem cólera, santo perigoso, és um brejeiro!"

II

Então Zaratustra, pasmado de tantos sofismas, tornou a correr para a porta da caverna, e dirigindo-se a todos os convidados começou a gritar com voz forte.

"Refinados loucos, truões! Para que dissimular e ocultar-vos diante de mim!

Como folgava, contudo, de alegria e malícia o vosso coração, porque afinal tornastes a ser como crianças — isto é, religiosos, — porque afinal tornastes a rezar, a juntar as mãos e a dizer "amado Deus!"

Mas agora saí deste quarto de crianças, desta minha caverna onde hoje estão como em sua casa todas as infantilidades.

Refrescai lá fora os vossos ardores infantis e apaziguai o tumulto do vosso coração!

É verdade que se não tornais a ser como crianças, não podereis entrar no tal reino dos céus. — E Zaratustra ergueu as mãos para o ar.

— Nós, porém, não queremos entrar no reino dos céus; tornamo-nos homens: por isso mesmo queremos o reino da terra."

III

E tornando a usar da palavra, Zaratustra disse:

"Ó! meus novos amigos! Homens singulares! homens superiores! como me agradais desde que vos tornastes alegres!

Estais em pleno florescimento, e parece-me que, para flores como vós, são precisas festas novas, uma boa loucura, um culto e uma festa do burro, um velho tresloucado e alegre à maneira de Zaratustra, um turbilhão que com o seu sopro vos varra a alma.

Não esqueçais esta noite e esta festa do burro, homens superiores! Foi o que inventastes na minha mansão e, para mim, isso é um bom sinal; não há como convalescentes para inventarem tais coisas!

E se tornardes a celebrar esta festa do burro, fazei-a por amor de vós e por amor de mim. E fazei-a em minha lembrança."

Assim falava Zaratustra.

LXXIX. O CANTO DO EMBRIAGADO

I

Entretanto, todos haviam saído um após outro, e se encontravam ao ar livre no seio da noite fresca e silenciosa; e Zaratustra pegou na mão do mais feio dos homens, para lhe mostrar o seu mundo noturno, a grande lua redonda e as cascatas prateadas junto da caverna. Por fim, todos aqueles velhos de coração consolado e valoroso se detiveram, admirando-se intimamente de se sentirem tão bem na terra; a placidez da noite penetrava-lhes nos corações, cada vez mais profundamente. E Zaratustra pensava de novo consigo: "Ó! como me agradam agora estes homens superiores!", mas não lhes disse, porque lhes respeitava a felicidade e o silêncio.

Então surgiu o mais surpreendente de quanto surpreendente acontecera naquele dia. O mais feio dos homens começou por derradeira vez a resfolegar, e quando conseguiu falar, saiu-lhe dos lábios uma pergunta profunda e clara que agitou o coração de quantos a ouviram.

"Meus amigos, todos que estais aqui presentes — disse o mais feio dos homens — que vos parece? Graças a este, estou pela primeira vez satisfeito de ter vivido a vida inteira.

E ainda não me basta fazer tal declaração.

Vale a pena viver na terra: um dia, uma festa em companhia de Zaratustra me ensinaram a amar a terra. "Era isto a vida?" direi à morte.

Pois bem: repita-se!"

Assim falava o mais feio dos homens, perto da meia-noite. E que julgais sucedeu nesse momento? Enquanto os homens superiores ouviam a pergunta, repararam na sua transformação e cura, e em quem lhas proporcionara; por isso se precipitaram para Zaratustra beijando-lhe a mão e testemunhando-lhe a sua gratidão, cada qual a seu modo: de forma que uns riam e outros choravam.

O velho encantador dançava de prazer; e se, como creem certos narradores, estava então cheio de vinho doce, mais cheio estava certamente de vida doce, e despedira-se de toda a melancolia. Há ainda quem conte que o burro também se pusera a dançar; porque não fora debalde que o homem mais feio lhe dera vinho. Fosse isso verdade ou não, pouco importa, e se o burro não bailou nessa noite, sucederam, contudo, coisas maiores e mais singulares do que a de um burro bailar.

Em suma, como diz o provérbio de Zaratustra:

"Que importa!"

II

Quando tal se passou com o mais feio dos homens, Zaratustra ficou como tonto: toldava-se-lhe o olhar, a sua língua tartamudeava e os pés vacilavam-lhe. Quem poderia adivinhar os pensamentos que naquele instante atravessaram a alma de Zaratustra? Era visível, porém, que o seu espírito vagueava para trás e para diante, e passava muito alto, como "sobre elevada cordilheira (conforme está escrito) que, interposta entre dois mares, caminha entre o passado e o futuro como pesada nuvem".

Nisto, enquanto os homens superiores o amparavam nos braços, tornou a si pouco a pouco, afastando com o gesto os seus assustados veneradores: mas não falava. Súbito voltou a cabeça, porque lhe parecia ouvir qualquer coisa: então pôs o dedo na boca e disse: "Vinde!"

E imediatamente tudo ficou tranquilo e em silêncio em torno dele; mas das profundidades subia lentamente o som de um sino. Zaratustra apurou o ouvido, assim como os homens superiores; depois tornou a pôr o dedo na boca, e disse outra vez: "Vinde! Vinde! Aproxima-se a meia-noite!" E a voz transformara-se-lhe; mas ele continuava imóvel no mesmo lugar. Então reinou um silêncio ainda maior e uma quietação ainda mais profunda e toda a gente escutava, até o burro e os animais de Zaratustra, à águia e a serpente, e também a caverna e a fria lua e a própria noite.

Mas Zaratustra ergueu-se pela terceira vez, levou a mão aos lábios e disse:

"Vinde! Vinde! Vamos! É a hora: caminhemos para a noite!"

III

"Homens superiores, aproxima-se a meia-noite: quero-vos dizer uma coisa ao ouvido, como mo disse ao ouvido aquele velho sino: com o mesmo segredo, espanto e cordialidade com que me falou esse sino da meia-noite, que tem vivido mais do que um só homem que já cantou as palpitações dolorosas dos corações de vossos pais.

Como suspira! Como ri em sonhos a venerável e profunda, profundíssima meia-noite.

Silêncio! Silêncio! Ouvem-se muitas coisas que se não atrevem a erguer a voz durante o dia: mas agora que o ar é puro e se calou também o ruído dos nossos corações, agora as coisas falam e ouvem-se, agora introduzem-se nas almas noturnas e despertas. Como suspira! Como ri em sonhos!

Não ouves como te fala a ti secretamente, com espanto e cordialidade, a venerável e profunda, profundíssima meia-noite?

Ó! Homem! Excita o cérebro!"

IV

"Ai de mim! Que foi do tempo? Não caiu em profundos poços? O mundo dorme.

O cão uiva; brilha a lua. Antes morrer do que dizer-vos o que pensa agora o meu coração de meia-noite!

Estou morto. Tudo findou, Aranha: por que teces a tua teia, à minha roda? Queres sangue! Cai o orvalho, chega a hora em que gelo, a hora que pergunta e torna a perguntar incessante: "Quem tem valor para tanto? Quem há de ser o dono da terra? Quem quer dizer: tendes de correr assim, rios grandes e pequenos?"

Aproxima-se a hora! Excita o cérebro, homem superior! Este discurso é para ouvidos finos, para os teus ouvidos. Que diz a profunda meia-noite?"

V

"Vejo-me arrebatado; a minha alma, salta. Cotidiana tarefa! Cotidiana tarefa! Quem deve ser o dono do mundo?

A lua é fresca; o vento emudece. Ai! Ai! Já voastes a bastante altura? Dançaste? Mas, uma perna não é uma asa.

Bons dançarinos, agora passou a alegria toda: o vinho converteu-se em fezes; as sepulturas balbuciam.

Não voastes a bastante altura; agora as sepulturas balbuciam: "Mas salvai os mortos! Porque é noite há tanto tempo? Não vos embriaga a lua?"

Salvai as sepulturas, homens superiores! Despertai os cadáveres! Ai! Porque é que o verme ainda rói? Aproxima-se a hora, aproxima-se; soa o sino; ainda o coração anela; o verme, o verme do coração ainda rói.

O mundo é profundo!"

VI

"Maviosa lira! Maviosa lira! Adoro o teu som, o teu encantador som de sapo!

Há que tempos e que de longe — dos tanques do amor — chega a mim esse som!

Velho sino! Maviosa lira! Todas as dores te têm desfibrado o coração: a dor de pai, a dor dos antepassados, a dor dos primeiros pais; o teu discurso alcança já a maturação como o dourado outono e a tarde, como o meu coração de solitário, agra fala: o próprio mundo amadureceu; a uva enegrece; agora quer morrer, morrer de felicidade. Não o conjeturais, homens superiores?

Secretamente sobe um perfume e um odor de eternidade, um aroma — como de dourado vinho delicioso — de rara ventura; ventura inebriante de morrer, ventura de meia-noite, que canta:

O fundo é profundo e mais profundo do que o dia."

VII

"Deixa-me! Deixa-me. Sou puro demais para ti. Não me toques! Não se acaba de consumar o meu mundo?

A minha pele é demasiada pura para as tuas mãos? Deixa-me, triste e sombrio dia! Não é mais clara a meia-noite?

Donos da terra devem ser os mais fortes, as almas da meia-noite, que são mais claras e profundas que todos os dias.

Ó! dia! Andas às cegas atrás de mim? Exploras a minha felicidade? Serei para ti, rico, solitário, um tesouro oculto, uma arca de ouro?

Ó! mundo! Serei o que queres? Serei espiritual para ti? Serei divino para ti? Dia e mundo são demasiado tristes, tendes mãos mais aptas, colhei uma felicidade mais profunda, um infortúnio mais profundo; colhei um deus qualquer; não me prendais a mim. A minha desdita e a minha dita são profundas, dia singular; mas não sou um deus, nem o inferno de um deus: Profunda é a sua dor."

VIII

"A dor de Deus é mais profunda, mundo singular! Procura a dor de Deus; não me procures a mim! Quem sou eu? Maviosa lira cheia de embriagues; uma lira de meia-noite, um sino plangente que deve falar diante dos surdos, homens superiores. Que vós outros não me compreendeis!

Isto é fato! Isto é fato! Ó! mocidade! Ó! meio-dia! Ó! tarde! Chegou agora o crepúsculo e a noite e a meia-noite; uiva o cão, o vento — não será também o vento um cão? — geme, ladra, uiva. Como suspira com se ri e geme a meia-noite!

Como agora fala sobriamente esta ébria poetisa! Passar-lhe-ia a embriagues? Tresnoitaria? Rumina?

A velha e profunda meia-noite rumina em sonhos a sua dor e ainda mais a sua alegria: pois se a dor é profunda, a alegria é mais profunda do que o sofrimento."

IX

"Por que me elogias, vinha? Eu, todavia, podei-te. Sou cruel; sangras: que quer o teu louvor da minha sombria crueldade?

"Tudo quanto está sazonado quer morrer!" Assim falas tu. Bendita seja a poda do vindimador! Tudo que não está maduro quer, porém, viver! ó! desventura!

A dor diz: "Passa! Vai-te, dor!" Mas tudo que sofre quer viver para amadurecer, regozijar-se e anelar, anelar o mais longínquo, o mais alto, o mais luminoso. "Quero herdeiros (assim fala todo aquele que sofre) quero filhos: não me quero a mim".

A alegria, contudo, não quer herdeiros nem filhos; alegria quer-se a si mesma, quer a eternidade, quer o regresso, quer tudo igual a si eternamente.

A dor diz: "Desfibra-se, sangra, coração! Caminhai, pernas! Asas, voai! Então, vamos, meu velho coração! A dor diz: Passa!"."

X

"Que vos parece, homens superiores? Serei um adivinho? Um sonhador? Um bêbedo? Um intérprete de sonhos? Um sino da meia-noite? Uma gota de orvalho? Um vapor e um perfume da eternidade? Não ouvis? Não percebeis? O meu mundo acaba de se consumar; a meia-noite é também meio-dia, a dor é também uma alegria, a maldição é também uma bênção, a noite é também sol; afastai-vos ou ficareis sabendo: um sábio é também um louco.

Dissestes alguma vez "sim" a uma alegria? Ó! meu amigos! Então dissestes também "sim" a todas as dores! Todas as coisas estão encadeadas, forçadas; se algum dia quisestes que uma vez se repetisse, se algum dia dissestes: "Agradas-me, felicidade!" Então quisestes que tudo tornasse.

Tudo de novo, tudo eternamente, tudo encadeado, forçado: assim amastes o mundo; vós outros, os eternos, amai-o eternamente e sempre, e dizeis também à dor: "Passa, mas torna! Porque toda a alegria quer eternidade!"."

XI

"Toda a alegria quer a eternidade de todas as coisas, quer mal, quer fezes, quer inebriante meia-noite e quer sepulturas, quer o consolo das lágrimas, das sepulturas, quer o dourado crepúsculo...

Que não há de querer a alegria! É mais sedenta, mais cordial, mais terrível, mais secreta que toda a dor: quer-se a si mesma, morde-se a si mesma, agita-se nela a vontade da anilha; quer amor, quer ódio, nada na abundância, dá, arroja para longe de si, suplica que a aceitem, agradece a quem a recebe, quereria ser odiada; é tão rica que tem sede de dor, de inferno, de ódio, de vergonha, do mundo, porque este mundo, ah, já o conheceis.

Homens superiores, por vós suspira a alegria, a desenfreada, a bem-aventurada; suspira pela vossa malograda dor. Toda a alegria eterna suspira pelas coisas malogradas.

Pois toda a alegria se estima a si mesma; por isso quer também o sofrimento! Ó! felicidade! Ó! dor! Desfibra-te coração! Aprendei-o, homens superiores: a alegria quer a eternidade!

A alegria quer a eternidade de todas as coisas. Quer profunda eternidade."

XII

"Aprendeste agora o meu canto? Adivinhastes o que quer dizer? Eia, pois, homens superiores! entoai o meu canto!

Entoai agora vós o canto cujo título é "Outra vez" e cujo sentido é "por toda a eternidade". Entoai, homens superiores, entoai o canto de Zaratustra!

Homem, excita o cérebro! Que diz a profunda meia-noite? "Tenho dormido, tenho dormido! De um profundo sono despertei: O mundo é profundo, mais profundo do que o dia, pensava. Profunda é a sua dor e a alegria mais profunda que o sofrimento! A dor diz: Passa! Mas toda a alegria quer eternidade, quer profunda eternidade!"

LXXX. O SINAL

De manhã, porém, após esta noite, Zaratustra saltou de seu leito e, tendo cingido seus ombros, saiu de sua caverna brilhante e forte, como o sol da manhã saindo de montanhas sombrias.

"Ó grande estrela", disse ele, como já havia falado antes, "tu, olho profundo da felicidade, o que seria de tua felicidade se não tivesses AQUELES para quem brilhas?

E se eles permanecessem em seus aposentos enquanto tu já estás acordado, como tua orgulhosa modéstia censuraria por isso!

Vamos! eles ainda dormem, estes homens superiores, enquanto eu estou acordado: Não são meus companheiros! Não espero por eles aqui nas minhas montanhas.

Quero estar no meu trabalho, no meu dia: mas eles não entendem quais são os sinais da minha manhã, meu passo não é para eles o chamado do despertar.

Eles ainda dormem na minha caverna; o sonho deles ainda bebe em minhas canções de embriaguez. O público ouvido para MIM, o ouvido OBEDIENTE, ainda carece de seus membros."

Isto tinha Zaratustra falado ao seu coração quando o sol nasceu: então olhou interrogativamente no alto, pois ouviu acima dele o grito agudo de sua águia.

"Nós vamos!" apontou ele para cima, "assim é agradável e adequado para mim. Meus animais estão acordados, pois eu estou acordado.

Minha águia está acordada e, como eu, honra o sol. Com garras de águia, ele agarra a nova Luz. Vós sois meus animais adequados; tendes o meu amor.

Mas ainda faltam meus homens adequados!"

Assim falava Zaratustra; então, aconteceu que de repente ele percebeu que foi reunido e esvoaçado ao redor, como se por inúmeros pássaros, o zunindo de tantas asas, no entanto, e a aglomeração em torno de sua cabeça era tão grande que ele fechou os olhos.

E, na verdade, desceu sobre ele como se fosse uma nuvem, como uma nuvem de flechas que se derramam sobre um novo inimigo. Mas eis que aqui estava uma nuvem de amor, e choveu sobre um novo amigo.

"O que me aconteceu?" pensou Zaratustra em seu coração atônito, e lentamente se sentou na grande pedra que ficava perto da saída de sua caverna. Mas enquanto ele balançou com as mãos, ao redor dele, acima e abaixo dele, e repeliu os pássaros tenros, eis que então aconteceu a ele algo ainda mais estranho: pois compreendeu assim inesperadamente em uma massa de cabelos grossos, quentes e desgrenhados; ao mesmo tempo, no entanto, soou diante dele um rugido - um rugido longo e suave de leão.

"O SINAL", disse Zaratustra, e uma mudança ocorreu em seu coração. Havia um animal amarelo e poderoso a seus pés, descansando sua cabeça em seu joelho, não querendo deixá-lo por amor, e agindo como um cachorro, o que de novo encontra seu antigo mestre. As pombas, no entanto, não estavam menos ansiosas por seu amor do que o leão; e sempre que uma pomba batia em seu nariz, o leão balançava a cabeça e ria.

Quando tudo isso aconteceu, Zaratustra disse apenas uma palavra: "MEUS FILHOS ESTÃO PRÓXIMOS, MINHAS CRIANÇAS", então ele ficou calado. Seu coração, no entanto, estava solto, e de seu olhos caíram lágrimas sobre suas mãos. E não deu mais atenção a nada, ficou ali sentado imóvel, sem repelir mais os animais. Então voaram as pombas para lá e para cá, e pousaram em seu ombro, e acariciaram seus cabelos brancos, e não se cansavam de sua ternura e alegria.

O leão forte, porém, lambia sempre as lágrimas que caíam nas mãos de Zaratustra, rugia e rosnava timidamente. Assim fizeram esses animais.

Tudo isso durou muito tempo, ou pouco tempo: pra falar a verdade NÃO há tempo na terra para tais coisas.

Enquanto isso, no entanto, os homens superiores haviam despertado na Caverna de Zaratustra, e se prepararam para uma procissão para ir ao encontro de Zaratustra, e dar-lhe a saudação matinal: pois descobriram, ao acordar, que ele não mais tempo permaneceu com eles.

Quando, no entanto, eles alcançaram a porta da caverna e o barulho de seus passos os precederam, o leão estremeceu violentamente; ele se afastou de uma vez de Zaratustra, rugindo loucamente, saltou em direção à caverna.

Os homens superiores, no entanto, quando ouviram o rugido do leão, gritaram em voz alta como se fossem uma só voz, fugiram para trás e desapareceram em um instante.

O próprio Zaratustra, no entanto, atordoado e estranho, levantou-se de seu assento, olhou ao seu redor, ficou ali surpreso, indagou de seu coração, pensou consigo mesmo e permaneceu sozinho.

"O que eu ouvi?", disse ele por fim, lentamente, "o que aconteceu comigo agora?"

Mas logo veio a ele sua lembrança, e viu de relance tudo o que havia levado lugar entre ontem e hoje. "Aqui está realmente a pedra", disse ele, e acariciou sua barba, "em ti sentei ontem pela manhã; e aqui veio o adivinho a mim, e aqui ouvi primeiro o grito que ouvi há pouco, o grande grito de angústia.

Ó vós, homens superiores, vossa angústia foi a que o velho adivinho me predisse ontem pela manhã, para sua angústia, ele quis me seduzir e tentar: "Ó Zaratustra", disse-me ele, "Vim te seduzir para o teu último pecado."

"Ao meu último pecado? – gritou Zaratustra, e riu com raiva de suas próprias palavras – O QUE foi reservado para mim como meu último pecado?"

E mais uma vez Zaratustra absorveu-se em si mesmo e voltou a sentar-se na grande pedra e meditar. De repente, ele saltou, "Compaixão! COMPAIXÃO COM OS HOMENS SUPERIORES!", gritou, e seu semblante mudou.

"Nós vamos! ISSO teve seu tempo!

Meu sofrimento é meu companheiro, o que importa sobre eles! Eu então me esforço por FELICIDADE? Eu me esforço pelo meu TRABALHO!

Nós vamos! O leão chegou, meus filhos estão perto, Zaratustra amadureceu, minha hora veio:

Esta é a MINHA manhã, o meu dia começa: LEVANTE-SE AGORA, LEVANTE-SE, Ó GRANDE MEIO-DIA!"

Assim falava Zaratustra, deixando sua caverna, resplandecente e forte, como o sol da manhã chegando nas montanhas sombrias.

VIDA E OBRA DO AUTOR

Friedrich Wilhelm Nietzsche nasceu em 15 de outubro de 1844, no vilarejo de Rocken, na então Prússia (hoje Alemanha).

Seu pai, pastor luterano morreu cinco anos após o seu nascimento, deixando sua mãe viúva e com três filhos para criar.

Formou-se em filologia e depois de concluir sua formação, devido ao seu grande conhecimento e respeito de seus superiores, foi convidado a lecionar filologia na Universidade de Basileia, com apenas 24 anos.

Em 1871 lança sua primeira obra: "O Nascimento da Tragédia".

Com 37 anos, conheceu por meio de um amigo a jovem russa Lou Salomé, por quem se apaixona e a pede em casamento, sendo recusado por três vezes. Esta desilusão amorosa terá grande impacto na vida de Nietzsche, ele rompe com seu amigo e com Lou. Nesta época, estava escrevendo "A Gaia Ciência", onde a frase que posteriormente o tornou famoso (Deus está morto) é formulada pela primeira vez.

É uma época de grande produção, e ainda que desesperado, tem forças para escrever o que reconheceu como seu livro mais importante: "Assim Falava Zaratustra", mas já encontra dificuldade em achar quem publique e leia suas obras.

Em 1889, com quarenta e quatro anos de idade, sofre um colapso e uma perda completa de suas faculdades mentais. Nietzsche viveu seus últimos anos sob os cuidados de sua mãe até a morte dela em 1897, depois ficou sob os cuidados de sua irmã, Elisabeth Förster-Nietzsche, até morrer em 1900.